死政治の精神史

「聞き書き」と抵抗の文学

佐藤 泉

青土社

死政治の精神史　**目次**

第Ⅰ部　文学史からの問い

第Ⅱ部　「聞き書き」と文学史への抵抗

第Ⅲ部　生政治／死政治

死政治の精神史

「聞き書き」と抵抗の文学

序　生きさせる政治、死ぬにまかせる政治、すでに死体とみなす政治

二〇二〇年からの新型コロナウィルスパンデミックによって、私たちは自分が脆い身体をもつ生きものだということに不意に気付いた。この発見には、たがいに気遣うケアの関係を基盤とする社会への転機となり得る質が可能性として含まれていたが、その一方で、さまざまな活動の自由が制限され、ワクチン接種の順番を待ち、死者を弔う機会を失う経験を通して、私たち個々の生が政治の介入を受ける場であることにもまた気付かされた。

ただ、それ以前から私たちは生をめぐる政治が卒然と姿を現す機会にくりかえし立ち会ってきたのではなかったか？　二〇一六年に起こった障害者殺傷事件では、分割可能であるはずの生が生産的な生と何も生み出さない生とに分割され、後者は殺害してよいものとみなされていた。人を有用な人材として形成しつつ生きさせる政治は、やがてその有用性の尺度のもとに不用な存在、いらな

いものを創り出し、死んでよく、殺してもよいとする政治へと裏返る。生きるに値する生や値しない生がどのように創り出されるのか、なぜ私たちはその分割を受け入れるのかを考えなければならないと思う。

文学史はある面で近代以後の精神史を代替してきた。そこには、心身を再定義し、自己と非自己を切り分け、個人主義の思考や能動的主体の概念を創り出し、またそれを受け入れてきた歴史が映し出されている。近代文学史は生政治を表象する場となってきた。だが、そのかたわらには、文学史的な秩序から遺棄されつつ、それを突き放すようにして異質の文学性を生み出してきた貴重な言葉もまた存在している。「聞き書き」の、聞き・書く言葉、受動／能動の切り分けを逃れるその言葉は、文学史と同じほどの長い歴史の中で異なる生を創り出してきた者たちの声を響かせてきた。

以下では、感染症が流行する少し前の時期に日本文学関連の研究集会で行った報告を採録し、本書の序に代えることにしたい。

＊＊＊

今日は、私たちの生に関わる歴史を捉えるために、どのような「時代区分」が有効なのか、そして私たちは現在どういった段階に来ているのか、こうした問題を考えようと思います(＊)。

まず、「生きさせる政治、死ぬにまかせる政治、すでに死体とみなす政治」というタイトルについて。物々しい題で恐縮ですが、これについてご説明しましょう。「生きさせる政治」、すなわち近代の産業資本主義の段階にある国家は、均質で大量の労働者、そして健康な兵士を必要とし、そのために福祉社会体制をとることになります。だいたい一九七〇年代に入るまでは、社会主義体制と介入的自由主義体制とを問わず、「大きな国家」による福祉国家体制、生きさせる政治が遂行されていたと言えます。日本で医療、保健、社会保障を所管する厚生省が設置されたのは一九三八年、日中戦争が本格化したその翌年のことで、この時期の日本は南京陥落に沸いていたと思います。この頃、批評家として出発した花田清輝は、「国民体位の向上」という嫌味なタイトルの文を右翼団体・東方会の機関誌『東大陸』に載せています。政府が国民の体格を向上させて、健康に生きさせてくれるのであればそれはたいへん結構なことですが、けれどもその政治によって創出されるのは戦争体制に向けて動員すべき健康体であり、この文脈における生政治は戦争＝死政治と表裏一体でした。

そして「死ぬにまかせる政治」。こちらは現代を特徴付けている新自由主義の段階です。「成長の限界」が告げられる一方で経済的グローバリゼーションが加速していく七〇年代を過渡期として、国は医療、社会保障、教育など公共部門の予算を削減しつつ民営化＝私企業化を進める政策を推進し、企業の「自由」な経済活動の幅を拡大します。私たちはおおむねこうした変化に気がつかないまま八〇年代のいわゆるバブル経済の時期を過ごしてしまいましたが、九〇年代に入ると日本社会の「空気」も大きく変容し、国に寄り掛からず、周囲に迷惑をかけず、自助努力で生きるようにという論調が蔓延します。たとえば生活保護受給者に対して、人の税金で楽をする不届きものというレッテル貼りが広がって、時おり、所持金もなくなり、水道もとめられて、ひっそり餓死していった人のことが、小さく報道されるようになりました。というより、この上ない悲惨であるにもかかわらず、ほとんど報道されません。同じころ、外国人排除の運動が街頭に出現していますが、彼らの言い分は、貧困に苦しむ国民がいるというのに、外国人が国の財政を食いつぶしている、という事実無根の確信に基づいていました。排外主義的ナショナリズムは唾棄すべきものですが、この運動もやはり根っこのところにはただ生きるということの困難の感覚というものがあったかと思います。

公金、血税を口にするコスト管理論、国に寄り掛かるなという自己責任論が急速に広がっていきました。こうして新自由主義のイデオロギーが、そのために苦しんでいる当の人々の内側にさえ深く内面化されていく。この段階を「死ぬにまかせる政治」とすると、現在はその連続線上にあるとともに、さらに一線をこえた感があります。つまり人々の苦境を自己責任の名のもとに見捨てるだけでなく、生きていなくていい、その生は無駄である、とみなす。「すでに死体とみなす政治」とでも呼ぶべき段階に入っているのではないかと感じないではいられません。二〇一六年に起きた相模原の障害者施設襲撃事件は決定的でした。犯人の若者は、何も生みださない生は生かしておく意味がない、無駄な予算を別のところに使えば世界が平和になると主張していました。現に生きている人間のただ中に、生産的な生と、死体同然の身体とを切り分ける境界線を引いたわけです。ビオスの生とゾーエーの生、切り離せないものを抽象的に切り離し、一方をすでに死体とみなす。ゾーエーの生に動物的という含意があるなら、これは人間の非人間化＝動物化でもあります。人間の生の幅が削り取られ、殺害してもいい生が作り出されてしまうという兆候のような事件でした。

加えてもう一方の側にも注意しましょう。人工知能への大きな期待、もしくは大きな脅威、その両義的な評価が急速に上昇しているのはご存じのとおりです。人は「シンギュラリティ」の到来に脅かされているのかもしれませんが、ここでは今国連などで問題になっている自律型ＡＩ兵器の問題を参照しましょう。機械が人の指令をうけることなく、人を殺す判断を下す。そんな倒錯を可能にしかねないのが自律型のＡＩ兵器です。核兵器禁止条約の採択に向けて活躍なさった国連事務次長の中満泉さんは、ＡＩ兵器が人間社会に与える潜在的かつ深刻な影響について強い危惧を表明しています。こうした兵器が存在するということ、それ自体が人間性を損なうことにつながる、というのです。人間性や尊厳と言われてきた何かが今、自明のものではなくなりつつあるのですが、皮肉なことに尊厳という言葉が使われる頻度は、今もっぱら尊厳死という言葉について高まっています。

一方ではそれまでの人間が動物のように殺してもよい生きものになり、他方では意識をもたない知能によってやはり人間性が掘り崩される。両側から人間の幅が削り取られる時代に、現在の人文学（ヒューマニティーズ）は立たされています。かつての「人間」に帰れとはもはや言えません。すでに人文学の批判的思想の中で、その「人間」とは誰のことか、という議論が展開されてきました。フェミニズム思想は「Man ＝男性」が「人間」を占有してきたのではないかと問い、ポストコロニアリズムは、その「人間」は非西洋を他者化しつつ西洋中心主義的に構築された「人間」だったのではないかと問い、そしてマルクス主義は近代資本主義が「人間」の形を限定的に定義してきたのではないかと問いました。さらに現在は「動物」一般という表象との境界によって同一性を構成してきた「人間」が問いただされ、また地球環境を棄損し気候変動を引き起こし、それ自身を持続不可能へと追い込んでいる「人間」が問いただされています。動物や地球、人間ならざるものとのネットワークにおいて人間を再発明すること、それが人文学に課せられた課題となり、人文学再生のための課題となっています。

＊

経済のグローバル化によって各国の国内経済政策の自立性が縮小していく時期に新自由主義の体制が政策的に導入され、九〇年代以降「改革」の政治が本格化します。七〇年代までの日本は、日本型経営の世界的成功を言祝いでいたものですが、一九八七年には国鉄が分割・民営化され、これ以降、労働組合が急速に弱体化していきます。これを筆頭に、公共的な部門が解体され、医療や社会保障、あるいは教育も含めて、人の生き死に、生そのものに関わる領域さえ市場原理のもとに再配置されます。すべてが収益性や生産性という経済尺度で評価され、すべてが売るための商品に変質していく。それまではまがりなりにも地球上にソ連・社会主義体制が存在しており、対抗上、資本主義側でも福祉施策を行わざるを得ませんでしたが、冷戦終結とともにネオリベラリズムはもはや平等を理念に掲げる社会主義という他者に気兼ねする必要もなくなりました。そして、この時期、主要な資本蓄積の源泉が「均質で大量の労働者」による生産業から、情報、金融にシフトしました。ユヴァル・ノア・ハラリが今よく読まれているようですが、その論調はたいへん悲観的です。情報テクノロジーとバイオテクノロジーを融合させた革命によって、あらゆる権力がごく少数のエリートの手に集中する一方で、大半の人間は搾取以上に悪いこと、すなわち「無用化」に苦しむことになるかもしれない、という予言に不気味なリアリティを感じる向きも少なくないようです。

日本文学研究にとって喫緊のネオリベラリズムの問題は、やはり学校教科としての「国語」の改革、ということになります。新学習指導要領、共通テストについて紅野謙介さんが緊急出版の形でいち早く警鐘をならし、また、「論理国語」「文学国語」を二分する指導要領の国語観に対し、安藤宏さんたちの尽力により日本文学関連の各学会がそろって声明を発出しました。英文学の阿部公彦さんたちをふくめて文学の研究者が、このようにはっきりと批判の姿勢を打ち出したことに、改めて敬意を感じます。

英語入試に民間試験を導入する、そして国語の記述式問題の採点を民間が請け負う。これは文字通りの民営化、利潤追求を原理とする私企業化の一環です。公平性の確保を原則とするはずの入試にあっても経済格差が容認され、当時の萩生田文部科学相は受験者はそれぞれの「身の丈」に合わせてがんばって、と言ったものです。思えば「身の丈」発言は、ネオリベの一般的指令の無責任な酷薄さをその核心においてみごとに表現していました。この発言があったからこそ問題が明瞭な形で周知されたという意味で文科相の功績はきわめて大きいものでした。

ただ、問題の焦点は必ずしも高校でも入試そのものでもありません。今回の入試改革では高大接続が鍵概念となっていました。四年前に、大学から人文学が消滅するという議論がありましたが、これを念頭に新学習指導要領の国語実用主義を解読する必要があります。大学入学以前、人文学系に入学する以前の段階で、そのすそ野を形成するはずの若い世代がそもそも人文学にアクセスしないような設計になっているのに気づきます。

ロージ・ブライドッティが『ポスト・ヒューマン――新しい人文学に向けて』（門林岳史監訳、フィルムアート社、二〇一九年）の中で、次のように「ヒューマニティーズ」の危機を指摘しています。

今日、先進的な民主主義国家のほとんどに広まる新自由主義的な社会風潮のなかで、人文学（ヒューマニティーズ）の研究は、（略）有閑階級のための花嫁学校のようなものになってしまっている。専門的な研究領域というよりも個人の趣味にかかわるものとみなされた人文学は、二一世紀のヨーロッパにおける大学の教育課程から消滅する深刻な危機のもとになるとわたしは思っている。

ビル・レディングスがかねてからそう言っていたように、旧来の人文学のアプローチは今や「非生産的」で「ナルシズム的」で「時代遅れ」で、さらに「現代の科学技術文化と縁遠い」とみなされるようになった、という指摘です。それは「専門的に意義ある研究領域」ならざる「花嫁学校」「個人の趣味」にすぎない。人文学は今、こうして直接的に「人間」の危機を経験しています。少し前から、文学はすでに個人の趣味として位置付けられており、学生の意識の中でもはや共通に学ぶべき必修科目ではなくなっているのかもしれません。ネオリベラリズムの体制下では万物が商品となり、万人が消費の主体となります。とすれば、文学という商品を買うか、音楽を買うか、映画を買うか、それはひとえに個人消費者の趣味、選択にかかっています。文学が個人的消費の対象となり、またそれを前提として再生産される時、文学の言葉ははたしてそれまでと同じ質をもち得るでしょうか。

たとえば朝、新聞を開くと新刊小説の広告があります。「今年いちばん泣けた」とか「頁をめくる手がとまらない」というコピーが添えられています。つまり号泣できる、自動的に生理的反応を引き起こす、というのですが、これは自動販売機に百円入れるとコーラが出てくるという仕組みを連想させます。今や小説の言葉は（今回の研究集会で講演を引き受けてくださった平野啓一郎さんはじめ、そうではない書き手たちはもちろん少なくありませんが）一種の刺激物質であるのかもしれません。本を読むことが、意味作用を発生させる行為ではなく、身体の水準における享楽＝麻薬のように直接的な快を与えるものとなり、依存症的な享楽を反復する「幸福」を提供するものとなっている。本を読む主体がある刺激に一義的に反応するだけの自動化されたアルゴリズムであるなら、データベースを検索して、文章の中から的確に文字列を拾い出して分析してくれるＡＩと同じですし、検索させようという場合にはＡＩのほうが有能です。そして、新テストの出題形式をみてみると、複数の資料を突き合わせて、意味はともかく関連性のある文字列を的確に拾いだせ、と命じているようにも感じられます。言語的主体が言語情報を反射的に処理する情報処理装置のごとく行動する状態。それが教育によって達成すべき理想であるなら、そこには自由な意思や民主主義が作用する余地はありません。むしろ、自由な意思や民主主義を締め出すことこそが新しい教育の焦点なのでは、と勘繰らずにはおれません。

これはあくまで極端な事例だと思いたいのですが、経済界の「国語」観の一端をみてみましょう。経団連・中西宏明会長（当時）との対談の中で、経営共創基盤の冨山和彦ＣＥＯは以下のように発言しています（「なぜ経団連会長は「大学は、理系と文系の区別をやめてほしい」と大胆提言するのか」『文春オンライン』二〇一九年五月二九日）。

「いわゆるウンチク学問っぽい教養は、その後（引用者註：基礎的言語能力の後）でいいんじゃないか、と私は思っていまして。シェイクスピアがこう言ったとか、それもいいんだけど、英語もちゃんとできないのにシェイクスピアを語っている場合か、と思うわけです」。

「いちおう私、法律家なんですが、法律って実は数学的なんです。ある要件事実をあてはめたら、一つの結論に行く。これは完全にＡＩの世界なんです。だから、裁判官が真っ先にいらなくなるという説もあります。要するにＡＩなことをやっているわけですから」。

人文学はウンチク学問とされ、さきほどブライドッティの引用にあった花嫁学校という喩えと同様、ことさらに冷笑的です。ここにみられるのはどんな言語観でしょうか。この方は、法の言語をＡＩのアルゴリズムからの類推で語り、ある事実を条文に当てはめると一義的に結論に行き着く、といっています。もしその通りならたいへん結構なことで、それならば集団的自衛権が認められるはずはありません。法律言語が仮に一義的だったら内閣法制局も範例研究も一切消えてなくなることでしょう。是非はともかく実際には法解釈には幅があります。ですがこの方は、言語使用者にはＡＩがそうであるように主観も意識もなく、いわんやフロイト的無意識もなく、言語の多義性もない、言葉は完全に一義的になり得るのだと考えているようです。こうした言語観のもとに「国語」が定義された後の世界を思い描いてみて下さい。谷川雁や花田清輝といった詩語の思想家、修辞の思想家はそこにいないでしょう。私は詩的言語を用いるのでなければ考えることのできない事柄があると思っていますし、私を取り巻く人々が繊細な比喩を用い、反語をもって語ることのできる世界で生きていたいしそこで死にたいと思っています。エクリチュールは、書き手が言わんとした意味を読み手に伝えるのではなく、書き手の意図とは異なる意味で読まれ得る可能性をつねに有しているのだと脱構築の思想は言います。発せられた言葉は発話者を離れ、彷徨い、言わんとした意味から逸脱した事柄を読み手に読ませる。それを認めるなら、しばしば詩的言語、文学言語という特定の名で呼ばれ、今後は「文学国語」に囲い込まれることになるそれは、決して特異な言語ではなく、むしろ言語一般の性質をそこに宿らせているのだとみるべきでしょう。文学行為とは、言語の本性をなすところの逸脱、攪乱を受け入れること、しかもそれを豊かさとして、喜ばしきものとして、受け取ることを意味していたと思います。

フロイトは言語が人間の精神的なものにじかに働き掛ける道具であるといいました。言語を離れたところに精神は厳密な意味では存在しない。その意味では精神そのものである言語が、ネオリベラリズムの時代の中で根本的に変容しつつあります。比喩のない世界、字義通りの言葉だけの世界には、無意識も、抑圧も、超自我もないかもしれません。そこに見出されるのは、これまでと同じ人間でしょうか。
子どもの読解力が落ちている、こんなことではＡＩに敗けてしまうという「危機感」も表明されるようになりました。しかし、こうした危機の発話には遂行的な効果があります。つまり、危機の言説を通して、読解力という概念がＡＩと同一の土俵の上に乗せられる。そこから逆に、ＡＩの土俵の上で読解力が再定義されるようになるでしょう。子どもとＡＩの勝ち負け以前にそのことがより重要です。それによってＡＩの言語処理能力に適合的な言語形式がむしろ標準化していくことになるのではと危惧されるからです。言語の方が変わるのです。やがて比喩なき世界がやってくるのでしょうか。

ＡＩは自動運転もできるし、MARCHに合格することもできるかもしれません。外科手術はまだできないかもしれませんが、たいへん賢い。ＡＩの登場によって、私たちは意識をもたない知能があり得ることを知りました。知能だけで多くのことが人間よりも上手にできるようです。だとしたら、と考えてしまいます。伊藤計劃『ハーモニー』（新版：ハヤカワ文庫、二〇一四）は、人間から意識を消してもさほど困らない、むしろ意識のない動物は幸福そうにみえるではないかという世界を逆説的に描き出しました。それはディストピアなのか、ひょっとしたらユートピアではないのか。そう読めてしまうところにこの作品の現代的な魅惑があります。もう一〇年以上前の作品ですが、アイロニカルに反転することで厚みのあるリアリティを持ち始めたことに今気付かされます。

ただし、現在進行形の「文学」の変容はネオリベラリズムの風潮の中で始まったものでなく、六〇年代の成長期と呼ばれる時代に入るころ、つまり経済界が教育政策の場において発言権を持ち始めたころに始まる、ということを改めて思い出しておくべきでしょう。国民経済を想定した成長政策からグローバル企業重視のネオリベへ、生きさせる政治から死ぬにまかせる政治へ、資本蓄積体制の大きな旋回に目を奪われるあまり、その間一貫して経済界の意志が貫かれてきたという事実を見落とすわけにはいきません。一九六〇年当時の指導要領には、すでに早く「文学的な文章だけでなく論理的な文章も」読めるように、という文言がみられ、すなわち「論理国語」「文学国語」大分割の発想がこの時すでに出現しています。奇跡的な高度成長に成功したのは日本人が勤勉だったから、ではありません、経済成長に適合的な新しい人間が政策的に作られたのです。そして、この瞬間から、文学はブライドッティが指摘したような「個人の趣味」の領域へと閉ざされました。

　それ以前の「文学」は、国や言葉の違いをこえて理解しあえる普遍的な人間性を保証するもの、というように理想主義的に定義されており、その意味から文学はおのずと世界文学を意味していました。普遍主義は脱構築を必要とする理念ですが、まがりなりにも理念です。経済界と教育界とは、この理念という水準を解体しながら結びつきました。論理国語と文学国語の分割は、歴史的に根が深いのですが、だからこそその歴史の延長上に今現在起きていることを位置付けるとともに、その種別性をみきわめる必要があると思います。私は「国語」も、ビオスとゾーエーのように分割不可能なものの抽象的分割にさらされ、そしてある意味ですでに死体とみなされているように思います。

　ネオリベラリズムは緊縮財政、民営化といった市場経済至上主義の問題に留まりません。それは人間の改変を求める一つの思想運動であり、たとえば学校教科としての「国語」の改革を通して言語的主体を再定義しようという働きかけもその一つだと考えられます。ここ二〇年の運動の成果として顕著なものが、自己責任論の普及でした。この間、非正規雇用労働者のぶ厚い層が政策的に創出されましたが、その当初は「組織にとらわれない働き方」というイメージがさかんに喧伝されていたことが思い出されます。今はその幻想の「自由」が貧困のリアルへと裏返り、職を選ぶ余地などすでになくなっているにもかかわらず、「自由」な選択ゆえの自己責任とみなされるようになりました。長時間労働をしても満足に食べていけないなら、それは構造の問題ですが、何より低賃金で働かざるを得ない人自身が自分のせいだという自己責任論を内面化させられています。これは思考停止を指令する言葉であって、何でも自己責任とされれば構造の問題を考えることができなくなります。そして、自己決定・自己責任という「強い個人」の人間像の圧迫をうけて、ついにはどれだけの困窮状態に陥っても、社会の荷物になってはいけないと、ただ追いつめられていく人間が一方に生み出されます。

追いつめられた人々の感受性は、一方向的ではないようです。さきほど触れましたように二〇一六年に障害者施設襲撃事件が起こりました。犯人の若者は、衆議院議長公邸に自分の目標は「重複障害者が安楽死できる世界」だ、障害者は不幸しか生みださない、という手紙を渡していました。そこには、国の意向を引き受けて障害者殺害を実行するのだという考えが見え隠れしますが、これを支離滅裂な言いぐさとして片づけることはできません。相模原の事件に先立って、一部の政治家がしばしば財政と安楽死、尊厳死を結び付けていたのを思い出します。被告もまた、こうした言説環境の中に身を置いていたのではなかったか。彼には国を代行し、つらい仕事を引き受けるという意識があり、それによって国家有用の人物であることを証明しようとしていたようにみえます。先ごろ死刑判決が言い渡されましたが、それで議論を終わらせてはならないでしょう。判決は生産性至上の社会が被告の言動にどう影響したかについて触れていません。効率性、生産性を重視する新自由主義は、一方の極に国家有用の人材のイメージを、他方の極に、ただ生きているというだけの生、生きるに値しない生、というイメージをつくり出しているにもかかわらず。

ただ生きているというレベル、ゾーエーの生のレベルと、人としてよき生を生きるビオスの生のレベル、これを切り離すのが現代のバイオポリティクスであると『ホモ・サケル――主権権力と剥き出しの生』（高桑和巳訳、以文社、二〇〇三年）のアガンベンは言います。収容所、難民、国家によるどのような保護も受けられない人間を生みだした時代の哲学です。生きているのにすでに死体とみなされ見捨てられる人々、場合によっては動物のように殺害してもいいとされる非・人間を生みだす。それがネオリベラリズムの現段階とみられます。

人間、あるいは人間の幅をその都度新たに語り出すのが近代文学の一つの役割でした。近代文学の始まりに位置する森鷗外の「舞姫」もその一つです。それまで父母の教えや上司の意向に従って機械的所動的に生きていた主人公ですが、ベルリンの「自由なる大学の風」に触れたことで「誠の我」を発見する。以後彼は、法律の授業はサボり、歴史文学、つまり人文系の授業ばかり聞くようになります。近代文学史においてもっとも明確に近代の理念を語った場面における人間とは、人文学の主体でした。

　ところが、物語の最後で、主人公はエリスを見捨てることになり、その時彼女は「生ける屍」と表現されています。生きている死体。息をしているだけで、理性のない彼女。それはすでに死体とみなされています。エリスを捨てて、再び国家有用の人材に戻っていくストーリーを、オーソドックスな文学史は「近代的自我の挫折」と説明してきました。とはいえ、近代的自我はここで挫折しているのでしょうか。ベルリンの街路に立った主人公は自我に覚醒し、受動的に生きるのではない自己決定の主体となりました。一方、エリスを「生きる屍」とみなす際の基準となっているのはやはり自己決定できる理性の主体です。すると主人公は「近代的主体」としての一貫性を維持していたともいえます。人文学の主体と国家有用の人材とは、一見すると逆向きですが、意味ある生の形象とその残余とを同時に作り出す点で両者は連続的でもあります。

　もし今、人文学を再発明するというなら、近代的自我なり自己決定の主体なりがそれでも理性だけで生きているのでなく、まちがいなく身体をもっていること、ゾーエーの生に支えられていることを肯定することが課題となるのではないでしょうか。自己責任論を自ら貫く個人主義者さえも、彼らの強固な自己性から非人称の身体、肉体を切りはなすことはできません。現在、世界はコロナウィルスの影響にさらされていますが、この経験は私たちが動物であり、自然の脅威の中で生きざるを得ない脆い存在であることを思い出させます。ドイツのメルケル首相は、ウィルス対策を国民に呼びかける演説の中で、私たちがどれほど脆弱であるか、どれほど他者の思いやりある行動に依存しているか、同時に私たちが協力しあうことでいかにお互いを守り、強めることができるか、と語りかけていました。パンデミックは様々な面で世界を打撃しましたが、せめてこの経験が生きものである私たちのとらえ直しにつながっていけば、ということを願わずにいられません。もはや人文学の再定義にとどまるテーマではなくなってきたかもしれませんが、現在の切迫した「人間性」の危機の地点にたって、人間の再発明、という重要な仕事を引き受けなければならないことにかわりないと思います。

註

（＊）本章は日本近代文学会・昭和文学会・日本社会文学会合同国際研究集会「文学のサバイバル――ネオリベラリズム以後の文学研究」のうち、二〇一九年一一月二四日に行われた「《ラウンドテーブル》文学研究のサバイバルのために――学界への提言」での発言をもとに、加筆修正を施したものである。

第I部　文学史からの問い

1 寂聴の苦闘、浄福の到来

非「国民作家」

二〇二一年の一一月に瀬戸内寂聴の死去が報じられると、テレビはこぞって追悼番組を放送した。在りし日の青空法話の様子などみると、寂聴と人々との距離の近さにはっとする。これほどまでに人々の信頼を集めてきた作家だったということがあらためてわかった気がした。瀬戸内寂聴に対しても、司馬遼太郎や夏目漱石、場合によっては村上春樹ら――何が公約数かはわからないが少なくともみな男性ではある――がそう呼ばれもした「国民作家」という言葉を使うことができるのかもしれない。寂聴と「国民」との間の距離感は従前国民作家たちの比ではなく、その点では彼女こそ国民作家、といってもよいくらいだ。ただ、そもそもこの言葉は、はたしてそう呼ぶことでまっすぐに尊敬を表すことのできる類の呼称だっただろうか？　何しろ国民という語には統合、包摂と表裏する他者排除の意味が同時に備わっているのだから、それを使う話者の言わんとする意味はいつもアイロニカルに裏返ってしまうのだ。

　のみならず寂聴は、伊藤野枝、管野須賀子、金子文子など「大逆」の女を描いてきた。だとすると、私たちはむしろ限りない敬意をこめてこの作家のことを輝ける非国民作家と呼ぶべきではないのだろうか。寂聴の描く主人公たちの生においては、女性がみずからの思う通りに生きることと、国家と正面から対決することとが一つに結びつき、そして彼女らを書く寂聴自身がそこに重なる。彼女らの苦闘の中に浮かび上がってくるのは、権力が国民の自由を奪う国家というシステムと、男が女を支配する家族というシステムと、それが一体となった「家族国家」の岩盤めいた姿である。今（二〇二二年三月現在）、COVID-19 の影響で非正規雇用の女性たちが職を失い、所得の減少に苦しみ、女性の自殺率は一五％増加したと伝えられている。それでも男性の労働は家族を養うための労働だが、女性の労働は家計補助にすぎないのだから低賃金でよしとする家族表象は揺るがない。社会秩序の根幹にこうした「家族」を据えて置かなければ気が済まないかのような日本は今なお寂聴たちの抗った家族国家であることをやめていない。

　もうひとつ、国民作家の呼称をそうすんなりと使う気になれないのは、わが国の文学史の機軸が長らく主体による世界把握という近代的な認識論を前提とするリアリズムに置かれてきたためだ。書く主体が書かれるものを客体化するという点でリアリズムはひとつの隠れた支配体制である。そして、柚木麻子『らんたん』（小学館、二〇二一年）の主人公がそう喝破したように、文学史とは男の作家と男の主人公がいて、早死にする美しい女、底意地わるい女、内助の女が登場する物語、認識の主体である男性作家によって女性が客体化される歴史ではなかったか。だとしたら女性が書くということは近代文学史を安定的に維持させてきたその主客秩序に対するひとつの脅威となるのである。その昔、「書きますわよ」という女性語が流行したそうだ。瀬戸内寂聴の「私小説」について、あんなふうに書かれちゃ男はかなわない、という反応もあった。文学史はそこに何か脅迫めいたものを感知したのかもしれない。だが、はたして寂聴の作品は認識主体の座につくべき性をひっくり返しただけの「リアリズム」だったのだろうか。

非支配のリアリズム

私小説と評伝文学。寂聴が手掛けた二つの領域は、ともにホントとウソとの境界に触れる微妙なジャンルとなっている。私小説はある時期まで日本文学の王道として不可侵の領域にまつられるともに、他方では日本の前近代性の象徴、あるいは小説以前の単なる随想という否定的シンボルとして位置付けられてきた。評伝文学はというと、大人が読むに足る教養書であると同時に文学以前の事実に枠づけられるという事情によってしばしば文学の中では格下の扱いを受けもする。どうせ甘粕にやられるのなら、神近にとどめを刺させてやろう、というわけにはいかないのだ。私小説も評伝も、どちらも事実に依拠しながら書かれる小説であり、ホントのようなウソ、ないしウソのようなホントである。そして、そのあわいにあることの眩暈こそが二つのジャンルにとっての「文学性」の場所となる。

『美は乱調にあり』の冒頭は、伊藤野枝・大杉栄の長女、魔子さんの「父にはずいぶん可愛がられたらしいのですけど、何も覚えていないんですよ」、覚えているような気がすることも、あとになって本を読んだり人から聞かされたりしたイメージで、という声、あるいは代キチさんの「ほう、それはまあ、さようでござりますか。わざわざ東京から」、野枝の妹ツタの「姉と私は二つちがいの、女はふたりきりというきょうだいでしたから」という語りに始まり、この部分は「聞き書き」の文学となっている。聞き／書くこと、受動と能動、声と文字、それらが重なり溶け合うところに結実する聞き書きの作品において、従来のリアリズムにそなわる対象の対象化、客体化という支配機構はそう単純に機能しない。聞き書き作者は声を黙殺したり、奪い取ったりする文字の支配機構に対して無自覚ではいられなくなる。『苦海浄土』や『薬を食う女たち』（五所純子著、河出書房新社、二〇二一年）を文学史に位置付けるためには、従来の文学史にいくらかのページを増やせばそれでいいというわけにはいかないのだ。

いや、言語芸術に関してホントもウソもない。作品はそれ自体として読まれるべきであって、その背後にある現実や作家の人間像を追求するのは無駄なこと、批評の基準はどこまでも言語が表現する空間内に置かれるべきだ。……こうした提言はよくわかる。だがそれは簡潔にすぎて、言葉と現実世界とのあわいに立ちのぼる文学性をあっさり切り落としてしまうおそれなしとは言い切れない。私小説、評伝文学の書き手である寂聴は、おそらく現実とよばれるものの無限のおくゆきを誰より深く認識し、そしてその現実を必ず写しそこなう運命にある言葉と苦闘し抵抗しながら言葉を紡いできた。私小説というジャンルが言葉によって真実を書こうとするあまり、それ自身である小説言語に視線を向けはじめ、おのずとメタフィクションになってしまうことが多々あるのもそのためだ。

『夏の終り』には、奇妙な均衡を保った三人ないし四人の関係が描かれる。慎吾が妻のいる自宅と知子の家とを規則正しく往復するという状態が八年ほども続いているが、そこにかつて知子が夫のもとを去る原因となった涼太が現れる。知子は過去の男、涼太の荒涼とした姿に震撼し、慎吾と別れるべく準備を進め、関係に消耗し、苦しむ。それなのに知子が何一つ失っていないこと、そのことじたいが新鮮に感じられるのは、知子が世間＝通念にだけは煩わされることのないため、自らが生きる愛の関係にだけ苦しみ疲労するためだ。

寂聴は『夏の終り』連作で、知子が自分の思いになぎ倒されるさまをくりかえし言葉によって書いてゆく。知子自身がそうであるのと同じように、愛する男も、過去の男も、男の妻も、それぞれにこの事態に関わっているのだから、この現実は一枚の平面の絵にはなりようがない。言語の構造は対象となる現実世界の構造と決定的に異なっていて、言葉は線状にしか並べられない。だからAとBを同時に語ることはできない。寂聴は「私小説」を書く時、言語のこの根本的な条件＝制約に屈服しながら抵抗し、くりかえし関係の中、時の流れの中の思いを語りなおしている。事実の全体を語り切るということが原理上あり得ないために、どこまでもくりかえし書くことになるのだ。

それは夏目漱石が三角関係をくりかえし書くやり方とは大きく異なっている。漱石的物語の形は、男が二人、女が一人の三角形であり、その一角に位置する男は、ライバルの男との競合関係において欲望の主体となり、すなわち物語の主人公となる。その意味で漱石的な三角形は主体化の図式であるのだが、この特質はむしろ例外的な作品の方からみるとよく理解できる。漱石作品中、その例外性によって重要な作品、『坑夫』は、男一人、少女が二人の三角形を基本図式としている。この場合、主人公「自分」は堅固な輪郭をもった欲望の主体になることができず、よって『坑夫』そのものが小説にならないのである。さらに、つまり漱石は主体の「内発性」を疑いながら、主体化のメカニズムを追求した作家なのである。通常の漱石的三角形において男主体の視点からは女の内面はみえない。それゆえ主人公は永遠に悩む。彼らは死んだり、狂ったり、宗教の門をたたいて挫折したりすることで苦悩する主人公として完結でき、そのように自分の運命の担い手として主体化されている。

寂聴の主人公たちは、自分自身の制御を超えた自らの思いにくりかえしなぎ倒され、そして三角、四角の関係になった時にも自分の運命を主宰する主体になりはしない。主人公たちはまず何より自分自身の支配者ではないのだ。たとえば獄中にある管野須賀子は、自分でも知り尽くせない無限を秘めた自分の体、掌の指紋をみつめる。「今まで三十年の間、自分の軀のすみずみ隈なく識りつくしていると思いこんでいたことが急に不安になってくる。私の目のとどかない背中、首筋に、どんなホクロが生れ、どんなあざがついているかもしれない」。

目のまえの両の掌さえ「どこか、まだ人の発見しない未知の国の地図のよう」なのだ。「自分の指紋のいくつが流れ、いくつが巻いているかさえ、私は知らない。私はいったい自分をどの程度知っていることか。あと、何日、いや何時間この世に在るかわからない私自身のからだ。いのち。ああ、私とかりそめにも愛しあった男たちの誰が、私のどの部分を確かに記憶してくれるか」(『遠い声』)。

私の体、私自身の知らない私が、誰かの記憶の中で生きている。この目の前にみえている指紋＝運命さえも私のものではない。私の真実は私でなくかりそめに私が接した誰かの中に宿り、その誰かが私の真実の在りかなのだ。三角関係や四角の関係であるような関係は、私の経験であるとともに関わりあった男やその妻もふくめた経験であり、私の知らない無限の襞がその出来事の中には折りたたまれている。それを一挙に書き尽くすことなど、言葉によってなし得ることではないのだと、寂聴は知っているのかのようである。これは真実の全体を書く＝支配する主体の信念ではない。作家寂聴は、避けがたく言語を用いて書くが、言語の限界に触れるようにして書いているのだ。それでも言語がすでに語り得る以外のことを語り得るはずだという思いに突き動かされて、くりかえし書いているかのようでもある。

発見術としての文体

言葉で事実をくりかえし語り直し書き直すことによって、その襞の中から新しい真実を発見する。その時文体は一つの発見術となるだろう。『蘭を焼く』(一九六九年)の前後で寂聴の文体が何か濃密な質を持ち始めているという指摘がしばしばなされてきた。またそれらの作品はこの時期に関係を深めていた井上光晴の添削を受けたものだという噂もあるが、真偽のほどはわからない。ただ、井上光晴も瀬戸内寂聴も真正の作家である。作家と作家がふたりで同じ時間を分け持ち、相手に自分をあずけ、自分の事を語り、相手の語る事を聞き、その記憶が堆積しはじめる時にいったい何が起こるのだろう。添削云々という単純な図式ではなくして、ここにはおのずと共同制作的な事態が発生するのではないだろうか。「蘭を焼く」の規一がウソかホントかわからない口調でネギの匂いのする女のことを語り出す。女の姿が佑子の幻想の中で膨らみはじめ、佑子と女とのやりとりが始まる。それはいったい誰の経験、誰の幻想なのだろう。一義的にとらえようもない空間がここにはひろがりだしてしまうのだ。佑子の夢の中に、まだ二人が出会う前の規一の経験が現れる。夢の中では彼の亡妻の治子と佑子が一緒に江の島で金魚を買っていた。すると規一は、金魚を買った女は治子ではない、それになぜ治子は死んだという自分の言葉をそうもたやすく信じこめるのかと挑発するように言うのだ。虚実さだかでない世界、誰のものでもない経験が、こうして二人のいる部屋に立ち込めてくる。

「規一はおそらく、あのブローチの火刑のことなど忘れきっているのだろう。それぞれの経験が自分のもののようにまざりあい、相手だけの経験が、自分のものだったように思う時があると同時に、ふたりでわけもった経験なのに、ひとりが完全に忘れきっていることが少くなかった。佑子は規一との時間のすべてを手繰りよせ、確めたくなってくる」(「蘭を焼く」)

『蘭を焼く』に収められた作品の濃密な文章を、同じ時期に発表された井上光晴作品――そのどこか関節の外れたようなズレを含む不安な文体の密度とともに読んでみるとよいだろう。私たちはウソとホントの交錯する私小説空間の、特異な眩暈の感覚に襲われることになる。たとえば寂聴の「公園にて」は、自分の夫と自分の友だちである「片桐成子」との関係を知ってしまった女の内的過程が、希薄な空気の中に漂い出すような文で描かれている。

空気は冷たくも暖かくもなく、それが目に見えないと同じように、全く肌に無抵抗だった。あまりに無抵抗なのでしっかり脚に力を入れていないと、軀は高速度フィルムに写しだされた人のふわふわした歩き方で、空中を泳がされそうな気がしてくる。

（略）瞼の中にはりついたものを見ないために、目を閉じてはならない。／樅の木の下の石に坐ってさっきから身動きもしない男の背後に歩みよる。男の見ているものを見ようとする。公園の丘の裏は一面の草地と赫土の道で何もない。向うの山ぎわの役所らしい建物の庭に、積木の兵隊のような消防夫が三人、赤い消防車の前でホースをひく訓練を繰りかえしている。太いホースを三人で小脇にかかえこみ、同じ歩調で走り、ホースをのばし、廻れ右をして、腰に手をあげ、ふたたび同じ歩調で駆け足で赤い車の許へもどる。二度。三度。四度。精巧な玩具のように、三人は同じ動作を飽きもせず繰りかえす。／石に坐った男がそれを身動きもせず見つめつづけている。／その視線に視線を重ね、ひたすら見るために、目をみはる。（「公園にて」）

目に映じるもの、耳に入ってくるものを書き連ねた非主体の文章である。それをみている主体としての「私」という語は、全篇通してついに現れない。「私」の輪郭があわあわと消えていくかのような文であり、そこはちょっと漱石『坑夫』を思わせる。目の奥に刻まれてしまった何かをみないために目に映るものをみようとするこの文章からは、堅固な現実の現実感が逃げ水のようにすっと遠のいていく。

井上作品・寂聴作品の対話

一方、井上光晴「目の皮膚」は保育園に行く娘と夫の世話をして暮らす「私」の一人称小説となっている。「私」は考えなくてよいことを考えてしまうためか、寝不足を感じる。

朝になれば、深刻なところはなにもないのに、なぜ私はいつも眠る前に線路のことなどを考えるのだろうか。海岸沿いに線路はどこまでも続いて行き、原野には幾頭もの馬が倒れている。子供に語ってきかせた北欧の絵本。

黒い海辺に線路は長く続いている。馬は次から次に倒れ、倒れた馬はもう起ち上がれない。まこちゃん、どうして馬は倒れるの、と娘がきく。馬はもう年寄りになったから倒れるのよ、と私はいう。黙って話をきいていなさい。

そして、金魚にしっぽをとられて丸い玉のようになったオタマジャクシ、鼠の墓、電車に接触して血を吐いた犬、そんなことを考えなくてよいのに埋められた動物の溶ける屍体のことが頭に浮かぶ。考えなくてよいことを考えてしまう「私」は、それによって考えるべき何を考えていないのだろう。遅く起きた夫の朝食を用意してパンにバターを塗っていると電話が鳴り、夫が出る。「電話が遠いらしく、え？　え？と良人はしきりに聞き返している。それから大きな声で、ああ、という。どうしてる、いや、ずっと忙しかったものだから。（略）」「良人はまた相手の話を黙ってきいている。なぜ自分の方からは、はっきりした言葉をいわないのだろう。じゃ電話をきるからと不自然ないい方をして受話器をおいた」。

女性からの電話であるらしい。この時期の寂聴作品と井上光晴作品とが相互に嵌入しあっているように感じられる一瞬だ。なるほど、文学作品は言語によって構築された一つの世界として現実世界に対し自律的ではあるだろう。だがその作品と作品とが相互に入子型のように相手を含むということが、時として起こってしまい、そこには言いようのない不安と何かの予感が立ちのぼる。井上光晴「遊園地にて」では、父親が子供と妻とを遊園地に連れて行くのだが、彼らの会話はいつもわずかにかけちがい、そのズレが少しずつ広がりはじめ、最終的にとり返しのつかない遠いカタストロフの予感をたたえはじめる。何かが壊れていく気配だ。そして自分たちとは関係のない車いすの母子を探しだすことが「僕たち家族の問題」となるが、そんな母子はもとからいなかったかのように決してみつからない……。

晩年の井上光晴を撮影したドキュメンタリー『全身小説家』（原一男監督、一九九四年）によって、この作家の自筆年譜と現実との間にわずかとはいえない齟齬があることが発覚した。この作家にとって年譜というエクリチュールもウソとホントのあわいにある作品だったのだ。もちろん年譜や自伝が虚構であればいったい何が本当なのだ、といったんは思う。ましてやここ数年の間、私たちは統計不正や公文書改竄がたやすくなされてしまうわが国の政治風土を知らされるにつけ、何が事実かを共有できなければまともな会話一つ成り立たないではないかという憤りを抱かされてきた。それ以上に恐ろしいのは発覚した不正が公然とうやむやにされ、社会がそれに慣れていくことだ。人々はこの崩落の感覚に深甚な恐怖を感じないのだろうか、と。……だが、だからこそ小説家による虚構の年譜と政府の杜撰な文書管理を同じ平面で議論するわけにはいかないのだ。井上光晴と瀬戸内寂聴とが関係を持つ現実の平面ではなく、両者による虚構が相互に嵌入しあう文学空間の質に圧倒されるべきなのだ。そこでは目のまえの現実からその現実性が蒼ざめるように後退してゆき、カタストロフの予感が押し寄せる。文学言語によってつくりだされたこの崩壊の気配に身をさらした以上、現実政治の荒廃に鈍感でいることは不可能である。

到来する浄福

井上荒野は、父親である井上光晴と瀬戸内寂聴との交流が続いていた時期を素材に、『あちらにいる鬼』（朝日新聞出版、二〇一九年）を書いた。瀬戸内を思わせる「みはる」、そして井上の妻を思わせる「笙子」、この二人の女性の視点から物語が交互に語られていく。寂聴は井上荒野の取材に全面的に協力したというが、一方の「笙子」のモデルはすでに亡くなっていて、その部分はすべて娘である井上荒野の想像によるものだという。その笙子の語るパートの中に「私はもう三つの短編を、文芸誌に発表している――もちろん、白木篤郎の名前で」という言葉があることに、これはあくまで小説の一節なのだと思いながらも驚愕せずにはいられない。「篤郎からのヒントがあるのだから、一から十まで自分が書いたとは言えないだろうし、それがなくても、あれらの小説を私が書いたと誰にしられるのも私はいやなのだ」「私は書きはじめる。それは馬の夢だった。海辺で、馬が何頭も倒れている（略）」。

これまで井上光晴の作品と寂聴の作品とがまるで小説内小説のように互いに呼応するさまをたどってきたが、井上荒野作品に至ってその文学空間の迷宮性はさらにもう一歩深められているのだ。寂聴の作品は誰の作品と対話を重ねてきたのだろう、井上光晴の作品との対話ではなく、その妻の作品との対話だったのか、と。ところが、入り組んだ迷宮の中のその対話は、なぜなのか、とまどいを覚えるようなふしぎな浄福をもたらすのだ。それはまったく予想もできない感覚ではなかったのかもしれない。これより前の時期に書かれた連作『夏の終り』の中で、主人公知子は幻想の中で、すでに男の妻との間の奇妙な交感を行っていたのだから。

慎吾の妻が、慎吾に留守をさせておいて、こっそりじぶんに逢いに来てくれはしないかという、奇妙な期待につつまれることもあった。ふたりで力をあわせて、慎吾を海辺の家にとじこめるようにしましょうという、慎吾の妻の口調が聞こえてくるように思う。／知子はその時、慎吾の妻と、誰よりも深く理解しあえるような気がしていた。／八年間、慎吾を中にはさんで、奇妙なつれあいの関係をつづけた女同士の、切実な吐息が聞こえるようであった。（「みれん」）

知子はふいに、見たこともない慎吾の妻に、ほとんど、肉体的ともいえる親近感を覚えていた。慎吾という一人の男を通して、八年間、互いを意識しつづけてきた二人の女の間では、憎悪や嫉妬の歯車にかけられただけ、鋭く感応しあえる同種の神経が発達しているのかもしれない。（「花冷え」）

お互いにとっての「あちらにいる鬼」は、しかし誰よりも自分にとって近しい相手だった。ずいぶんと虫のいい考えともいえる。知子自身も別れる決意を固めるまでには、内心で男の妻にさんざん悪態をついていた。それでも逆の立場から同じ時間を深々と経験した者同士、対立する者同士のひそやかな共闘が、幻想の中ですでに始まっていたのである。知子は男との関係を清算するにあたって、これまで住んでいた好条件の家から引っ越すので、その後に慎吾夫婦が引っ越してくれればいいという奇矯な計画を立てるのだが、慎吾の妻は意外にもこの計画をすんなりと受け入れた。かくして知子も妻もそれぞれに新しく引っ越した先のなじみの薄い家に入る一方、男だけがこれまで通っていた住み馴れた家で眠ることになる。

「知子も慎吾の妻も、生活環境の違った中で、全く新しい感情に不馴れな時、慎吾だけが、住み慣れた場所に寝ているというのがおかしく、慎吾の今の心境を想像すると、知子にははじめて、慎吾の心が不透明なものとなって、理解出来なくなっていた」。

思いを思い交わすのは知子と男の妻であり、男はこの深い理解の場からはじかれている。男女の三角関係の裏側に成立しているのは、あらゆる予測をこえたシスターフッドだった。『あちらにいる鬼』の井上荒野は、現実の中に場をもたないであろう出来事、二人の女性の間に成立する深い理解の場こそを作り出そうとしたのではないかと、そう思われてくる。『あちらにいる鬼』は、夫・白木篤郎の作として流通してきた作品を妻・笙子の手に帰した。すると、こんなふうに言ってみたくなる——現実の寂聴の六〇年代末の一連の作品は、その時すでに、後に書かれる虚構の笙子との間で深い文学的な対話を行っていたのだと。虚構と現実の地平をごちゃまぜにした幻想の空間においてでなければ、そんなことは言えない。それでも文学史がリアリズムの主体の物語であり、その歴史の中で女性は彼らに客体化されるほかはなく、よって国民作家とはすなわち男性であるほかないのだとしたら、その体制すべての外側で、「慎吾」や「篤郎」の頭越しに彼らの妻とひそかにささやきかわす寂聴たちの声を聞きたいと私は思ってしまうのだ。

2　強父・阿川弘之、および娘小説の批評性について

「父と息子」は物書きにとって永遠のテーマであると長きにわたって言われてきたものだが、今では父の影はすっかり薄れ、現代文学の中ではむしろ「母と娘」が目を引くようにさえなった。ではこんな時代に「父と娘」という組み合わせはどうだろう。阿川佐和子の『強父論』によれば、彼女の父・阿川弘之は家族に対して苛烈な圧制を敷いていた。いつ怒り出すのか予測できないため家族は常時ビクビクしていなければならない。突然、怒鳴りつけられるが、なぜ怒鳴られているのかにわかにわからないまま怒鳴られていなければならない。ある時、機嫌の悪い父阿川が電話をとり、サワコ、吉田ってバカから電話だと怒声を発する。そんな言い方しなくったって、と佐和子が「口答え」すると、真っ赤な顔で罵倒しながら娘を小突いて玄関の外に押し出し、鍵をかけた……。娘はやむなく靴も履かずに家出するというエピソードだが、これは文字通り裸足で逃げる、ではない

か。理不尽に噴火する父阿川の姿は、本人が真剣であるだけにどこかしらユーモラスでなくもないのだが、第三者である読者にそう思わせるのは、ひとえに阿川佐和子の絶妙な話術によるところが大きい。「世間的に評価される小説家だとしても、父親としては認めない。認めたくない。（略）夏目漱石の奥さんが悪妻だったと言われているが、きっといい人だったにちがいない」。たぶん実際には笑いごとではなかったのだろうが、時ならぬ漱石の奥さんを出してくるズレっぷりによって希少生物としての圧政父をユーモラスに描き出し、娘は自分たち親子をともに救済している。

子どもを上から圧迫し、同時に保護していたはずの父。しかし、現実的というよりも象徴のレベルにおいて、そうした父なるものの機能低下が顕在化して久しい。たとえば「父」としての終身雇用制。かつてのそれは言葉通り終身にいたる過剰な労働を強いるものであったが、その一方で労働者を企業社会に包摂し、そのかぎりで安定した生活を保障するものと捉えられていた。松本卓也はこれを「いわば〈父〉＝資本家への信頼に支えられた家父長制的なファンタジー」と呼んでいる（『享楽社会論――現代ラカン派の展開』人文書院、二〇一八年）。だが、このファンタジーはもはや機能していない。現在では非正規雇用者の割合が四〇％近く（女性は五〇％超）に達している上、たとえ新卒者が正規の職に採用されたとしても、入社の後には絶えまない「評価」が待っており、一定の基準をクリアできないものはすぐさま排除されてしまう。父＝資本家はもう労働者を包摂しない。だから現代労働者は「父」を信頼できない。彼らは父の怒りにふれるのではないかとビクビクするのではなく、数値目標と絶え間ない排除の脅しにさらされているのだ。父の下での半永久的な安定は失われた。というより秩序を維持するシステムが変質し、「父」は何か別のものに変わっていったのだ。

父阿川は、あたかもかつての終身雇用制度のように妻子に対していた。なるほど家族を怒鳴りつけはした。だが、自分の仕事にはまず何よりも「妻子を飢えさせない」という動機があったのだと阿川は述べる。佐和子の『強父論』によれば、父阿川は収入や貯金に細かいところがあったというが、それは妻および四人の子どもを路頭に迷わせるわけにはいかないという意識がつねに彼の念頭にあったからであるらしい。父の臨終に駆け付けた佐和子は、息を引き取ってまもない父のおだやかな死に顔に対面し、増刷になった文庫『山本五十六』の支払いが三〇〇万だったことを報告した。

父の権威の源泉は、家族を飢えさせないこと、経済的に保護することにあった。父曰く「いったい誰のおかげでぬくぬくと生活ができると思ってるんだ。誰のおかげでうまいメシが食えると思ってる。やしなわれているかぎり子供に人権はないと思え」。こうした恫喝が示すのは、人々の生殺与奪の権を握る昔の王様が気まぐれに庶民の首をはねるがごとき権力形態だが、しかし原理的に王様というものはつねに裸である。妻子が経済的に自立し、自分でメシを食うようになった時、父の権威はその根拠を失うだろう。あるいは、メシのためと割り切った妻子が面従腹背を決め込みながらさらなる労働へ父を追いやるおそれなしといえない。メシは秩序の真の源泉たり得ない。

さて、私たちは一阿川家のことを心配しているのではない。「父」とはあれこれの父親を意味するとともに、社会秩序を家族の比喩で語るタイプの言説を統括する符牒として象徴的な意味を付与されてきた。この意味の「父」は日本の戦後文学史、批評史のある時点で出現した歴史的キーワードである。たとえば野間宏に代表される狭義の「戦後派」の時代に、批評の鍵概念としての「父」

は、後付けであればともかく、それとしてはまだ出現していない。

戦前の革命運動とその挫折の時代を体験している戦後派には「政治と文学」に関する深刻な問題意識があったが、これに対し五〇年代に入って注目されるようになった「第三の新人」たち、つまり安岡章太郎、吉行淳之介、小島信夫、庄野潤三らは、革命の理念にではなく、もっぱら生活の細部や日常の陰影に苦しみ、その中に生きるいわば小文字の男を書くことになる。「第三の新人」の範囲を広くとるなら、阿川弘之もここに数えいれることができるだろう。戦争末期に特攻隊員として死んでいくことになる海軍予備学生たちを描いた『雲の墓標』には、この戦争を生き延びようとする藤倉という若者が登場するが、彼の反軍思想には理念の裏付けが欠けており、彼自身もそのことを自覚している。「わずか数年のちがいで、左翼的な雰囲気というものを全く知らずに学園生活をおくったわれわれは、マルクシズムのことは、ほとんどなにもわからない。たとい全面的に信じないにせよ、一度その洗礼を受けていたならば、こんにち俺たちはもっと、科学的な見とおしを立てる力を持てたのだろうか?」。

わずか数年の違いで、彼らは戦後派の世代であれば触れることのできた「理念」を持ち得なかった。戦後派から第三の新人への世代交代は、六〇年安保を挟んで時代のテーマが「政治」から「経済」にシフトするのと軌を一にして文学史そのものの転換点となってゆく。高度経済成長政策によってもたらされた都市化と「アメリカ的生活様式」の浸透は、生活意識のレベルに劇的な変容を引き起こすのだが、この転換を肌身で捉えていたのが「第三の新人」成熟期の作品である。安岡章太郎「海辺の光景」(一九五九年)、小島信夫「抱擁家族」(一九六五年)、庄野潤三「夕べの雲」

（一九六四―六五年）等は、どれも夫婦や家庭を主要なテーマとする作品群である。そして、江藤淳がこれらの作品をとりあげ、そこに家族制度の解体、旧来の倫理感覚の崩壊を議論する文脈を与えたのだが、このタイミングで登場するのが批評用語としての「父」である。「政治と文学」から、アメリカによる占領と家族制度＝旧来倫理の解体、父性の失調へ。批評用語を総入れ替えすることで別の地平を構築したところに江藤の批評的実践の意味があった。

政治から家庭へ。それは必ずしも自然な移行だったわけではない。六〇年代の日本は、冷戦秩序をひとつの現実として受け入れ、米国の目下の同盟国としてその勢力圏の一角に安定した場所を見出していくのだが、その時五〇年代まで維持されていた革命の夢やアジア連帯の想像力が、論壇の風景の外へとはじき出されていったのだ。これにかわって前景を占めるようになったのが戦後社会における「父性」の喪失という「問題」だったのだとすれば、その失われた「父」とはかつての主題を忘却の屑籠に放り込むのと引き換えに構築された一種の遮蔽記憶だったとも考えられる。

何かを忘れながら「父」が深刻で切実な「問題」として浮上した。アメリカが「戦後の国体」だとしたら、日本の男は真の「父」になれるのだろうか、こっぴどく敗北した国の男が規範と秩序を支える権威としてふるまい得るのだろうか。自分が何者であるのかを教えてくれる倫理的な父が存在しないなら、私状況優先の中で育った若い世代は自分が誰であるのかもわからなくなるのでは……。戦後の主人公たちは「父＝国家」の欠落ゆえに永遠に未熟であり脆弱であるほかはなく、そのことが日本の戦後文学に固有の苦悩として構成されていった。敗戦日本には父に権威を付与する審級など存在せず、父はついに父たり得ない。そうであっても家族を抱える父は、さえぎるものとてない社会の寒風の中に妻と娘を放り出すわけにはいかない。彼らは父たる根拠を奪われてなお父であらねばならないのだ。と、これほどまでに悲壮なテーマがほかにあろうか。江藤淳的文学史をおおまかに取りまとめるなら、そういうことになるかと思うが、これはなんというべきか基本的に男子の沽券の問題であって娘らにはあまり関係がないという気もする。

こうした文学史の文脈に「強父」阿川弘之を位置付けることもできそうだが、ただそれでは「強父」の圧政ぶりをユーモラスにさえ感じさせてしまう娘佐和子の話術が何であるのかを説明できなくなってしまう。娘の描くところの理不尽な父には、悲壮な文学史を代表するだけの悲劇性というものが徹底的に欠けているのだ。そこでもう一枚、戦後史的説明を捕捉しなければならない。江藤淳の『成熟と喪失』に文学史のパラダイム転換をもたらした功績を認めてよいとして、その材料として取り上げられた作家たち、安岡章太郎、小島信夫、庄野潤三らと、これに江藤淳自身も含めてみなロックフェラー財団の研究員に選ばれ一年間アメリカに派遣されたという経験の持ち主だった。アメリカという絶対の「父」が頭の上にいるかぎり、日本の男の「父性」は失調せざるを得ない、だから強いられた憲法を返上して日本を取り戻さねばならないというのが江藤の課題だったとして、このテーマの背後にはそれがほかならぬアメリカの文化戦略のもとに形成されたという逆説的な事情が介在しているのだ。そして問題の強父、阿川弘之も、同財団のフェローとして一九五五年から一年間、アメリカに滞在している。

その時までアメリカに対する強烈な反感を隠すことのなかった父阿川は、一年間のアメリカ滞在後、掌を返したようにアメリカ好き、アメリカかぶれになった。その経緯については『強父論』にも言及がある。「戦争に負けて帰国した当初は、それこそ街中でアメリカの車をみつけるなり、唾を吐きかけ、足でタイヤを蹴って、よくぞ日本をこんな目に遭わせやがってと憤慨していたらしい（母や父の古い友人の証言）が、ロックフェラー財団のフェローとして一年間、アメリカ各地を回って帰って来たら、すっかりアメリカ贔屓になっていた。／ときどき父が、「メイビー、ここだろう」とか、「アイ・シンク、そう思うよ」とか、わけのわからぬカタカナ英語を混ぜて母と会話していたのを思い出す」。

さらに補足として、息子尚之が父の米国滞在の背景を以下のように説明している。「（略）戦後のある時期、ロックフェラー財団は日本の若手知識人をアメリカに招き、生活させ、ありのままのアメリカをみせるプログラムを開始した。ソ連や中共との冷戦のさなか、左翼勢力がなかなか侮りがたい影響力をもつ日本に、少しでも好意的な論調を形成したいというアメリカの国家目標とも、おそらくは結びついていただろう」（『アメリカが見つかりましたか　戦後編』）。

ロックフェラー財団の創作フェローシッププログラム。事情通の尚之は、このプロジェクトがアメリカによる文化冷戦戦略、対日心理作戦の一環だったことを見て取っている。阿川家は、留学生の人選に深く関わった坂西志保やチャールズ・B・ファーズらとも家族ぐるみで交際していた。坂西らは、研究員候補を選ぶにあたって、まず若い世代であること、異文化に柔軟に適応する能力の持ち主であることのほか、「共産主義者」ではないということを一つの基準と考えていた。その結果、一九五三年から、かねて坂西の知人だった福田恆存を皮切りに、毎年多くの文学者が研究員として渡米している。大岡昇平、石井桃子、阿川弘之、中村光夫（妻の急病により一カ月で帰国）、小島信夫、庄野潤三、有吉佐和子、安岡章太郎と続き、そして一九六二年の江藤淳をもってこの制度は打ち切りとなった。

父阿川は一九五五年に妻をともなってアメリカに渡ったが、その間、まだ幼い息子尚之、娘佐和子は、広島の叔父夫婦のところにあずけられたという。佐和子は居心地のよい広島がすっかり気に入ってしまい、父の顔を忘れた。一年後、帰国した父が迎えに来た時、佐和子は「かすかに見覚えのあるおじさん」に誘拐されたと思い込み、泣き叫んで抵抗したという。父の最初の記憶は、この恐怖の体験だった。帰国後の父のことを尚之は次のように書いている。

「ただすっかりアメリカが気に入った父は、帰国後家の中でやたらと英語を使い、アメリカで買ってきたスプリンクラーを公団住宅の狭い庭に置いて水をまくなど、かなり重症のアメリカかぶれになった。年を取ってさすがに近年そのような言動はないが、故郷広島に原爆を落とされ、アメリカに対して敵意を燃やしていたこの作家を、アメリカ大好き人間にしたのだから、財団の所期の目的は達せられたというべきであろうか」。

米国滞在を挟んで父阿川はアメリカへの恩義を力説してやまない親米自由主義者に変貌する。この場合の「自由主義」は冷戦期米国における定義、つまり共産主義という「全体主義」に全面的に対抗する立場のことと捉えておいてよい。父阿川は、アメリカの対日占領ほど寛大な占領は歴史に類をみない、しかもアメリカ人たちが自身の血を流して奪い取った沖縄を「ほとんど無条件で」(！：引用者註)日本へ返してくれたではないか、どさくさまぎれに北方の島々四つを占領していまだに返す気配の乏しい国とは大違いだと『国を思えば腹が立つ――一自由人の日本論』(光文社、一九九二年）で述べている。また同書によると、日本人文学者を米国留学に送り出したロックフェラー三世の日本に対する忠告、すなわち日本は田中角栄が逮捕されようと大臣のスキャンダルが起ころうと「あの方」がおられる間は大丈夫、ただ「あの方」が亡くなられた時、一つの危機がくる、だからしっかりしなくてはいけないと忠告したというエピソードを紹介している。「あの方」とは昭和天皇を指しており、「戦後の国体」たる米国の知日派が「戦前の国体」たる「父」の在所を指し示し、それをしっかり受け止めるよう、個々の「父」にしかるべき振る舞い方を告げ諭していたという構図を描き出している。大中小の「父」が同心円的に重ねあわされ、その構造において父阿川もひとまず自らの同一性に悩むことなき強父としてふるまうことができたのではなかったか。親米と愛国とを無矛盾であるかのように重ねるこのポジションは、現在に至るまでの長期政権がこの道と思い定めてきたそれでもある。

江藤淳は八〇年代になってGHQによる検閲をいわば暴露し、それが戦後の言説空間にもたらした歪みあるいは空虚を世に問うことになる。ただしその江藤もまた米国からの離反を目指していたわけでは全くない。この評論家が自己回復の道と考えたのは日本が米国と対等なパートナーシップを築くことであり、その印として自主憲法、自主武装によって一人前の国となることだった。冷戦が終結に向かい、「ソ連の脅威」が消失したあとに日本が進むべき道を、江藤はそのように考えていたのだが、しかし日本はその後、むしろ米国に対する従属姿勢を深めていった。このことは江藤をどれほど深く失望させただろう。「抵抗」のない日本もこれをもって完成形態に至ったというべきか。あるいは逆に、父の「強父」ぶりそのものが秘められた屈託の一表現だったとでも解せばよいのだろうか。

戦後の父たる米国が戦後政権という小ぶりの父を承認し、その構造の総体を父阿川が承る。それにしても、強父は中心軸にズレのないこの同心円構造に満足していたのだろうか。この作家は、従軍、原爆、敗戦、占領、いずれも同心円的調和を阻害しかねないこれらの歴史をもれなく経験していたはずなのだ。


阿川は戦時中、海軍予備学生として中国の漢口で暗号解読作業に従事し、敗戦翌年、郷里の広島に復員した。後年の阿川弘之は、海軍提督を書いた作家として知られるようになるが、この頃はというとしばしば故郷広島の災禍を書いていた。志賀直哉らの推挽によって創刊まもない『世界』に掲載された「年年歳歳」では、復員兵のみた広島を書いているが、そのうち「広島の娘さんをもらうと一つ目や三本足の子どもが生まれるかも、植物なんか崎形がもう出てるんだって」という箇所が検閲により削除された。

父阿川の従軍経歴を思わせる『春の城』では、主人公が日本の戦争が馬鹿な戦争だったことを認めているが、その一方で次のようになお納得できない思いを抱いている。「西洋の国がこの何世紀かの間、武器と船と人種的優越感とを以て、自分らを富ます為にやって来た、あらゆる悪い事を、日本はああいうお題目の下で、遅まきながら始めて、それが下手な猿真似で、見事に失敗したというのが本当じゃないのかしら？　猿真似が裁判の対象になるんなら、真似を教えた本家の悪人の方はどうするのかと云いたくなるよ」。

この主人公は「残虐行為だなんて、今度の戦争で一番許し難い残虐行為は何だと思ってるんだろう？」と、米国による原爆投下を暗に告発している。同時に、広島駅の前に「祝平和祭」と書かれたアーチがあるのをみて次のような憤りを覚えてもいる。「一つだけ漸く彼にはっきりし出しているように思えるのは、矢代先生を殺し、智恵子を殺し、二十数万の広島の人々を殺した原子爆弾の炸裂を、平和をもたらした福音として、賑やかなお祭り騒ぎに擦り替えようとしている、或る、眼に定かでない幾つかの勢力の如きものに対する憤りの気持であった――」。

恩師を失い、恋人を失った主人公の内には、自らの残虐行為を自省することのない「勝者の裁き」に対する憤りとともに、それを受け容れていった戦後体制への憤りが萌しているのだ。ここにみられるのは欧米と日本とを問わない帝国主義に対するいわば普遍的な批判であり、そして政治的位置としての反米・右派の萌芽であり、その両者が戦後初期の混沌の中で共存している。

被曝八年後の広島を書いた『魔の遺産』では、被爆直後に設置された米国の調査機関ＡＢＣＣ（原子爆弾傷害調査委員会）が、「市民の診察をし調査をしデータは集めるけれども、治療はしない」ことへの不満が吐露されている。余談めくが、この作品について花田清輝が「むしろ、そういう機関に治療を要求すること自体が、まちがっているのではないかと思います。それこそ、日本人の非常識と奴隷根性を表白するようで、反発を感じるくらいです」とコメントしているのは、不人情な米国への反発が依頼心に裏返る機構を指摘したものと読むなら示唆的である。阿川に広島を壊滅においやった米国への憤りがあるのは確かだが、それはまだくっきりとした政治的ポジションとして固まっていたわけではない。阿川は占領中のもっとも早い時期に原爆を書いた作家のひとりであるが、少なくともそのことがロックフェラーのフェローたるに決定的な障害になることはなかった。そして「財団の所期の目的は達せられたというべきであろうか」と息子尚之が皮肉を言う結果となった。ただ、「核アレルギー」の強い被爆国だからこそ原子力平和利用の言説が効力をもったという逆説を思い出すなら、この逆転自体が米国の心理作戦の計画に折り込み済みのものだったのではあるまいかという邪推を加えたくもなる。「唯一の被爆国」という自称をさかんに用いつつ、「核による抑止力」を掲げて核兵器禁止条約に背を向け、世界を失望させている日本の姿勢が「父」に重なってみえてしまうのだ。

佐和子のフィクション作品に、強い父は出てこない。かわりに数多くの離婚が描かれる。近作『ことことこーこ』の香子も、「誰のおかげでこんな恵まれた生活ができてると思ってんだ」、と怒鳴った夫とただちに離婚、それまで専業主婦だった彼女はフードコーディネーターとなって新たな自分の道を切り開く。繰り返し描かれる離婚とは、再出発の思想なのである。これまでの結婚生活が我慢ならないほどつらかったわけでもない、辛抱に辛抱を重ねた末についに決断したわけでもない。それでもこれまでの生活を断ち切って、というよりこれまでの自分自身を断ち切って、初めての道を始めから歩き始めるのだ。『うから はらから』の未来は、浮気癖のある夫と離婚。彼を嫌いになったわけでもないが、とにかく大嫌いになるまえに別れて、友人としてよい関係を保つのがベターと考えてのことである。

さらに、未来が実家に戻るや今度は突然、母が父を捨てて出て行った。なぜなのか。父にはまったく心当たりがない。交番勤務から警部補まで警察関係の仕事を勤め上げて引退し、穏やかな老後をすごそうとしていたやさきのことだった。といって、母の側にもこれという理由はない。四十数年の結婚生活に不満があったわけでもない。ただ、理由はこれだと言えないところにこそ、不吉な何かが宿っている。

娘の未来は、両親の次のような不思議な会話を覚えている。父が、ほら、お隣の梅の木にウグイスが来ているぞ、つがいで来るなんて珍しいなと言うと、母が、あら本当ね、つがいでウグイスがくるなんて珍しいわね、とそっくりそのまま繰り返す。父：おいおいあれはウグイスじゃないぞ、メジロだよ、道理でちっとも鳴かないと思った。（ケロリとした声で）母：あら本当、メジロでしたわね、ごめんなさい、私はまたウグイスかと思いました。

夫婦漫才ではなく、二人はまったく普通の顔でこれをやっていた。小説中のこの父は決して父阿川のごとき圧制父ではないのだが、この異様なやりとりを異様と思わない「父」ではある。それに合わせてごめんなさいと言う母の異様さもこれをしのいであまりあるが、ただ、母の内にはやがてこの不気味な穏やかさを切断し、離婚し、自分を取り戻すという蜂起の予感が漂っているわけだ。父が元警官だという設定は無意味ではあるまい。交番勤務の長かった父は、迷子の面倒をみて、酔っ払いの世話をして、町を守ってくれるお巡りさんだった。町を守るとは、換言するなら、潜在的に異分子を取り締まり治安管理することでもあり、つまり父の営為である。この父親は作中で「チチ」と呼ばれ、彼の妻は自分の夫を「チチさん」と呼ぶ。父とチチの間に広がる曖昧な幅が『うから はらから』の物語空間となる。

チチは、妻に見捨てられ悲嘆にくれるも、ほどなくして立ち直り、ピアノ教師と称する正体のわからない若い女を家に引き入れる。豊かすぎる胸の持ち主で、美人で、子連れで、娘の未来よりもずっと若い。未来からすればどこから連れて来たのかわけのわからない年下の若いオンナが新しい母となり、女の連れ子である小生意気なチビが新しく弟になったのだ。離婚は再出発の思想となり、そして再婚は親子間、家族間の世代差を転倒させ混乱させる。この時チチはもはや家族秩序の要に位置する父ではなくなっている。

佐和子小説はしばしば短編連作形式を取っており、『うから はらから』にせよ、『婚約のあとで』にせよ、一章ごとに語りの視点が交替している。夫や娘や父や再婚相手、連れ子、母、祖母、もろもろの登場人物たちが直接、間接に関係しあいながら物語を紡いでいくのだが、かといってそれが一つの全体としての家族物語へと収まっていくことはない。病室で隣り合わせになった少年や更年期障害に悩む看護師のための一章も挟み込まれ、それらは事件として発展するわけでも、全体に収斂するわけでもなく、ただ何かあたたかな記憶をそこに灯して去っていく。全体を統轄するような中心をそれとなく回避するかのように進行するこの小説は、父をやさしく突き放しつつ、夫婦や親子と名付けることのできない関係をのびやかに広げていくのである。

ふたたび父阿川の方の作品に話を戻すと、四五歳の時の小説『舷灯』の「俺」は次のように妻に感謝を述べている。「お前は俺にとって立派な妻になってくれた。立派というのは、賢くてしっかりしている意味ではない。少しも堂々としない、影のように目立たない、そういういい奥さんになってくれた。俺は、お前という者がいて倖せだった」。この「俺」は、女の虚栄、出しゃばり、亭主への口出し、嘘、小細工、嫉視、そんなものが身辺にあったら耐えられないというのだ。……娘佐和子は母親に離婚したら？　なんなら娘から申し立てようか？と提案したことがあったという。母の再出発、家の脱中心化を、娘は心中に思い描いていたのだろうか。

時がたち、強父もやがて老いを迎える。父阿川は完全介護の老人病院に入り、しかし最後までうまいものを食べようという志を捨てなかったというのが頼もしい。一方で、母の方も弱っていく。父が、お前のつくるちらし寿司が食いたいのだと訴えたところで耳の遠くなった母には聞こえていない。ようやく聞き取った母は、ケロッとした口調でこう言った。ああ、ちらし寿司ね、東急に売ってますよ。この時、娘は反撃の瞬間をついに目にした思いだったという。母は自ら弱ることを通して、ことさらではないやり方による再出発を遂げたのだ。娘と母は長い闘いを共にした同志となっている。

父と息子、父と娘、母と娘、様々な組み合わせの親子関係は「抑圧」「保護」「反抗」「解放」等、それぞれに象徴化可能な物語の型となり得ることだろう。しかし、にわかに現代社会の前景にせり上がって生きたのは「介護」という転倒のリアリティである。子供を保護するはずの親が子供に介護される立場に転ずる。このテーマの出現によって「父」の象徴的含意は何がしかの変容を被らずにおれないはずである。だがそのこと以上に、『ことことこーこ』に描きだされた娘と母は、介護の関係を通して何か深い豊かさを帯び始めているのだ。この小説では、父が何の印象も残さずに死ぬ。そして、自分がそれと意識せぬままに母の料理の味を継承していることに気付いた娘は、いわば母との間に同志的連帯の関係を形成していくのだ。母はいつまで私の母でいてくれるのだろうか、料理の作り方もわからなくなってしまった、やがて私が誰かわからなくなるのかもしれない。心細く切ない思いを抱きながら、娘は母の料理を思い出し、それによって母との共同制作を続けていくだろう。もちろん、この社会において実際の介護はそうたやすい経験ではなく、『ことことこーこ』は抜きんでて恵まれたケースではあるだろう。ただ、ここでの「介護」の時間は、階層秩序を含意せざるを得ない親子の時間を変形させ、異なる時間の質を創り出していく。思い出を未来につなげるように、世代を超え、台所を避難所としてきた女性の連帯が形成されていくのである。そう読みたくなるのは、やはり背後に「父」の影があるからなのかもしれないにしてもだ。

3 文学史と地政学

夏目漱石の「日本の開化」

夏目漱石は近代文学史を代表する作家であるとともに、近代化一般に解消できない「日本の開化」を論ずべき問題として問題化した「文明評論家」として長らく近代批判の参照点となってきた。この主題系に属すテキストとみなされてきたのは、一九一一年の講演「現代日本の開化」や『それから』の主人公が自分が職業につかないのは「日本対西洋の関係」がダメだからだと述べた箇所であり、そして『行人』の「兄」が「徒歩から俥、俥から」と果てなく上昇する速度への恐怖を語った箇所などもこれに加えることができるだろうか。こうした言葉は、漱石没後も日本の近代を問題化する議論の中でくり返し引用され、あるいは国語教科書の教材として転載され、反復によって堅固な価値へと構成されていった。とはいえある時期以降、それは使い古された、幾分うんざりさせられるテーマとなっている。西洋近代の模倣か日本の伝統固守かという堂々巡りの議論が飽きられただけではない。一つには、近代化という「大きい物語」の終わりを宣言したポストモダニズムの潮流によって開化＝近代化のテーマそのものが棒引きされたこと、替わって女性にとっての近代、規律訓練の近代など、単線的な進歩、発展を意味する「開化」とは全く別の定義における近代性が考察すべき課題として浮上してきたことなどがある。近代化の概念と評価とが再定義され、西洋の圧迫の下で進行した速成的近代の苦悩を象徴する「漱石」のリアリティは急速に希薄化していった。理由はほかにも考えられる。冷戦構造はまた歴史記憶の構造でもあった。戦後、米国の東アジア戦略の下、長きにわたってアジアの他者に向き合うことなく過ごして来た日本も、冷戦解体後の九〇年代になると植民地支配と戦争の被害者の証言を突きつけられることになる。これに対し直ちに歴史修正主義の運動が現われたのは捨て置くことのできない事実だが、他方では日本が間違いなく歴史的な加害者の位置にあったことを認識する地平が形成されたことで、西欧との関係における日本の苦悩という自らの痛み、それのみに焦点を当てる「漱石」は居心地悪さを感じさせるものとなったのではないか。

漱石の「文明観」について、イギリス留学時代以来の日記、断片をも含めて諸テキストを分析した朴裕河は、そこに「近代主義的文明観」「疑似植民地的恐怖」「特殊性への欲望」「「西洋」批判へといたる論理」などの要素を見出し、リベラルな漱石像を描き出そうとする論者たちに対してその修正を要求している。(1) このアプローチは主として明治後期に「日本の開化」を論じた漱石の言葉を主要な対象とするものだが、この稿では漱石自身というよりもこの作家の遺産継承者たちの言説を分析対象とし、時代の要請の中で「漱石」がどのように形成されたのかを概観したいと思う。日本の近代をめぐる諸言説は、特定の歴史構造の中で主体を立ち上げるための実践的な機能を果たし、なかんずく日本近代文学史の記述秩序を支えるプロットとして長期にわたる影響を行使してきた。こうした諸現象は漱石自身と漱石が生きた時代の内に還元しつくせないためである。

当然ながら「漱石」は漱石自身の言葉の延長上にあるのだが、そのうちのどういった特質が最大限延長されたのかを確認しておこう。「現代日本の開化」は、はじめに「一般の開化」の経路を「活力節約」「活力消耗」の二つの相対立する方向に切り分けたのち、そのどちらもが人を幸福にしないという逆説を述べている。この説明はどの地域と特定されない「一般の開化」についてのものだが、後段になるとそれが「西洋の開化(即ち一般の開化)」と言いかえられ、その上で一般的なものに還元しつくせない「日本の現代の開化」固有の問題へと焦点が絞られてゆく。よく引用されるのはもっぱらこの部分なのだが、注意しておきたいのは、この時特に断りなく「西洋」が「一般」へと言いかえられていることだ。これをもって、地球儀上ではさして大きいとは言えない西欧という一地域に一般的範例という資格が付与されることになり、また基準によって各地の「進歩」や「遅れ」の度合いが測定されることにより、「日本」も世界史の進展に包摂されるべき対象となる。

後の高山岩男ら「京都学派」の「世界史の哲学」の見解によると、「近代の世界史学は殆どヨーロッパの世界史学」だった。[2] 近代以前には地球上のそれぞれの地域がそれぞれ自らの歴史的時間を歩んでおり、それゆえ進んでいるとか遅れているという比較の言説は発生しようもなかった。しかしやがて西欧による地球上各地の「発見」とともに、そうした歴史的世界の多元的なありようも西欧中心の一元的世界史へと包摂されるようになる。こうして成立した近代の世界史学という学の地平には、前提として西欧中心というべき理念が潜んでおり、その代表的な一つがいわゆる発展段階説——人類は一定の発展段階を経過すべきものとし、而もヨーロッパは最高の発展段階に位し、ほかは当然そこに到達すべき前段階にあると考える思想——ということになるだろう。あらゆる歴史性の先端であり目的地である西欧と、つねにそれに後れをとるほかない非西欧。こうした歴史軸、地理軸の重ね合わせが成立し、近代的な世界史像、世界像が形成された。一般的なものとされる世界史=世界秩序は実のところ西欧中心主義的に形成されてきたということを言語化したこの説明はまぎれもなく重要な視点をもたらしたのだが、しかしそれは逆説的なことに「大東亜戦争」の思想戦部門を自ら引き受けた知識人たちがその歴史の中で構築したものだった。京都の世界史派たちは西欧中心的な近代的世界秩序の地平を超出する戦争として日本の戦争を位置付けていたのである。西洋中心主義に替えて日本中心主義に向かったこの説明は、半分まで正しく、半分は無反省だといえよう。その半分までの正しさを参照していうなら、漱石による「西洋の開化（即ち一般の開化）」という括弧の補足の意味が理解できる。漱石の「現代日本の開化」もまたおのずと西洋中心的であらざるを得なかった世界史の近代を上演していたということだ。

それは二重の身ぶりとなるだろう。一方で「日本」は近代化という一般的歴史過程に包摂されることで独自の歴史的時間を失う。だとすると『それから』の主人公長井代助が示唆するように、西洋史を後から追いかけるだけの近代化は忙しいだけで何ひとつ新しいといえるものを生みだすことはないだろう。しかし他方では、そのこと自体を特殊な歴史的経験として刻み付けた「日本」が浮上してくるのである。今ではもう賞味期限が切れたが、かつてはよく使われていた言い回しとして「アジアで唯一近代化に成功した国」がある。それは、ある場合には日本の優秀さを語る自慢話となり、別の場合には逆に先例のない歴史を歩むことの苦悩をアイロニカルに語るものにもなる両義的な句であるが、そのどちらであれ日本は世界に類をみない特殊な近代経験の場となり、再び自らに唯一独自の地位を与えるのである。こうして、単線的かつ目的論的な歴史の時間軸が成立した瞬間、逆説的に西洋―日本という地理的な空間軸が近代という問題に導入されるのだ。

その効果としては、西洋と非西洋とを問わず歴史は単線的に発展するということを前提に、進歩や遅れの時間軸上のどこかに日本の現在を位置付けることになるが、さらにそれがどのような経験だったかを内省する言葉は、西欧の普遍性、西欧中心的な進歩主義を追認すると同時にそのイデオロギーを可視化し、可視化の作用そのものによって必然的に違和を唱えるものとなる可能性がないわけではない。それは「日本の開化」に収まらない、それ以上の広がりをもつ問題でもある。

実際の漱石はどこまでも「日本」の開化それのみを語っただけである。そして「日本対西洋の関係」をもっぱら問題にする『それから』の主人公の視野に日本以外の非西洋は入っていない。だが、もし仮に「漱石」の主題をその可能性において読み返すなら、そこから西欧中心主義に対する批判、あるいは進歩というイデオロギーに対する違和を取り出すことができるかもしれず、だとすればそれは日本に閉じられる問題ではない。この方向の読みは、日本の苦痛の表現という枠組みから「漱石」を解放し、つまり特殊日本的とされてきた経験をその日本から解放し、非西洋に一般的な歴史経験として捉え直す可能性がそこに生まれるかもしれない。まずは「日本」の近代文学史が「西洋」の影響、ないし圧迫、それに対する順応、反発、脅威といった情動を通して組織され、「漱石」がその言説の要の位置に置かれてきたことを確認し、しかるのちに可能であれば異なる歴史へと「漱石」を差し戻してみることにしよう。

雑誌『思想』は一九三五年一一月に夏目漱石の特集を組んでいる。この時点で「漱石」の相貌はまだ必ずしも明確になっていない。たとえば清水幾太郎は、漱石の講演「私の個人主義」から、個人主義の裏面には人に知られない「淋しさ」も潜んでいるという一節を参照し、そのような淋しさを伴う個人主義はヨーロッパのそれとは根本的に異なるものだと述べている。清水によれば近代思想としての個人主義にあっては各個人を通約する抽象的普遍者が認められ、個人はこの普遍者を自己内部に保持することによってまさに個人たるを得るのであり、またそうでないなら個人主義が社会理論としての資格において立ちあらわれることはないはずなのだ。ここで清水は「現代日本の開化」に言及する。短日月の間に西洋文明を摂取しなければならなかった日本の社会は、軍備あるいは機械技術等で一応西欧の水準に達したものの、個人としての生活は封建的な狭隘さにおいてしか許されず、そしてそれが漱石の「個人主義」の環境だった、という文脈である。この文には「漱石」的な用語が出そろっているにもかかわらず、全体の趣旨としては、市民社会が未成立である日本、つまりはこれから市民社会化、近代化をなすべき日本という目的論的歴史意識に立っており、それは西洋的近代化が日本という場にもたらした独特の疲労を強調する「漱石」的主題とは言説のタイプとして異なっている。

一方、同じ特集で、亀井勝一郎は『それから』の「日本対西洋の関係」という箇所の長い引用のあと、すでに「漱石」を語り始めている（「漱石における知性の悲劇「それから」とそれから以後一督」）。亀井は『それから』の延長上に『行人』を位置付け、「人間の不安は科学の発展から来る。進んで止る事を知らない科学は、かつて我々に止まる事を許して呉れた事がない。徒歩から俥、俥から馬車、馬車から汽車、汽車から自働車、それから航空船、それから飛行機と、何処迄行つても休ませて呉れない」という一節を引いて、この作品から速成的近代化のもたらす不安と恐怖の情動を取り出している。これを、そのすぐ前の年に発表された長谷川如是閑の『行人』解釈と比べてみよう（「夏目漱石論」『日本文学講座第一二巻』一九三四年四月）。如是閑が『行人』に見出すのは、弟と妻の関係に対する兄一郎の嫉妬というテーマであり、ここには「日本対西洋」や「近代」という「漱石」的鍵語は一切登場しない。亀井勝一郎が同じ『行人』に西欧的近代の知性が恐怖から狂気へと移行していく様を読むのはすぐその翌年のことであり、この時期に「漱石」の相貌が急速に整えられていく様がみえてくる。

西洋と日本、もしくは西洋と東洋という地政学的対立軸を前提とする語りは、ほかにもたとえば「漱石に於ける重要なテーマの一つは、東洋的情操及び思想と西洋的情操及び思想との彼の生活に於ける交渉である」といった安倍能成の理解枠にも現れている。安倍によればそれは漱石自身の生きた問題であるのみならず、「我が国に独特な全般的問題」であり、これを「文化史的に定位すること」が課題として提示されている（「『夏目漱石』を読む」『思想』一九三八年九月」）。

進行中の戦争に文化的意義を付与したという点でしばしば「悪名高い」と形容されるシンポジウム「近代の超克」を雑誌『文學界』が企画するのはそれからまもなく、太平洋戦争開戦直後のことである。[3]この会議を最初に提案したのは先にみた亀井勝一郎とされているが、その亀井が会議のために提出したレポート「現代精神に関する覚書」をみてみよう。このレポートは、「我々が「近代」といふ西洋の末期文化をうけた日から、徐々に精神の深部を犯してきた文明の生態（略）が、私には最大の敵であると思はれる」と述べる。「それは我々の内部にあつて、必ずしも自覚症状をあらはにせず、人は嬉々としてその犠牲となる。この魔力に比すれば、今日謂ふ英米の敵性思想などはとるに足らぬものなのだ」。人は嬉々として近代の犠牲になり、傀儡となり、それを自覚するのは困難なのだというこの主題は、「開化」を喜ばしき進歩としてのみ表象し、自らの疲労に気づきさえしないのを「軽薄」だと叱責する「漱石」の認識を共有するものといえるかもしれないし、あるいは次のように精神の「速成化」を問題にした箇所は、先にみた亀井自身の『行人』論に近い内容の、つまりは「漱石」的な論点となっている。

「かゝる傾向は、明治の開国とともに始つたあの悲しむべき近代的習慣――速成化にむすびついてゐる。西洋の文物は、能ふかぎり輸入し、急速に自らを武装しなければならなかつた。短日月の間に近代文明の粧ひを凝らさざるをえなかつたといふ我々の運命――この習ひが性となつたところに精神の一危機がある」「しかも意識せぬ、乃至は速度をいよいよ早めずしては安心出来ぬという中毒症状を呈する。精神は急行列車に乗つたも同然で、あきらかに善意をもちながら、しかも宿命的な強制力で急がされてゐる。何処へ急ぐのか。或は精神の滅亡に向つて――この予感が時折私の心をかすめるのである」。

文明の重圧がもたらす精神の衰弱、節度を失った人間の自壊作用、ここからの救済はあるのかが今次世界大戦のもう一つ奥に潜む戦争なのだと、そう亀井は結論づけている。このレポートのみならず、「近代の超克」会議は日本における「近代」論のひとつのピークを築いたという点でやはり興味深いイベントだった。この会議は亀井や河上徹太郎、林房雄、小林秀雄、中村光夫、三好達治ら雑誌『文學界』に関わる文学者らのほか、音楽、映画、神学、哲学、歴史、科学といった各専門領域からの参加者を集めて開催され、そのため用語法、方法論など何の点をみても食い違っていたと司会の河上自身が述べており、また後年の評価も議論は終始深まりをみせなかったというのが定評である。だが少なくとも企画にあたった文学者側には彼らとしての明確な問題意識があり、それは「従来とても我々の知的活動の真の原動力として働いてゐた日本人の血と、それを今まで不様に体系づけてゐた西欧知性の相克」といった司会者河上徹太郎の「結語」に現れている。開催を主導した文学者たちの動機の核にあったのは「日本対西洋の関係が駄目だから」という「漱石」的かつ地政学的な「相克」だったのだ。とはいえ「近代の超克」を日本文学史にとっての課題として理解していたのは文学者だけだったかもしれない。会議中もルネッサンス以来の西洋近代をめぐる議論が続き、この流れを切り替えようとする司会者が「さつきから大分西洋の話で進行してをりますが、(略)もつと端的に近代日本の話に持つてゆきたいと思ひます」と介入を試み、これに応じて亀井勝一郎が「西洋の近代については、さきほどからお話で種々あきらかになつたこともありますが。明治以来、我々が実感した我々の近代といへば、これは地獄と云つてもいゝでせうか」と発言するも、彼らの思惑通りに軌道修正が果せたわけではない。河上は二日目冒頭でも重ねて「昨日、大ざつぱ乍ら西洋に於ける近代といふやうなことを一通り喋舌つたとしておいて、今日は日本の方へ入つて行かうと思ふのです」と、再び日本問題へと水を向けるのだが、こうした空振りの反覆から逆に文学者たちに固有の問題意識が浮き彫りになってくる。彼らにとっての喫緊のテーマは自分自身が現在そのどん詰まりにいる日本の近代文学史の問題、そこに集約される日本における近代の意味という彼らの実存に関わる問題だった。「十二月八日」という対英米開戦の日付を記しつつ幕を開けたこの会議では、「近代」の意味を議論しそれを「超克」することがすなわち日本が進めている戦争の意味を説明することに直結するものと考えられていた。会議の中でも「ヨーロッパの世界支配といふものを超克するため現在の大東亜戦争が戦はれて」いるという発言がなされている（鈴木成高）。西洋近代の圧迫の下に置かれた日本の近代文学史とそれを超克する「大東亜戦争」とが結びつけられたのである。

「近代の超克」会議の後に提出されたレポートの中で、中村光夫は、はたして自分たち日本人にとって近代は「超克」の対象なのかという疑問を提出した（「「近代」への疑惑」）。ヨーロッパが「近代の超克」を語る場合、少なくとも彼らには近代という時代を実際に生き抜いてきたという疑われぬ事実があるが、日本のいわゆる近代文化現象のすべては「底の浅い借物」だったのではないか。自分たちが問うべきなのは明治以来の西洋文化移入によって、自分たちの精神がどういう変化を被って来たかなのだ。「何故ならこれこそ世界中でまさしく僕等にしか起らなかつた事件であり、僕等の実際に生きてゐる問題だからである」。

西欧文化の移入は開国当初の日本にとって死活問題であり、国家の必要により移入されたのは西欧科学文明の所産たる実用品だった。この場合、「下手に自分でものを考へるより西洋の「進歩」した知識を借りて進む方が早道」である。西洋文化移入のために強いられてきた最も大きな犠牲は、自分でものを考える習性を失った精神が醸成されたことにあると中村は述べ、そこで次のように「漱石」を参照している。「明治大正時代の我国は普通西洋文明消化の時代であつたといはれてゐる。だがそれは内面から見れば、急激に強制された応接の暇のない西洋文化の輸入のために、僕等の精神が消化不良を起した時代であつたのではなからうか。漱石は「それから」の代助の口を籍りて当時の日本を「牛と競争する蛙」に譬へ、「もう君、腹が裂けるよ」と書いている」。

日本はいまだ真の近代を経験していないという中村光夫の方向付けは亀井勝一郎と同じではないが、自分たちの文学史を西洋文学の急速な取り入れの過程という「漱石」的な観点で理解する点で、彼らは「日本対西洋の関係が駄目だから」という前提を共有する代助たちだといってよい。

一方、戦争の意味付けに介入しようとしたすべての文学者が「日本対西洋の関係」という「漱石」的な枠組みに依拠していたわけではない。むしろ、すでに「漱石」的である必要を感じていない文学者も少なくなかった。林房雄は同じく「近代の超克」会議のためのレポートでこう言っている（「勤王の心」）。「明治末期から大正昭和期に於ける日本文学は決して国を興す文学ではなかつた。人をして国を忘れしめる文学であつた。（略）浅野晃氏は現代文学の否定より発して、漱石を突き、鷗外を叩かんとさへしてゐる。我等青年をして国を忘れしめた近代日本文学に対する正当なる復讐心の現れとも見ることができよう。この復讐心は私の心にも燃えてゐる。それは復讐であると同時に贖罪の神聖戦争である」。

「漱石を突き、鷗外を叩かんとさへ」する復讐心とはどのようなものか。林房雄が言及する浅野晃は漱石の「現代日本の開化」を引用し、その弱腰の姿勢を批判していた（「漱石のヒロイズム」『文學界』一九四一年五月）。漱石は日本の文明開化が西洋から押しつけられた不自然な外発的開化であると指摘したが、それは「実に困つたと嘆息するだけできはめて悲観的な結論」に留まっており、日本は永久に西洋に追いつくことはできないという諦めがその本質である。それでも上滑りの近代化を続けるほかないという漱石は「彼の謂はゆる神経衰弱の道を選ぶのである」。浅野は自分たちが今日、継承すべきなのは漱石の悲観ではなく、日本を信じ得ていた岡倉天心だと力説している。『東洋の理想』の「アジアは一つである」という一節が大東亜共栄圏の国策スローガンとして利用され、岡倉天心がアジア共栄の先覚者として動員された時期だった。「天心の光りに照らして見る時、子規すらも貧しく見える。いはんや漱石をやである。天心は徹頭徹尾日本を信じてゐた。（略）彼は西洋とその開化とを堂々と詰責した。彼は西洋に向つてのみ語つた。あるひはアジアの抑圧されてゐる兄弟に向つてのみ語つた。それは日本を信じてゐたからである」。

「日本対西洋の関係」の枠組みで語る亀井や中村は「漱石」的な問題意識を共有していたが、日本への回帰を果そうとする者にとって「漱石」はもはや拠り所ではない。彼らはいまや外から文化を受けとる側ではなく、文化を外へと押し出し持ち込む側に身をおいているからだ。「近代の超克」会議に出席していなかったことがしばしば取沙汰される保田与重郎だが、彼もやはり「外から来る文化」にもはや動じることはない（「外から来る文化」『セルパン』一九四〇年四月号）。保田は外来文化が押し寄せた「文明開化」の時代意識に対して徹底批判を加えるが、かといって彼は排外主義者ではない。ただ「文化をうけ入れて動じない生活が必要だといへばよい」のであり、我々にはそういう生活を「歴史と国と血の上で確保しておく必要」があるだけだ。保田によれば従来の「我らのインテリゲンチヤ」の姿勢は「輸入文化を貧しい生活に結合するといふ開化主義にすぎなかつた」のだが、おそらく次のような言い方は暗に「漱石」に言及したものと考えられる。「しかしむかしの人の気持さへわすれなければ、必ず神経衰弱になる必要もない。しかつめらしく向うの知恵にたち入つて、もつてこられた影響を、身ぶるひして熱心に考へるやうになつたらもう終りである」。

保田はもはや「西欧文化到来」に際し「神経衰弱」になどなりはしない。既に太平洋に日本の文化を送り出し、大陸で壮大な夢を展開する主体の位置に身を置いているのだから。そこではいわば開かれた心をもって文化を語ることができるのだ。保田の発言からはいわば文化の地政学の転換を感じとることができる。

「外からくるものと、自分らの生活が土地に植ゑつけた何かとの間の関係は、これは文化の上で重大なことなのだ。一つの村を考へてもよい。時々にくる旅廻りの異郷人は、村の平和を攪乱したり、その代りに刺戟も与へてゆく」「しかし異国の旅人は突然侵入してくるのではない。あらかじめ迎へる準備もされてゐるのだ。今だつて、もう西南太平洋あたりの植民地に、日本の旅人が仁義をきつて廻り、そこらで物語の一形式が、内地で一寸考へられぬ感覚で成立してゐるさうである。かういふことは、人種のちがふ人間の間にもあるのだ」。

日本の進出先では、「内地」の閉ざされた想像力にはおよびもつかないような新しい文化形式が生まれつつある。保田はそれをある喜びとともに語っているのだ。後年の私たちは混交の概念によって文化の語り方が刷新されることを知っているが、すでに早く四〇年代の保田も軽やかに複数文化を肯定していたのである。ただ、私たちはこの軽やかさに対して居心地悪さを感じないではいられない。複合文化の肯定は単一文化と純血性の神話を根底から覆すが、しかし誰が何のために境界を越えるのか、越えなければならなかったかを問うことなく越境、混交を歓迎するわけにはいかない。複数文化の主題とは誰がそれを語っているのかという発話の位置の問題と切り離すことはできないのである。保田は外から文化を受けとる「漱石」的な立場でなく、外へと文化を持ち込む立場に身を置いた。文化複合の軽やかな足取りが支配被支配の力関係を不可視化するなら、そこに積み重なっていた悲惨が消去されてしまうだろう。ただし保田はそこでかき消される声に気付いていないわけではない。たとえば、「国語の普及」という課題について次のように書いている。

「私は朝鮮の青年に云つたのである。私は諸君の民族主義に一片の同情も表現しない、又独立運動に感傷的になることは今もしない。それは我々はもつと切迫した激しい運命から、諸君の知識や感傷よりより大きい生民の状態を護らねばならぬとの理想から、個々の悲劇に当面してゐる同胞の多数を知つてゐるからである」(「国語の普及運動について」『近代の終焉』小学館、一九四一年)。

繊細にして酷薄である。「日本がアジアの復興に占める運命は、すでに百年の歴史の示すところ」である以上、朝鮮の独立運動に対し小さな同情を与えるのも悪くはないが、それによって日本が責任を負う崇高な文化の理想を危うくするのは避けねばならないというのだ。ここにはアジア復興という抵抗の修辞学において逆にアジアの統合強化のための一元化の力学が働く論理が明瞭に示されている。「朝鮮の青年」はこの時どう返答したのだろう。返答したとして、それは日本語での返答だったことだろう。

ただし付言しておけば保田にとって漱石の名はもっぱら否定の対象に終始するわけではない。なにより漱石は「明治の精神」(『こゝろ』)という鍵語を作り出した作家である。明治とは「王政復古の遂行により日出づるアジアの唯一最後の独立国を辛苦うちたて、立つて白人文明に対してあきらかな一打を与へたこと」によってひとつの「思想」であり、王政復古から日露戦争にわたる明治の大事業を来るべき世界史に印づける時、はじめてその思想は思想として成立するはずなのだ。そして、漱石はここで「明治天皇が、明治といふ精神とその思想に於て何であらせられたかといふことについては、すでに芳賀矢一とか夏目漱石のやうな人々がよく語つてゐるところ」という文脈で一定の役割を果している(「明治天皇の御集について」『文學界』一九四〇年一二月)。漱石は対西洋の関係における不幸な場所を象徴するだけではない。「明治の精神」の漱石はアジアの運命をその身に担う日本の名でもある。

「近代の超克」会議は、司会者河上徹太郎が示唆するように「国際連盟の知的協力委員会で開催された、ヴァレリイを議長とした数次の会議」を範型としている。「ヨーロッパ精神」の語り手であるヴァレリーはそれまで河上らの知的アイドルだったが、その特別な存在が西欧精神の危機を語り出した時に、彼らはどう反応したのだろうか。西欧の危機と日本によるその「超克」を議論することはヴァレリーの悲観的認識に従順であるという意味では忠誠の姿勢のようにみえる。また、ヴァレリーが西欧精神の代表者であるとすればその超克を議論するのは彼に対する反逆ともみえる。後年の回想によれば、当時の河上はヴァレリーの「文明論」「準政治論」の分野における発言に惹きつけられていたという（「ヴァレリーと精神の危機」『新潮』一九六六年七月）。そのうちの一つである「方法的制覇」について、河上は「結論の一節の中に、／「日本はヨーロッパが自分のために作られているのだと想うべきである」／といふ一句がある」と要約した上で、「当時私は、日本文化の西欧追随について、限りない希望と、それと同じ不毛の淋しさを感じていた。その時ヴァレリーに、ヨーロッパはお前のためのものだといわれて、例えば永年の憧れの女性を獲た後の男の、安堵と、責任感と、幻滅を一どきに感じた思いであった」と書いている。

ヴァレリーの「方法的制覇」は、当初「ドイツ的制覇」の題で一八九七年初めにロンドンの雑誌に掲載された。先行する大国が何世紀もかけて築いたものを駆け足で模倣し、無駄のない方法に従って自らを組織しようとする後発国家として「ドイツ、イタリア、日本」を挙げ、先行国知識人の立場からその脅威を論じた文である。これが発表されたのは日清戦争からまもなくの時期であり、ヴァレリーの念頭には、日本は強く、それは「我々を模倣しているから」だという認識があった。興味深いのは、この発言が後発国知識人「漱石」が言うところの外発的開化の苦痛、駆け足での模倣の空しさをちょうど逆方向から語っている点である。ユーラシア大陸を挟んで向うの岬とこちらの島と、両側の知識人は互いが互いによって脅かされている自分たちを描き出し、出会うこともないまま互いの自己認識の支えとなっていた。両者の間には地政学的知の成立初期における「文明の地政学」的な布置が相互に交換されていたのである。

河上はヴァレリーの文を「日本はヨーロッパが自分のために作られているのだと想うべき」、あるいは「ヨーロッパはお前のためのものだ」と要約しているが、ちなみにこの一節は、現在の普及版での恒川邦夫訳によると「日本はヨーロッパが自分のためにあると考えているに違いない。そして、ドイツ流の考え方からすれば、そのうち地上のあらゆる凡庸さが勝ち誇るようになるのを見るだろう」となっている。[4] 後発の新興勢力はフランス人であればとうてい我慢ならない「規律」に疑問を持つことがない、そして何一つ秀でた才能のない「凡庸」な人々が一糸乱れず「方法」に従い、やがて彼らが模倣した先行国を「制覇」するだろう。これがヴァレリーの見通しであり、要するにヴァレリーは後発の模倣者、凡庸な者たちの勝利を苦々しく予測し、眉をひそめているのである。こうした「西欧の危機」言説は西欧文明中心主義を前提として、その上に成立したものであるが、またそのことが興味深いねじれを生んでいる。技術、民主主義、ヒューマニズム、すべてはヨーロッパ発であり、それは普遍的である。しかし、まさに普遍的であるがゆえにそれは世界に伝播し、やがてヨーロッパ人がヨーロッパ人としての「特権」を失い、これまで彼らの占有物だった「自由」をも失い、逆に新興勢力から圧迫を受けることになるだろう、ということだ。「危機」の言説は、自らがまさに普遍的であり、他者に対して開かれていることに悩んでいるのである。

非西洋に身を置く「漱石」は普遍的とされる西洋文化の圧迫に苦しんでいる。西洋に身を置くヴァレリーは、西洋文化の普遍性ゆえにやがて西欧自身の特異性が失われるのではないかというダブルバインドに悩んでいた。普遍的であることをめぐってみごとに掛け違っている両者の間で考え得ることは少なくない。九〇年代初め、冷戦後の構造変化を受けてＥＣ（当時）統合が進展する中、デリダはヴァレリーの読解を通して、ヨーロッパをある意味で保持すると同時に、ヨーロッパ的な普遍的規範の支配力を明らかにした[5]。ヨーロッパは、民主主義、人権、理性といった諸価値と歴史的に結びつけられてきた。こうした諸理念をめぐる言説の蓄積、伝統を全否定することでヨーロッパを四散させてしまうわけにはいかない。しかしヨーロッパ的言説の伝統における範例性、先端性の論理の支配力を明らかにし、その中心化については抵抗しなければならない。当時のデリダはこの二律背反のアポリアを強調したが、それから三〇年ほどの時が経過した現在、ここで保持すべきものとされた諸価値の動揺はもはや一過性のものとはいえなくなってしまっている。民主主義であれ、人権、理性であれ、それまで普遍的とされてきた理念の後退が指摘され、なかんずく自由の理念と開放性を実践したグローバル化への反動として孤立主義的傾向が進み、またヒューマニティの普遍性に基づく権利と平等に対する攻撃も看過できないまでに高まった。ヴァレリーの「危機」意識から一〇〇年後、壁を構築しようとする米国、欧州への難民流入の脅威をかきたてる右派ポピュリズム政党の伸長など、いうなれば「反西欧的」な事態が湧き上がるにいたったのだ。歴史的に西欧と結びつけられてきた理念が普遍性を帯びる時の支配力を解体しながら、なおも理念そのものを普遍化し擁護するという逆説的な作業は以前にまして大きな困難に直面している。それでも維持されなければならないものがあるのだとしたら、少なくとも普遍性の地政学によって他者化された者との間の対話を欠くことはできない。

ヴァレリーの悩みは、河上徹太郎の内でヨーロッパはお前のためのものだという言葉に翻訳され、憧れの女性を獲た後の安堵、責任感、幻滅として表象された。彼が譲りうけたという女性とは誰なのだろう。それはヒューマニズム、民主主義といった諸価値を含むのだろうか。それとも単にパワーシフトの甘美な幻想だったのだろうか。「近代の超克」会議での河上は、西洋が自ら行詰り、崩壊しつつあると告白したのだとすると、今や自分の手の中にある西洋文学を客観視しなければならないと言い、それを「西洋の先生方の言葉」で表現するのでなく、「自分自身を、清潔な我々の伝統に即した言葉で表現したい」と語っている。汚染と浄化の修辞を用いて「日本への回帰」を宣言するこの発言をみるかぎりでは、理念の普遍性をめぐる逆説は比較的単純なナショナリズムの内に解消され、せっかくのアポリアも考えぬかれることなく雲散霧消してしまったようにみえる。

二〇二〇年に急逝したデヴィッド・グレーバーは「民主主義」の起源について再考を促しつつ、その概念自体をヨーロッパ＝アメリカ型の定型から解放しようと試みていた。民主主義概念には、たいていの場合それが古代ギリシャ、アテネの実践に起源を持ち、そしてヨーロッパ、北米がその遺産を継承したという了解が伴ってきたが、グレーバーは数々の実例を提示しつつ、こうした歴史的な知識を相対化している。たとえば海賊たちが船長を決めるやり方や、アメリカの憲法制定者たちがその発想を先住民イロコイ連合の規則から得ていたことなど、いわゆる民主主義的な実践はいわゆる西欧はもとより、どこか特定の文明や文化、伝統に固有のものではなく、強制力を具えた制度の外部で人間生活が営まれるどんな場所にも出現するのだ。グレーバーはこうした議論によって民主主義の非西洋化を企てるのだが、私たちの観点からことのほか重要になるのは、それが反西洋を掲げてまた別の特権的伝統に民主主義を差し戻そうとするものではない、という点である。非西洋化の企ては「〜への回帰」という再固有化の言説に陥ることを意味しない。民主主義とはある文化と別の文化、ある地域と別の地域が接触する時、その「あいだ」の空間においてこそ成立する、とグレーバーはいうのである。[6]

先に触れた京都学派の「世界史の哲学」は、西洋中心主義的な近代世界史の批判的な相対化に着手し、のみならず世界史の多元性をも認めていた。にもかかわらず彼らの組み上げる言説は、その多元性をも視野に収めるメタレベルの日本を再度立ち上げ、結局、彼らが当初、西欧について鋭い批判を加えていたはずの無自覚な自己中心主義をそのまま自らのもとに取り込み、再固有化し、そして「近代」を超える新たなステージを開く戦争として「大東亜戦争」の世界史的使命を語ることへと帰着している。彼らは他者との「あいだ」の空間を見出すことに失敗し、戦争国家の内に思考を閉ざし、自らの知性をそこに囲い込んでしまったようなのだ。「近代の超克」も「世界史の哲学」も敗戦の価値転換とともに「悪名高い」と形容されることになった。だがそういった単純な切り捨てによるのではなく彼らが失敗した地点をみつめるのでないなら批判として有効とはいえない。そして、私としてはその言説に「漱石」が少なからず絡みこんでいることが気にかかるのである。

ここで考えたいのは「日本近代文学史」を統括するプロットとして機能してきた「日本の開化(近代化)」をめぐる言説であり、それが「日本対西洋の関係」というある種の地政学的言説との間で共鳴関係をもっていたことである。地政学(ジオポリティクス)とは大陸や海洋などの地理的要因が国際政治に及ぼす影響を考察する学問として二〇世紀初頭に確立された。山崎孝史によると日本において地政学書の刊行は一九三〇年代からの戦争期に最初のピークを迎え、戦後いったんは姿を消すも、日本を取り巻く国際情勢の緊張が感知されると、そのたびごとに増加してきたという[7]。地政学に強い関心をもっていたヒトラーは『わが闘争』の中で「生存圏（レーベンスラウム）」の概念を援用したが、そのドイツ地政学が日本にもたらした影響は小さくはない。満蒙は日本の「生命線」や大東亜「共栄圏」といった言葉もその流用であり、そのため「地政学」が問題含みの学問と受け取られる理由は依然として消えてはいない。

文学者たちにとっての「近代の超克」はそれまで自分たちに憑りついてきた「漱石」的主題の重さを再確認し、それを乗り越えようとする言説だったが、そのただ中で地政学的言説の時代交替が行われていたことを確認しておこう。土佐弘之の整理によると、地政学的秩序の変化とともにその言説も変わっていく[8]。大枠で把握すると、まず一九世紀パクス・ブリタニカ時代の地政学的秩序に対応するのが「文明の地政学」、そして二〇世紀前半の帝国主義時代の地政学に対応するのが「生存圏の地政学」ということになる。「日本対西洋の関係」を提示した漱石自身、さらに亀井勝一郎や中村光夫ら「漱石」に同一化した発言者は、西洋と東洋という枠組みにおいて「文明の地政学」的言説を展開し、これに対し浅野晃や保田与重郎らはアジアを代表する日本という枠組みで「生存圏の地政学」を語っていたものとみることができる。すると、「近代の超克」が語られた時代に、「漱石」はちょうど「文明」から「生存圏」への転換の蝶番のように機能してきたのである。こうして、いかなる秩序がいかなる「漱石」を必要としたのか、誰によってどのように構築されたのかをふり返ることは、「漱石」をある距離を置いて理解するための糸口になることだろう。

地政学は帝国主義の時代の言説だが、帝国主義が終焉しても地政学的言説が消失するわけではない。日本の敗戦後、地政学の行方はどうだっただろう。まず、「近代」をめぐる言葉は大きく旋回していった。戦時下に喧伝された「近代の超克」言説を当時から苦々しく見守っていた丸山眞男は、戦後のスタートに際し、一連の議論に対する辛辣な皮肉を突きつけた（「近代的思惟」『文化会議』一九四六年一月）。対米英開戦の前後から「近代的精神なるもの」が諸悪の根源であるかのような言辞、近代精神についてはその「超克」のみが問題であるかのような言辞が一流どころの知識人たちの間でも支配的になったが、その数年間の雰囲気と「ダグラス・マッカーサー元帥から近代文明ABCの手ほどきを受けている現代日本とをひき比べて見ると、自ら悲惨さと滑稽さのうち交った感慨がこみ上げて来るのを如何ともなし難い」、「我が国に於て近代的思惟は「超克」どころか、真に獲得されたことすらないと云う事実はかくて漸く何人の眼にも明らかになった」。

こうして丸山は戦時中の「超克」説を追いはらい、日本の自生的近代を検証する作業に取り掛かる。丸山眞男は「超国家主義の論理と心理」の一節に、『それから』の主人公の「国家社会の為に尽くして、金がお父さん位儲かるなら、僕も尽くしても好い」という痛快な皮肉を引いたように、好んで漱石を参照する書き手だが、それでも丸山の漱石は「近代の超克」の時期にピークをむかえた「漱石」とは全く異なる顔の漱石なのだ。ひとつには、敗戦以前と地政学的枠組みが異なるため、というより地政学が姿を消したためであろう。

自我確立の日本における弱さを問題にする丸山は、「私化」「原子化」する個人が優勢を占めて個人の「自立化」や「民主化」へのかすかな動きを凌駕していく経緯を描く際に、しばしば『それから』をはじめとする漱石を参照している。丸山の観点によれば、明治期日本の現実に希望を見出せず、だから「働かない」のだという主人公・代助とは、地政学的問題を抱えているというよりも個人の私化、脱政治化の顕著な徴候なのである（「明治国家の思想」『日本社会の史的究明』岩波書店、一九四九年三月）。この漱石は西洋近代との関係に苦しむ文明論の「漱石」、アジアの盟主日本という生存圏の地政学によって「超克」されるべき「漱石」ではない。戦後の再近代化論は、大東亜戦争下の「近代の超克」論を追いはらうことに成功した。だが別の観点からこれをみるなら、それまで漱石を語りなおす言葉の中に輻輳していた問題意識もそれと一緒に国内的な課題の中に解消されたともいえる。是非はともかくということになるが、「漱石」という問題意識において日本と西洋、アジアと日本との掛け違い、重なり合う経験の領域が可視化されてはいたのである。が、戦後の地平でその「漱石」は解消され、漱石は真の近代、自律的個人と民主的社会へと向かう国民の課題へと縮約されていったともいえるのだ。

地政学の知は先行・後発の帝国がしのぎを削り、植民地再分割のために戦った時代に戦略研究の道具として隆盛をきわめた。だが地球上の地理的位置性を視野に入れつつ様々な可能性を探っていたのは帝国主義の戦略家だけではない。峯陽一は帝国をアクターとする従来の地政学ではなく、むしろ帝国に分割された第三世界の側からの歴史的再興に関わる地政学の可能性を考察し、「地政学を逆さに立てる」可能性を探っている。(9) こうした観点からの「漱石」は可能だろうか。

汎アジア主義者たちの再評価を試みたインドの作家パンカジ・ミシュラの『アジア再興』は、その第一章で「日本の偉大な作家、夏目漱石」の言葉を引用している。(10) 新しい波は西洋から次々に押し寄せてくる、あたかも食膳の料理を味わうどころか、その料理が何なのかわからないうちに、別の新しい料理が据えられるようなものだ、という箇所であり、英訳を介しての用語の違いはあるが、これはまぎれもなく「現代日本の開化」の一節である。本書の「アジア」の範囲は広く、現代のイスラム世界、中国、インドを形作る源泉となった知識人、旅する活動家たちの足跡が、帝国主義の巨大なグローバル・ヒストリーの中に位置付けられている。こうした文脈に再配置された「漱石」は「日本の」開化に止まらず、アジアに一般的な近代の経験の語り手となっており、著者はこれを「急速な変化、それを前にしての無力感、これらは共通の体験だった。西洋がアジアの大地に少しでもかかわりを持つと、必然的に激変が生じた」のだと捉えている。「梁啓超や漱石やタゴールのような思想家にとって、西洋の挑戦は実存的問題であるばかりか地政学的問題でもあった。昔ながらの方法と西洋が提示する新しい方法の、長所短所は何なのか？　さらにはヨーロッパ近代文明というのは、その擁護者たちの主張どおり、本当に「普遍的」で「自由」なのか？　有色人種を差別するものではないのか？」。すでにみたように、同じ時期の西欧ではヴァレリーが西欧自身の普遍性に悩んでいたのだが、同じころ別の角度からここでもやはり問われていたのは西欧近代文明のその「普遍性」だったのだ。

この著書は帝国ならざるアジアの側からの世界史を描くにあたって、それを日露戦争における日本の勝利から語りおこしている。ガンディー、ムスタファ・ケマル、孫文、タゴールら、ほかにも大勢のアラブ人、トルコ人、ペルシア人、ベトナム人、インドネシア人が世界の各地で日本の勝利の報に接し、狂喜した。彼らの背景は実にさまざまだったが、西洋人からの服従を強いられてきたという共通の体験をもつ彼らにとって、日露戦争は世界を征服した西欧の権威がもはや無敵ではないことを告げる出来事だった。このプロローグは日本の優越を確認するためのものでなく、日本の勝利がアジア各地でどのように受け止められたかを検証したものである。これを契機にアジアの留学生たちが東京を含む世界の都市をハブとするネットワークを形成し、彼らの足跡は西洋帝国主義の膨張をその裏側からたどるアジアの「地政学」を描くことになる。日本の勝利が彼らに与えた刺激はその歴史の短い序文であるにすぎない。日露戦争の時点での彼らは、その後の日本を西欧の帝国主義国家にとってのライバル国に仕立てあげた画一主義、軍国主義、人種的優越感を見落としていたということを筆者は言い添えている。結局のところ日本の勝利というこの事件は、当初のアジアの期待を裏切って、単に新しい帝国主義国がもう一つ増えたという事実を意味するにすぎなかった。日露戦争を契機にして日本は朝鮮半島を領有し、これを橋頭堡として大陸への進出を果たし、広大な支配地域を獲得したことが本格的な膨張主義の実践に拍車をかけることになった。二〇一五年、戦後七〇年内閣総理大臣談話の中には「日露戦争は、植民地支配のもとにあった、多くのアジアやアフリカの人々を勇気づけ」たという一節があったが、これはアジアに沸き起こった期待とそれが幻滅に終っていく経過を忘却するための言及となっており、それは「逆さに立てた地政学」を再度逆転させてしまいかねない言及である。日本の側から強調される「勇気づけ」のエピソードは最も不吉な亡霊の一つに似ていないとは言えない。「アジア」の中に日本を位置付けるのは依然として居心地悪いことだが、だからこそ空虚な自画像をそこに置くのではなく、居心地悪さの感覚じたいを維持することがむしろ重要になってくる。

第一次大戦の塹壕跡に立ったヨーロッパの思想家たちは、漸次合理性を高めていく世界という一九世紀的信仰の再検討を余儀なくされたが、パンカジ・ミシュラの観点からすればこれに先行して「多くのアジア知識人は、彼らの社会に迫り来る運命を恐れるなり感づくなりして、近代性についての非常に雄弁な、かつ最初の批判者」となっていた。ヴァレリーに先立って、アジアの知識人たちは逆方向から近代性の「危機」に向き合っていたのだ。しかし「近代の超克」会議はこうした言葉にめぐりあう機会を逃してしまい、中村光夫もまた「世界中でまさしく僕等にしか起らなかった事件」という認識において非西洋近代に芽ばえていた問題意識を日本問題の内に閉ざし、「日本対西洋の関係」という『それから』主人公の限定的な枠組みを再生産した。それでも非西洋の各地には西洋の支配、のみならずそれ以上に日本の圧迫によって二重に増幅された「漱石」的な苦痛が広く存在していた。それは日本の文学者と「同じ」問題意識だったようにさえ思われる。それでもやはり、非西洋近代の経験を日本とアジアは共有していたのだというわけにはいかず、「漱石」はアジアとともにあるともいうこともできない。「同じ」苦しみを感知しているにもかかわらず、それを乗せている歴史構造が違っており、それが私たちを居心地悪くさせている。この居心地悪さの象徴として、すでに耐用年数の切れたかにみえる「漱石」というテーマを再認し、対話の場を開くための一つの手がかりにすることはできないだろうか。

パンカジ・ミシュラは日露戦争から語り起こしてアジア再興を描いたのだが、この構想は日露戦争を契機に日本の支配下に組み入れられた朝鮮にとって受け入れがたいものであるはずだ。旧宗主国と旧植民地の間には議論のためのテーブルを開く余地はないだろうか。たとえば尹健次氏は、朝鮮もまたごく短期間で、西欧社会の四〇〇年分を一挙に経験したことについて論じており、これを「圧縮近代」という言葉で表現している。[11] ここで言われる「圧縮近代」は「漱石」的な問題そのものであるように感じられるが、しかし両者の間には通分しがたい差異がある。朝鮮の近代は、自主的な近代の始まりを経験しながらもほぼ同時に植民地化の道を進むこととなった。氏によればそれゆえ朝鮮の近代性を問うということは同時に植民地性を問うことであり、植民地体制下で身に着けたものは近代性なのか、ゆがんだ近代性なのか、そして今生きているこの時代は近代なのかを問うことと不可分なのである。植民地支配とそれに続く南北分断とによって近代性そのものが規定された「圧縮近代」は、単に駆け足の「開化」という「漱石」的問題を意味するのではない。分断された朝鮮にあっては統一国家の達成という近代の「大きな物語」が依然として問われるが、同時に一方で韓国社会ではすでにフェミニズム、環境、少数者、福祉、人権など、脱近代の個別的な問題が可視化されている。つまり、近代と脱近代の課題を同時に遂行しなければならず、世界史でいう近代の問題の幅を圧縮された形で経験し、今なお継続して経験している。「圧縮近代」はこうした構造的な特徴により、「漱石」と重なりつつも完全に重なり合うということはない。

逆にいうと、「漱石」は旧宗主国の日本と旧植民地国の間の「重なり合う経験」を見出す符牒ともなり、それ以上にそこから異なる歴史構造を照らし出す結節点ともなっている。つまり、ねじれた「あいだ」の空間を発見する契機となり得るのである。韓国にあっても「近代性」を問う場として重視されたのは、やはり文学史論の領域である。時代ごとの文学史論を集めた『韓国の近現代文学』によると、植民地支配下での移植文学論、それと表裏をなす伝統喪失論、両者を超える民衆の内在的発展と自生的近代論というように、韓国の文学史は「近代性」を軸にしてダイナミックに更新されてきた。[12] 歴史が更新される時、そこには植民地期の刻印があり、民主化運動の刻印があり、近現代の歴史学の進展とともに繰り返された自己の問い直しがある。韓国においては社会変革の運動が歴史像の更新を促すというダイナミックな過程があり、両者は互に深く結びついてきた。そして、移植文化と伝統喪失、内在的発展、ポストモダンと、ここでも日本におけるそれとある意味で「同じ」問題が語られており、私たちはそのこと自体に戸惑わずにはいられない。だが、「同じ」問題をみつめることが、それを乗せている構造の違いを検証することにつながるなら、やはりそれは意義ある居心地悪さだと思われる。一国主義の歴史を超える視野の必要が強調され、人々や書物の越境の経験の内にそれが見出されつつあるが、それでも私たちは必ずしも「超える」手がかりと通路をそれほど多く手にしているわけではないからだ。

註

（1）朴裕河『ナショナル・アイデンティティとジェンダー——漱石・文学・近代』クレイン、二〇〇七年。
（2）高山岩男『世界史の哲学』岩波書店、一九四二年。

（3）「文化綜合会議――近代の超克」『文學界』一九四二年九月・一〇月。
（4）ポール・ヴァレリー『精神の危機――他十五篇』恒川邦夫訳、岩波文庫、二〇一〇年。
（5）ジャック・デリダ『他の岬――ヨーロッパと民主主義』高橋哲哉・鵜飼哲訳、みすず書房、一九九三年。
（6）デヴィッド・グレーバー『民主主義の非西洋起源について――「あいだ」の空間の民主主義』片岡大右訳、以文社、二〇二〇年。
（7）山﨑孝史「地政学の相貌についての覚書」『現代思想』二〇一七年九月号。また、日本における地政学については柴田陽一『帝国日本と地政学――アジア・太平洋戦争期における地理学者の思想と実践』清文堂出版、二〇一六年。
（8）土佐弘之「地政学的言説のバックラッシュ――「閉じた世界」における不安と欲望の表出」『現代思想』二〇一七年九月号。
（9）峯陽一「「南」の地政学――アジア主義からアフラシアの交歓に向かって」『現代思想』二〇一七年九月号。
（10）パンカジ・ミシュラ『アジア再興――帝国主義に挑んだ志士たち』園部哲訳、白水社、二〇一四年。
（11）尹健次「圧縮近代の思想――1980-1990年代韓国の思想」『現代思想』二〇〇〇年九月号。
（12）李光鎬編『韓国の近現代文学』尹相仁・渡辺直紀訳、法政大学出版局、二〇〇一年。

4 八〇年代ポスト・モダニズム再読

バブルと批評

オーストラリアの歴史学者ガヴァン・マコーマックによる日本現代史、*The Emptiness of Japanese Affluence*（一九九六年）は『空虚な楽園――戦後日本の再検討』という邦題で刊行された（松居弘道・松村博訳、みすず書房、一九九八年）。秀逸な邦題名のせいもあって、私はこの本がバブル景気と消費主義を謳歌していた八〇年代をピンポイントで取り上げたものと思いちがいしていたが、じっさいにはもう少し広く「高度成長」をとげた戦後の数十年を対象としている。マコーマックは空前の高度成長がスタートする六〇年代の初めに歴史研究者としてはじめて来日し、その後の日本の「奇跡的な成功」を、自身の研究対象である東アジアという観点からいわば斜めに眺めてきた。

一九七〇年代初頭のオイルショック以後、先進諸国が同時的な経済不況局面に入る中、いちはやく危機を脱出した日本は「経済大国」「成功モデル」という自己意識の中にいわば引き籠ることになった。日本は近代社会の中に「イエ社会」と呼ばれるようなモダンならざる伝統／残滓を残しているが、その要素こそ欧米に一般的な古典的自由主義以上に経済成長に適合的なのだと、その当時は喧伝されていた。この頃の日本は、伝統的な集団主義によって欧米の個人主義に勝利する、という「日本文化論」によって主観的に「西欧近代の超克」を果たしたのである。七〇年代の「成長の限界」を実感せず、冷戦解体はまだ先のことで、日本の八〇年代には世界同時代史の中の奇妙なエアポケットが生じていたのだが、マコーマックが描き出したのは、そのように経済的勝利を寿いでいた日本の裏面ということになる。「大国」日本という自己像はバブル経済の崩壊をみるまでもなくすでにその時きわめて脆弱な基盤の上にたっていたのだが、それが誰の目にも明らかになるのは九〇年代になってからのことだ。一九九五年の阪神淡路大震災で崩壊した高速道路や新幹線路線の姿は「土建国家」の土台のもろさを象徴的にさらし出し、それまでの不思議に明るい球体に走った裂け目を露呈させた。

　この本から一〇年ほど後、マコーマックは小泉・安倍政権を経て深化した対米従属の歴史構造を分析した『属国――米国の抱擁とアジアでの孤立』（新田準訳、凱風社、二〇〇八年）を書き、その後に続いて刊行される批判的日米関係分析の嚆矢となった。この観点も組み込んで振り返るなら戦後日本という「楽園」の輪郭は、アジアのどこに「平和」と「繁栄」を配置し、どこに「分断」「内戦」「軍事独裁」を配分するかという米国の対東アジア政策の枠組みによって規定されていた、ということになる。日本は冷戦下の歴史の宙吊りの中でそのこと自体を直視せずにすませてきた。だが、九〇年代に入ると同時にそれまでの自己充足的な閉鎖空間はいたるところでほころびを見せ始めることになる。
八〇年代から九〇年代への日本社会の激変から得られる教訓は、閉じた球体の内側に身を置いているかぎりその限界はみえてこない、ということだろうか。だとすると、「空虚な楽園」は奇妙な時間性の内にある。マコーマックは「序文」で次のように書いている。

「ジャパン・アズ・ナンバーワン」から二〇年もたたないうちに、そして、東京の不動産の価値総計だけで、アメリカ全土の土地建物の価値の三倍はあるといわれて一九八〇年代にもてはやされた「日本の世紀」の到来は、それが始まる前に、もう消えてしまったようだ。

やがて来るはずだった「日本の世紀」という「未来」は、始まる前に泡のように消えてしまった。八〇年代とは、だから「いまだない」と「もはやない」の二つの非在の間に亡霊的なまま漂う憑在論的な未来に属すことになる。自己への不一致において、属すことなく属しているそれは、後のナショナリズムに憑りついて「日本スゴイ」に転生したのではないかと考えられる。
「空虚な楽園」という言葉は自らの上にそれ自体の戯画を重ねたようなわずかなズレを含んでおり、その点で八〇年代に顕著となった日本のポスト・モダン状況をきわめて的確に言い当てている。それはあくまで冷戦終結後という外側、あるいはマコーマックの視点が照らし出す東アジアという外側からみられた時の視差がもたらすズレであり、その内側に住むものは自らを内部たらしめている境界＝限界を知らず、すなわち外部を知らない。楽園に限界はない。ただ、消費文化の爛熟の内に閉ざされて、多少息苦しくはある。ここで問題になるのは日本の自己イメージのそれ自体に対するズレであり、楽園のリアリティに孕まれた不吉さである。

ところで、「日本の世紀」を期待し、日本型経営の成功を享楽的に礼賛していた時代は、同時に「批評」の時代でもあった。二〇一九年の四月、新元号「令和」が発表され、「新しい時代」を連呼する政治ショーが展開されているさなか、「批評の再生　時代を見晴らす視座に」というタイトルの新聞社説が掲載された（『朝日新聞』四月一四日付）。この社説は柄谷行人や蓮實重彦が「スター」だった一九八〇年代から九〇年代前半をピークとして、その後はそれまで批評に向けられた関心が急激に後退し、売れることが作品評価にそのままつながる傾向が強まる中で、批評的に物事をみる姿勢そのものが減衰したのではないかと述べている。なるほど批評の黄金時代はバブル時代に重なっていたのだが、それはユートピアがディストピアであるような一致だったといえよう。日本企業の海外雄飛、日本型経営の礼賛はアイロニーなしのパラダイスだったが、同時期の批評の時代のピークには、自己充足的に閉じられた言説空間、内側に閉じた球体の比喩によって日本社会が描出されていたのである。どのような脱出の企図もことごとく呑み込んでしまう日本という風土、それが八〇年代批評の主題だった。

パラダイスの住人はその外縁を知らない。知らない限りで幸福である。八四年に刊行された森敦の小説『意味の変容』（筑摩書房）はこの逆説を高度な抽象性において表現していた。

任意の一点を中心とし、任意の半径を以て円周を描く。そうすると、円周を境界として、全体概念は二つの領域に分かたれる。境界はこの二つの領域のいずれかに属さねばならぬ。このとき、境界がそれに属せざるところの領域を内部といい、境界がそれに属するところの領域を外部という。

円の内／外を分かつ境界それ自体は内外どちらに属すのか？　境界はあくまで外部に属すのだから、内部は境界があることを知らない。すると内部は閉ざされた内部でありながら同時に無辺際の全体となる。しかしそれは逆説だ。一方には内部と外部とを合わせた全体概念があり、しかし内部は自らを囲う境界を知らないがためにこちらも無限であり、やはりそれとして全体概念をなす。こうして内部それ自体が全体となった瞬間に、内と外という二項対立はパラドックスに追いこまれるのだ。二項対立の脱構築が思想の標識になっていたこの時代、批評家の柄谷行人の激賞が後押しとなって刊行されたという逸話もつけ加わって、この本は象徴的な意味を帯びるにいたった。のちに『トランスクリティーク――カントとマルクス』（批評空間、二〇〇一年）で外部性＝他者としての物自体を浮き上がらせたカントをマルクスとともに読むことになる柄谷行人は、このころ半分は文学批評家であり、その主要なテーマは内と外の決定不可能性だったのである。あらゆる批判は、批判すべき対象となる装置の中でしかなしえず、少なくともその一部を受け入れることなしにあり得ない。我々は言語について語ることができるとしても、なおそのこと自体が言語によってしか可能ではなく、言語それ自体の「外」に出ることはできない。メタ言語を下位言語の影響から分割しようとしても、メタはそれが対象とするものに逆に内属してしまうのであり、メタであることはできない。安易に外を語ることを禁じるこうした批評的企図は、ゲーデルの不完全性定理やベイトソンのダブルバインドを援用し、自己言及に陥るのを避けようとする形而上学を内砕しようというものだった。言語はいつも言語共同体の限界を確定しようとする言説を飲み込んでしまい、外に脱したと思った瞬間、不可避的に内に反転してしまうのだ。しかもこのことは、文学がある文学言語の中に幽閉されていることを思い起こす限りでのみ露呈する。閉域の外に立とうとすることがおのずとはらむこの矛盾をみないなら、言語共同体の内閉を無自覚に救出してしまうことになるだろう……。かくして、共同体がいかに執拗に蘇生してくるか、したがってその解体はいかに戦略的かつ終わりのないものであらざるを得ないかという自覚が、この時期の評論界にひろく共有されていった。

ところで言うまでもなくこの時期の思考モデルは言語である。上記のごとく内と外、モデルと事例の区別は自明でないとしてもだ。さかのぼると一九七〇年の『中央公論』新年号が「言語――根源的なものへの問い」という特集を組んでいる。同誌はさらに同年四月に「言語と文学運動」、一一月に「かくされた次元――言語への問い」を特集し、ソシュールと構造言語学、テル・ケル、ロシア・フォルマリズム等々の紹介に及んで、これが「言語」と「構造」へと関心が集中するひとつのきっかけとなって、のちのポスト・モダン思想のムーブメントを準備していたのである。その新年号の丸山静と由良君美の対談「なぜ「言語」が問われるか」で、丸山静はスターリン批判とハンガリー事件（ともに一九五六年）の衝撃に言及し、「なにか絶対的なものが死んでしまった」ように感じたと述べている。かつてマルクス主義の中から理解したもの、それがなくては人間として生きることができなくなるという意味で絶対的なものが「死んでしまった」。歴史の原理や世界理解の地平が自分の中で崩壊したあと、そこから人間を新しく考え直す手がかりとして言語の問題が浮上したのだと丸山は語る。事実、五〇年代初めのころの丸山静は、冷戦対立の米国側に自らを位置づけようとしていた日本の動きにマルクス主義者として抵抗していた。その原理が崩れたとしたら……。丸山静が言語の問題をつかみ取るまでの経緯は思想的な生き死ににさえ関わるものであり、その構えは豊かな消費社会の中で空虚な記号の遊戯にふける「ポスト・モダニズム」の感覚とは質的に異なっていたことが確認できる。

この時期以降普及していく記号論、言語学は、言語と世界との関係を再定義するものだった。そもそも記号の意味は現実のモノとの直接的な関係に保証されているわけではない。記号論の見地によるなら、記号はそれがシステム全体の中に占める位置から意味を獲得するのであり、言語と現実との直接の関係を切断するこの認識とともに、それまで批評を枠づけてきた「政治と文学」の定式は急速に後退していった。かわって「言語」「文法」が浮上し、その物質性に拘束された我々の思考、表象能力に何が可能で不可能なのか、それはどのように限界づけられているのか、それが批評において問うべき問題となっていく。あるいは、現実の「再現」から「引用」へと批評的関心が移動していった。

「引用」はすでに二〇世紀前半の時点で重要な方法的原理となっており、この時期新たに見出されたというわけではない。しかしながら、七〇年代の宮川淳はこの時引用の思想に起こった大きな旋回を強調している。かつての引用は通時的な軸に根差すものであり、その彼方には始源の真理を象徴する「一冊の《本》」があった。ところが今日的な引用とは何より《本》の廃墟、ないしパロディーとして現れる（『引用の織物』筑摩書房、一九七五年）。通時的な軸から共時的な軸へ、一冊の聖なる《本》に対する崇敬の念から《本》のパロディー＝脱聖化へ。「引用」はこの時、何より超越的な真理への志向にまっこうから対立するものへと転換したのである。この時期、「引用」の意義はひとつの真理によって中心化された学の体系に対し反旗を翻す地点に置かれていた（『紙片と眼差とのあいだに』小沢書店、一九七四年）。

　そしてこの時期、蓮實重彦は映画こそが特権的な「引用の織物」だという主張を携えて登場し、批評の時代の「スター」の一人となっていく。映画において創造主は不在であり、その不在によって思考を統御する不可視の制度が映画である（『シネマの記憶装置』フィルムアート社、一九七九年）。どのようなフィルムも無意識のうちに潜在的なフィルム体系の秩序の実践者であるとすると、その拘束力を自覚しつつ、それを「引用」することによってしか映画は映画たりえず、文学も文学たり得ない。「引用」とは、私たちがこれまでその内側で語り続けて来た枠組みそのものを問う思想、すなわち自らの閉域、内部性を問う思想である（『蓮實重彦の映画の神話学』泰流社、一九七九年）。

> 引用とは、恣意的な操作にみえてじつはいささかも恣意的でない。選択する主体そのものがすでに「間（インター）＝フィルム性」に犯された存在なのだから選択し排除することの自由と思われるものは、選択し排除せざるをえない不自由にすぎないのだ。（『シネマの記憶装置』）

自由なる主体が実のところ潜在的な体系に拘束された不自由な主体なのだとすると、引用者は「専制的秩序」のもとにある自らの不自由さに自覚的でなければならない。しかし一方、個々の実践を拘束しその限界を確定している体系は、同時にその実践を可能にする空間でもある。こうした二律背反は体系など壊してしまえといった素朴な解放のビジョンを無効にしてしまうことだろう。では、その秩序の限界を記述する知性によってそれを超越することができるのか？　否。専制的秩序はその全貌を決して実践者のまえにあらわすことはない。そこには起源となる中心も境界の縁もなく、したがってその全体を語り得るような外側に立つことはできない。映画総体はあくまで潜在的な秩序として私たちの目から身を隠す不可視の制度なのである。そんな「総体」と私たちはいったいどう関わり得るというのだろうか。フィルムの断片と映画の総体は、部分と全体という安定した関係にあるわけではないのだ。だが、そこが戦略のひとつの糸口となる。個々の作品と映画総体との関係は相互干渉的である。必要なのは映画の秩序に対する自覚であり、秩序を無視して「自由」に振舞うことではない。映画に限りなく接近する運動によってその制度を不意打ちすることで、「間＝フィルム性」の環境を変容させる「仮装された狂気」(『映画の神話学』)が必要なのだ。制度のうちにどこまでも深く埋没しつつ、不意にその環境とは異質の時空に目をさます。それが「引用者」の戦略ということになる(『シネマの記憶装置』)。

秩序の内に身を浸しながら、制度の限界に照準を定め、戦略的にその限界を露呈させ、戯れ、裏切り、一瞬のチャンスをつかんで冒険的に超出する。こうした実践に、批評は抵抗の契機を見出そうとしていた。ひとまず以上のように要約してみると、そこには「専制」という認識やこれに対する戦略的「抵抗」という解放への意志が困難の自覚とともに刻まれている。

と同時に、この戯れの戦略からシミュレーショニズムのアイロニカルな諦念、さらには消費社会における記号のゲームとしてのポスト・モダンまでの明確な距離を測るのはきわめて難しい。すべてのことはすでに語られ描かれてしまっており、私たちにできることはそれをサンプリングしリミックスし消費することだけだ。かくして歴史以後の空間に、すべてを語り終えた一冊の本が際限なく反復される……。何よりこうしたシニカルな認識と、記号論的差異を生み出し消費に供する広告産業のアイロニーなき肯定とを明確に隔てる距離もつねに保証されているわけではない。一方の極には支配的秩序のスキをうかがうゲリラ戦、他方の極には消費主義の手放しのパラダイス、その間には無限に複雑な陰影をやどす微細なグラデーションが横たわっているにせよ、ポスト・モダンの脱出口なき夢をさかさにみるなら、差異を消費し、洗練を極めることの何が悪いという楽園派の夢が同時にみえてくる。この時期の批評にある輝きを与えていたのは、現代の文化的環境に身を置くものは、明瞭に醒めていないかぎり、自ら知らず恥ずかしいほどの凡庸さを演じてしまいかねないという緊張した自覚だったかと思う。それが「批評性」と呼ばれた。

もう一方の「スター」とされる柄谷行人は八〇年代半ばから、批評におけるポスト・モダンムーブメントに自分自身が加担した、あるいは主導したことを認めつつ、前近代が超近代と結託しがちなこの日本において――この「日本」は『日本の思想』の丸山眞男を想起させる――、ポスト・モダンの思想はありもしない標的を撃とうとしているのではないかという批判を展開した。ポスト・モダンが喧伝されるにせよ、日本的「自然」の環境のもとではそもそもモダンな原理はそう言われるほど強固ではない。それゆえ日本におけるポスト・モダン言説、そして日本における脱構築は、その意図がどうであろうと日本の反構築的な構築に吸収され、奇妙に癒着してしまうほかない。「日本の自然＝生成に揺さぶりをかけない思想は、制度的である。依然として、われわれは「一人二役」としての《批評》を必要とする」(『批評とポスト・モダン』福武書店、一九八五年)

同じ頃ジャック・デリダが来日したさいの鼎談で、柄谷行人は「日本で〈脱構築〉という時の最大の困難は、〈構築〉がないということ、〈構築〉のないところで〈脱構築〉がいかにして可能かということなんです」と指摘し、浅田彰がこれに「硬直した体系を嫌い、柔らかな戯れにふけろうとする、伝統的な思考の態度ですね？」と補足している。儒教であれ仏教であれ一貫した体系を重視する思考を「漢心」と呼んで拒絶し、そうした硬直性から自由な「大和心」を称揚するのは本居宣長に限ったことではない。構築を嫌う日本、それ以上に構築のない日本では、脱構築がフランスの場合のようなインパクトを持ち得ないばかりか、まかり間違えば「日本文化」への安易な伝統回帰に帰着してしまう(「超消費社会と知識人の役割」『朝日ジャーナル』一九八四年五月二五日)。あらゆる「構築への意志」をなしくずしにしてしまう「自然＝生成」の力。柄谷行人はここに「おそらくこれは天皇制の秘密とつながっているはずである」というコメントを付している(『批評とポスト・モダン』)。

文学や評論界でも、構築なき構築、日本的構築を論じるにあたって天皇制への言及が増加した。さらにロラン・バルトが東京の真ん中にある皇居を示唆しつつ「いかにもこの都市は中心を持っている。だがその中心は空虚である」と述べた一節が八〇年代の都市論の中で頻繁に引用された。中心が空虚である以上、外縁もあいまいであり、不在であるがゆえにいたるところに偏在する。空虚な中心として機能する天皇という象徴は、ポスト・モダンの脱中心化の運動とうまく適合していた。父権的というよりもずっと軟体で「母性的」な機構、またそれゆえに制度に対抗する様々な試みを吸収してしまい、いっさいの反抗を無化するような奇怪な装置。こうして「日本」が母のイメージで表象された時、短絡的な言い方になってしまうが、それを語る批評文はおのずと「男性的」に振る舞わなければならなくなっていた。明確な閉域があり、その外部に立ち得るという考えの甘さを自他に対して禁じる批評スタイルを共有しない議論は批評性を欠くものとみなされ、おのずと排除される場でもあった。

ところで閉ざされた空間、一つの禁忌によって中心化された共同体という形象には、別バージョンがある。江藤淳は「平和と民主主義」の戦後社会総体を覆う虚構を暴くという果敢な身振りをもって、戦後日本の文学空間を敗戦直後の占領軍の検閲によって「閉ざされた言語空間」と呼んだ（「自由と禁忌」『文芸』一九八三年一月号―八四年五月号）。占領軍は検閲によって言葉を消すとともに、その検閲の痕跡を消した。そのため戦後日本は二重の忘却の中に置かれている。何かを語ることができず、しかもそのこと自体を感知するすべのない日本。江藤淳の観点によれば「戦後」を戦前国家からの解放ととらえることから出発した戦後文学こそが空虚な楽園の所産だった。この批評家は、占領軍という外部からの検閲による禁忌に捉えられた言語空間がいかに奇形的かを強調したのだが、かといって禁忌ゼロの自由があることを信じて、それを要求していたわけでは全くない。江藤は、占領軍という「人為的」禁忌の対極に、日本にとってより本来的で「自然」な禁忌＝天皇制を位置付けている。

占領軍の検閲によって奇形化された日本と、天皇制という空虚な中心に呪縛される日本。してみると、この時期には、二通りのやり方で「閉じた共同体」としての日本が語られていたことになる。共犯関係だったと言いたいわけではないし、何を言ったところで今や後知恵ではあるが、ただ、二つの全体はそれぞれに一つの根本原理に発する一貫性を主張するスタイルをとっていた。それゆえ、たとえば「天皇制民主主義」（米国と日本の合作、占領体制と戦前秩序の合作）という複数の行為主体によって製作された、その意味でつぎはぎの体制を視野に収めることには失敗していたかもしれない。つまり「楕円の思想」（花田清輝）が必要だったのかもしれない。一つの中心による「全体」というイメージはもう一方の中心を選択的に排除する。私たちがいったいどのような言説環境に捉えられているのかの自覚は思考に不可欠であり、その点で限界の意識は必要だとしても、それはひとつの中心を持ったシステムのリミットというより、複数の利害、取引が重なりあった相互作用のネットワークの絡み合った限界線だった可能性がある。当然それは短軸構造よりもはるかにやっかいだが、同時にある特定の歴史の偶然に依存しながらそこで作りだされたつぎはぎの行為の所産であるにすぎず、少なくとも不可侵の禁忌の領域にまで問題をせり上げる必要はないという理解の余地が生まれたことだろう。

内側に閉じた共同体。必ずしも批評界に限らず、日本社会がある種の閉塞感を感知しはじめた時、このイメージを最も効果的に政治資源化したのは、結局ネオリベラリズムのレトリックだった。果敢な「改革」というラディカリズムの言葉を掲げて二〇〇一年から政権を担当した小泉純一郎は

「自民党をぶっ壊す」と叫んで選挙に勝利した――そして自民党はぶっ壊さなかったが、ムラ社会もろとも共同体の内の社会連帯の契機を相当程度まで破損した。

八〇年代の閉じた球体はグローバル化とともに砕け散り、新自由主義の同時代史に日本も一周おくれで加わったが、それをもって現実の砂漠の中に目覚めたのだと言うことはできない。経済的自信喪失と並行して、南京事件はなかった、強制連行はなかったという類の修正主義の物語が出現し、今では日本の多数派がその内に住んでいるかの様相を呈している。これは新種の「内部」というべきものかもしれないが、しかし今やその内部はかつてのようにそこから脱出すべき閉ざされた空間なのではない。逆に、自らの首尾一貫した内部性を維持するためにみたくない外部についてはあらかじめ否認したところにこの内部は成り立っている。二〇一六年のブレグジットやトランプ主義の台頭で驚かされたのは、こうした幻想的な内閉が日本限定でなど全くなかったことである。私たちはすぐ近くにいる人々でさえ、私とまったく違う世界に住んでいることがままあるのだということに気づくようになった。バイデンは選挙不正によって大統領になったと考える人々、新型コロナウイルス感染症はただの風邪だと考える人々、地球は実は球でなく平たいのだと考える人々がいて、みな信じたい世界の中にそれぞれ住んでいる。いや、彼らは自分たちこそ「赤い薬」を飲んで、世界の本当の状態に覚醒したのだ、と主張しているのかもしれない――映画『マトリックス』で主人公は青い薬か赤い薬かの選択を迫られる。青い薬を飲めば「現実」と考えられている環境の内部にとどまることができ、赤い薬を飲めば集団的な夢を脱出して世界の本当の姿に目覚めることになる。そして、赤い薬を選んで社会総体を覆うウソを拒否するのだというメタファーは、現在もっぱらオルタナ右翼が特にコロナウィルスに関して使用しているものであるらしい。「はい、赤い薬を……でも、どっちの？」とジジェクが表現した事態である（『パンデミック2――COVID-19と失われた時』岡崎龍監修、中林敦子訳、P・ヴァイン、二〇二一年）。

すると赤い薬を選ぶにしてもまっとうな薬を選ばなければならないのだ。青と赤が、「パンデミックのデマ」に踊らされた集団と「覚醒」した集団の対立に沿って配分されているなどと思わないようにしよう。それが対立軸などと思わないようにしよう。感染症を拡大させないようにと努めている現在の私たちは、相互に隔てられていることと共にあることとの矛盾した同一性の感覚を理解するチャンスを手にしている。接触を避けるという現在の措置は、私たちを確かに脆弱な他者への相互的な配慮に目覚めさせるものでもあるのだ。一つの中心によって閉ざされているわけでもなく、そこからの脱出が問題になるわけでもない、そうした争点とは別の場にある共同体を作りつつあるのが今であり、それが赤い薬である。だがこの覚醒を阻み、共同体を再び閉ざされた共同体にしてしまう青い薬とは何なのか。

今年（二〇二一年）初めに「特措法（新型インフルエンザ等対策特別措置法）」と「感染症法（感染症の予防及び感染症の患者に対する医療に関する法律）」の改正に向けた議論がなされた。閣議決定された改正案は、営業時間短縮の命令を拒否した事業者、宿泊療養の勧告に応じなかったり入院先から逃げたりした患者に対する厳しい「罰則」が科され得る、というものだった。感染者が前科者になるのかという批判が起こり、結果的には、自民党と立憲民主党の協議により刑事罰を削除する方向で法改正が成立したが、行政罰であっても「罰則」であることには変わりない。粥川準二はこれを時評で「剣を振りかざすリヴァイアサン」と表現した（『図書新聞』二〇二一年二月一三日）。改正法の下に置かれた私たちは、今や互いに対する配慮と敬意によって互いに隔たり、隔たることによって共にあるのではない、剣に怯えて法に従うのだ。これが国家の営為である。剣をかざすこと、あるいは伝統の連続性や国民の誇りを喧伝すること、共同体の上にシンボルを掲げ、ただ共にある存在に対し共同体を実体化すること、それは共同体を閉じた球体として表象することであるが、こうした「営為」に対し、かつてジャン＝リュック・ナンシーが「無為」を対置したことを思い起こそう（『無為の共同体――哲学を問い直す分有の思考』西谷修・安原伸一朗訳、以文社、二〇〇一年）。融合が途絶され、合一が宙吊りにされたところに現れる分割＝分有としての共同体。ナンシーが描く恋人たちの皮膚の触れ合い＝隔絶のイメージには、いわば私たちの生身の身体を離陸しないまま、そのままで思想となっていくいわば換喩的瞬間が潜んでいる。それは隠喩的シンボルを作り出す「営為」とは異質の思考であり、したがってそれ自体がコミュニケーションとは合一ではないということを露呈する無為の思考となっている。さらに、コミュニケーションという語に、コミューン、コミュニズムとの響きあいをナンシーは聞き取ろうとしていたことを想起しておこう。

八〇年代、豊かな消費社会の中で記号のゲームに浸る一種のポスト・モダニズムが支配的になるとともに、映画言語、文学言語には何が可能で何が不可能かをめぐる問いが問われた。それは作者、伝統、カノン、大文字の価値を差し控えることによって古い批評を一掃してくれた。それぞれの言語が何を可能にしてしまうのかという「営為」の位相を、同じその言語による不可能とともに理解するものでもあった。……そして、感染症が拡大する中、緊急事態宣言が発出された。宣言というこの政治的な営為をどう解読すればよいのだろうか。感染症下の一連の宣言はあくまで特措法によるものだが、一方で憲法に緊急事態条項を書き込むべきだとする提言や、感染拡大下の緊急事態宣言は国民の権利を制限可能にする憲法レベルの緊急事態の予行演習になるといった類推がなされたこと、つまり私たちは二つの中心を持つ緊急事態下に置かれているということを忘れずにおこう。宣言という政治的営為をどう解読すればよいのか、シンボルを作る営為と、それを切り裂く無為とに同時に関わることで批評は再び政治に出会うことになるだろう。

5　私たちはこんな未来を夢見ただろうか

「国語」の戦後史

現場の攻防

「戦後最大」という看板を掲げた今回の教育改革は多くの議論を呼び起こした。紅野謙介『国語教育の危機——大学入学共通テストと新学習指導要領』（ちくま新書、二〇一八年）を筆頭に早い段階から警鐘が鳴らされたこともあって、議論の一つの焦点となったのは大学入試の出題形式も含めた国語科の改革である。実社会の要請にこたえ得る国語、という改革の方針においては、言葉をコミュニケーションや情報処理の「道具」、意味を運ぶ「手段」ととらえる言語観が支配的になっている。道具であるなら便利で効率的であることが望ましい。だが言葉を道具として使う前に、人は言葉でできている。今回の国語改革を「ことばの危機」として捉えた教育関係者は少なくない。

「ことばの危機」というまさにこのタイトルで教育改革の問題を取り上げたシンポジウムも行われ、発言者の納富信留は私たちの思考も私たち自身の存在も言葉によって成り立っているのだからことばの危機がもたらすものは「人間にとっての危機」なのだと大文字の言葉さえ使って表現した（阿部公彦・沼野充義・納富信留・大西克也・安藤宏著、東京大学文学部公報委員会編『ことばの危機――大学入試改革・教育政策を問う』集英社新書、二〇二〇年）。

それまでの入試国語が常に完璧だったわけではない。だが、少なくとも作問者は多大な労力と時間をかけて素材文を選びぬき、したがって文章の質を問うことのできる文章が出題されてきた。ところが二〇一七年以降順次公表された「大学入学共通テスト」モデル問題等で出題されたのは、自治体の景観保護ガイドライン、駐車場の契約書、高校生徒会の規約といった「実用的」な資料であり、そのいずれもが文章に責任を負うべき書き手の名がない文だった。並行して高校の教育課程について改訂学習指導要領が告示され（二〇一八年）、国語科の科目も大きく再編された。それまで「国語総合」四単位だった必履修科目が「実社会で求められる言語能力の育成」に主眼を置く「現代の国語」、そして「我が国の言語文化に対する理解を深め」、「我が国の言語文化の担い手としての自覚」を養うことを目標とした「言語文化」に分割された。この時点で「国語」は実社会、実生活に密着した「役に立つ」国語、そして連綿とつながる言語文化に誇りをもつ伝統の主体を形成するための国語として再定義され、新自由主義とナショナリズムの政策的補完関係の事例をまた一つ増やしたことになる[1]。

教育再生実行会議や中央教育審議会、文科省といった機関が決定した「改革」の方針は、共通テストの作問者や教科書会社の編集作業の場へと降りてゆき、最終的には教場の生徒と教員に大きな影響をもたらすことになる。現場に近い関係者ほど、はたしてこの方針で望ましい国語教育ができるのかという不安は強かった。実用性の名のもとに国語から文学を消してよいのかという声ばかりではない。そもそも改革推進者が掲げる論理的な思考や実用的な言語能力の育成ですら、このやり方でうまくいくとはとうてい思えないという切迫した危機感ではなかったか。

この間の経過を確認しておこう。まず、共通テストについては二〇二一年、二二年とも公表されたモデル問題のような架空の資料は出題されていない。二二年度に出題された檜垣立哉、藤原辰史、黒井千次らの文章は、いずれも文章の質を問うことが可能な文章だった。ことに藤原の『食べるとはどういうことか――世界の見方が変わる三つの質問』(農山漁村文化協会、二〇一九年)による問題文は、人に食べられた豚肉が胃や小腸大腸を潜り抜け、排出され、下水に流れ込み、さらに分解されるという「非人間」的な視点の「旅」を描くもので、これまで考えることのできなかったことを発見し思考する時に「文体」が重要であることをあざやかに再認識させてくれる文である。文体のある文といってもこれは小説でも散文詩でもない。つまり新指導要領の区分法による「文学的な文章」には該当しない。しかしながら発見術として、思考の道筋として、あきらかに「文体」が重要な要素であることを示した文章なのである。今回の国語改革は「実用」と「論理」を連呼しつつも、文学を除外するという消去法によってしか「論理国語」の姿を確定できず、よって除外された「文学国語」には論理の場などないものと思い定めているかのようだ。すでに「文学」「論理」の排他的二分法に対して多くの批判が加えられているが、文体という文学的要素に論理を宿らせた藤原文はあらためてそれがいかに皮相であるかを再考する機会を与えてくれる。

そして、今年（二〇二二年）スタートする新課程の教科書。編集側は教材を注意深く選び、指導要領に沿ってそれを位置付け、検定意見を受けて合否が決定し、採択され、印刷製本され、「現代の国語」はもうすぐそこまでやって来ている。この間、「現代の国語」の教材として「羅生門」や「城の崎にて」など文学作品を使用した第一学習社の教科書が検定に合格したことが報じられ物議をかもした。新科目「現代の国語」については当初、教材として文学的文章を扱わないという方針が示されていたが、第一学習社版は文学作品を「読むこと」でなく「書くこと」の教材として位置付けて検定に合格、小説の掲載を強く望んでいた現場の要望に沿う形となって、二〇万冊近い採択を得てトップのシェアを獲得した。当初の方針にしたがって文学作品の掲載を断念したほかの教科書会社は憤懣やる方ない。ただし、その憤りは経営的観点からのものばかりではなかった。今回のような検定によって突出したシェアを握る社が出てくれれば、教科書の発行を取りやめる社も増えかねず、教科書の多様性が失われることにもなりかねない。また、文科省側が第一学習社の「成功」に追随しようとする他社の動きを黙認するのでなく、逆に教材の種類や授業内容をより厳しく規制する方向に向かう可能性も考えられる。多様性が損なわれ自由度が低下するという深刻な事態が予想されるのだ。(2) これをどう考えればよいのだろう。混乱の原因は文科省のあいまいな基準と対応にあり、それがライバル社の憤懣と教育の未来への危惧を招いたのはあきらかだ。しかしながら、当初方針を厳密に受け取って文学作品を排除すればそれでよいのだろうか。それ以前に、教材の種類を規制する際の「非文学」という基準の合理性に対する疑問の声は大きかった。言語の実用性とは言語をどう機能させるかの問題であり、文学か非文学かという表層の線引きとは関係がない。そして実用と文学の二分法に基づいた新しい国語概念に対する現場の教員のとまどいも大きく、だからこそ不合格をも覚悟の上で文学作品を採用した教科書が出現したのである。自由の余地を一切残さないところまで管理することと、残されるかもしれないわずかな余地で交渉することと、突き詰められた最終局面の事件を目前にした感がある。そのこと自体、「国語」を教育政策における規律化の場にしてしまったようにすらみえてくる。

今後は生徒と教員が向き合う実際の教場が、「役に立つ」国語に住みついたり、それを問いに付したりする舞台となっていくことだろう。各社の「現代の国語」には文体のある論理的な文章も掲載されるようだ。複数の文章を関連させて読む方法論が推奨されているが、入学試験の設問にするのではなく充分な時間をとって行うならば、それは創造的な作業になることだろう。教場ではあらゆることが起こり得る。新たな改革方針が作り出す乏しい現実の中で、場合によってはそこで用いられるのと同じ技術を用いて反操行を導き出すかもしれない。新たな「国語」との交渉を通し、新たな自己が形成されるかもしれないし、そうならないかもしれない。

拘束と自由

ひと騒動の末に見送りとなったが、当初は共通テストの国語に「記述式」の出題が予定されていた。二〇一七年の試行調査で高校の生徒会規約が出題された際の「記述式」問題には、まず二文構成で書くよう指定され、そして「一文目は「確かに」という書き出しで」「二文目は「しかし」という書き出しで」書くようにとの事細かな指示があった。それくらいの縛りがないと採点のブレが防げないためであり、そのこと自体「記述式」導入計画の破綻を示してあまりあるが、問題はそこではない。記述式はマークシートの選択方式では測れない思考過程を評価するための出題方法だったはずだ。問題はその形式が、思考過程に立ち入ってそれを拘束し、あらかじめ指定された手続きの枠内で思考する主体をおのずと成型する形式になってしまっている点にある。記述式導入があらかじめそれを狙っていたとは思わない（狙いというなら入試への民間事業者導入だろう）。だがはからずもこの事例は、ついに最もやってはならない国語教育の極北を射当ててしまったのである。「感じたこと、考えたこと」を述べたり書いたりさせる国語の教育はほかの教科と比べて生徒の内面に最も近いところで行われる。国語教育において思考の拘束と自由な思考への促しとを切り離すことなどできはしない。それは両極をもった連続体であり、だから教員はみなその危うさを自覚し自戒しているはずである。だとするとこの「記述式」の手放しの鈍感ぶりはいったい何の徴候なのか。

両義的なのは教育ばかりではない。私たちは言葉をもつ動物であり、言葉はいかにして個が主体として構成されるかに深く関わる。教育以前にその言葉こそが両義的なのだ。言葉は一方で「記述式」の悪しき事例のように思考の規律化に関わり隷属に関わる。だが他方で、言葉はその対極にある自由な発言、自己の主権という問題系に関わる。ある時期まで刑罰や精神医学を通じて作動する規律的な権力を分析したフーコーは、統治のメカニズムをへて「自己」の問題へと研究対象を移していくが、その晩年の講義で取り上げられたのが「すべてを語ること」「率直に語ること」を意味する古代ギリシャの概念、パレーシアだった。恥ずべき欲望を告白するキリスト教の告解とは異なるこの真理陳述、危険をかえりみず真理を語るこの言語行為は、自己の言葉と自己の生き方の間にある種の関係を作り出す行いであり、生それ自体に関わる行為となる。今回の国語改革を「人間にとっての」問題として捉える発言を先に引いたが、人間を内的に拘束することと人間が自由であることとが言語において不可分である以上、私はこの表現を大げさだとは思わない。

パレーシアの国語

「戦後最大の教育改革」とのことだが、これまでにも果敢な教育改革が行われてきたのだし、「国語」はくりかえし再定義されてきた。ここではごく簡単に「国語」の変遷をたどっておきたい。[3]今回の必履修科目「現代の国語」「言語文化」、あるいは選択科目「論理国語」「文学国語」という科目再編の土台には、実用と文学の分割という発想があるが、これとよく似た発想、あるいは似て非なる発想が戦後最初期の国語教科書にもみられる。戦前の国定教科書に替えて民間会社の検定教科書が新たに登場したころ、一時期ではあるが言語系と文学系の二分冊形式の国語教科書が作成されていたのだ。たとえば一九五〇年使用開始の三省堂の国語教科書の場合、「言語生活そのものを陶冶する分科」「文学を中心とした一般文化教養を目的とする分科」の二つの目的を確立するためにそれぞれ『新国語　ことばの生活』『新国語　われらの読書』が編まれていた。この教科書は、その後『言語』『文学』と改称し、一九五七年に『新国語　総合』で統合されるまで二分冊形式で作成されていた。だから現代文、古典のように時代で分けるのではなく、言語活動の異なる目的において分ける方法は今回の「改革」の発明品というわけではない。だがこの時期の二分冊教科書と現在の二分法とは、それを載せている歴史的台座そのものが異なっている。

当時の言語系分冊『新国語　ことばの生活』には、たとえば夏目漱石の小説『虞美人草』から「あいきょうというのはね。――自分より強い者をたおす柔らかい武器だよ」といった軽妙なやり取りをふくむ文章が使われている。この時代の言語分冊は文学作品を排除することによって実用性をアピールするのではなく、文学作品の一節からすぐれた言語技術を学び得るという考えに立っていた。言語分冊の漱石教材は、深く読み味わう名作である前に、民主主義的な言論社会を下支えする談話技術教材として位置付けられていた。

言語に特化した分冊ではなくとも、言語技術教育は重視されている。同じく三省堂発行の一冊本教科書『高等国語』には、「演説と司会」という単元に、福沢諭吉の「演説の法を勧むるの説」、漱石の小説『野分』の登場人物・白井道也が聴衆の反応を巧みに誘導しながら演説を行う場面、そして実際的な演説のコツを示した「演説の心得」という参考文が並ぶ。単元の趣旨は以下の通り。

「若い人々の前途は希望に満ちていると同時に、それがなまやさしい道ではないことも、諸君の日常に身に沁みていることであろう。どのようにして、これらの困難に負けずに、これにうち勝ち、着実な前進を続けることができるであろう。／その根本は何にあるか。それは民主主義の徹底であり、確保である。その根本はどこに保障されるであろう。それは明治の先覚者福沢諭吉が示している。おのれの正しいと信ずるところを、納得のいくよう組み立てて、多数の人に訴えることに勇敢であることだ。夏目漱石はこれを「野分」の白井道也先生においてうち立てた」。

この頃「話すこと」は現在改革中の国語のように「激変する社会で生徒が即戦力として生き抜いていく[4]」ために重要なのではなく、民主主義の徹底確保、それを支える言論の力の養成という目標の下に位置付けられている。この問題構成において、話すということは「おのれの正しいと信ずるところを（略）多数の人に訴えることに勇敢であること」、危険をかえりみず真実を語ることの勇気を意味した。「おのれの正しいと信ずるところを訴える」主体とは、自分の言うことを信じており、信じていないことを言う主体ではない。それは自己と言語との一致を含意している。また「多数の人に訴えることに勇敢であること」という他者との関係を構成することを含意している。このような「話すこと」は、後年、一九九九年の改訂指導要領においてにわかに重点化された「話すこと」と大きく異なるのだが、これについては後で触れたい。戦後の国語は長いとも短いともいえる七十数年の間に大きく変容し、その気になれば教科書における言語の定義、言語的諸行為の種別性と主体化の諸様式の変容からひとつの系譜学を考えてみることも可能である。自己および他者との関係を変容させる言語行為、民主主義を可能にする条件としての言語行為の主体は、後年の教科書が描きだしたような良き趣味として文学作品に触れる個人とも、企業社会の「即戦力」たるべき現行の主体化とも価値的に異なっている。このような近過去の言説をふり返るのは、記憶するまえに忘れてしまった自分の来歴を発見するためであり、それは別のあり方を想像できないほど強固な自明性を主張する現在の実用主義リアリティを異化し解体することだろう。かつての国語において高校生の言語行為は彼らの生きていく社会の民主化に結び付けられていた。いまだ個人の進路というプライベートな領域に位置付けられてはいない。経済人の膨張という新自由主義時代の現象とも無関係である。

世界性、文学史、目的地としての近代

それでは二分冊方式のもう一方の、文学分冊の方はどうか。言語系との分掌により、文学系は文字通りの文学教科書となっていた。ただし、この場合の「文学」は現在のそれと同じ文学ではない。当時の文学分冊『新国語（改訂版）文学』は、冒頭の単元で各学年で目指すべき理念を掲げていた。一年生用教科書の単元「新しい道」はこう述べる。「国語科では文学をなんのために学習するのでしょうか。（略）文学の根底には、自我にめざめようとする自由な個人がなければならない。（略）魂の自由を尊ぶ文学にとっては、このことが特に重大な意味をもっています」。そして二年生用の「民主的社会へ」は、「個人は自由な一個ではありますが、（略）社会的連帯と歴史的必然、個人はこの中に住んでいます（略）」。さらに三年生では以下のように「世界性」が掲げられた。「国家があり、民族があります。その文化はそれぞ〱独自な精神と姿とを持っています。しかし、独自ということは、その中に閉じこもってしまうことではありません。それぞれの特色を発揮しつゝ、世界

へ、人類へと伸びて行かねばなりません。個人が、地域的社会や国家に順応し制約されながら、その社会性を通じてこそ世界性に参与できるところにデモクラシーの精神があると同時に、文化は、特に文学は、個人が内に向かっても外に向かっても開かれており、その開かれている個人の自由をお互いに尊重しあう社会性によって、世界・人類の上に成立する基盤を持っています（略）」（「世界への窓」）。

この時期の教科書は緒言なり単元要旨なりでみずからのメッセージを述べるため存分に文字を費やした。一年生で「自由な個人」を意識し、二年生になるとその個人の「社会的、歴史的」な位置づけを理解し、三年生の総仕上げとして「世界性」に参与する。つまり高校各学年にそれぞれ「個人」「社会」「世界」を割り振り、卒業までに順をおってこの同心円を拡大し、普遍的な次元に到達するのである。三年間の国語を決定していたのはこうした普遍的理念に向かう弁証法であり、これをもって国語は個を全的に国家へと服属させた戦時下の体制からの絶縁を果たすことになる。「世界性」を掲げた三年生の教科書には「東西の文学」の単元があり、そのリード文は以下の通り。「世界の文学へ。なんという困難な道でしょう。しかし、呆然自失してはなりません。不可能ではないのです。人種が違っても人間としては本質的な通じ合いを持っているように、文学も、特殊な制約や障碍を乗り越えてわかりあえるものです。これだけは信じなければなりません。文学こそ人間の心の問題だからです」。

文学は人間精神の本質であり、そこに到達する道のりは遠く困難だ。だが迷うことはない、文学は普遍性への通路なのだから。こうして高校生徒たちの主体性を、それ以前の国家主義から国家を超える世界性へと方向転換させるべく導入されたキーワードが普遍的人間性、およびその表象たる世界文学であり、その理念は「これだけは信じなければなりません」という最低綱領となっていた。我々の主体性は国境にぶつかるとそこで立ち止まってしまうようなものであってはならない。「個人」は極小の単位、「世界」は極大の単位だが、個は世界性につりささえられることでそのまま普遍的な主体＝人間なのである。そして、普遍性を表象するのが世界文学の理念だった。ここでは翻訳作品が教材となり、「シェイクスピア論」「ファウスト的人間」など豊富な評論教材によってその意義が語られた。

戦後初期の国語教科書は、世界普遍の人間性、民主主義、自由なる個人の確立といった鍵概念を折り込んだ戦後啓蒙の理念を語る媒体だったのである。この時代の文学教材はこうした抽象的理念と高校生とをつなぐ回路であり、文学の方でもこうした理念と結びつくことによって社会的な意味を持ちえていた。のちに文学と普遍的理念をつなぐこの絆は切断され、すなわち「文学の自律性」が確保されるが、その時皮肉なことに文学の発言力、社会的影響力はしだいに低下していくことになる。

憲法と同年に施行開始された教育基本法の前文には、「われらは、個人の尊厳を重んじ、真理と平和を希求する人間の育成を期するとともに、普遍的にしてしかも個性ゆたかな文化の創造をめざす教育を普及徹底しなければならない」と銘記されていた。「個人の尊厳」「普遍的にしてしかも個性ゆたかな文化」は教育勅語の国家主義に代わる重要な理念だが、「尊厳」であれ「真理」であれ「普遍性」であれあまりに抽象的であり、それはなんらかの具体的なイメージによる代補を必要としていた。その役割を担ったのが文学であり、なかんずく特別な意味を与えられた「近代文学」である。敗戦の破局によって明治以来の近代化の挫折が明らかになり、よって戦後の教育には近代化の再スタートという社会的目標が込められた。その文脈で、教科書においても明治以後の近代文学が近代精神の覚醒および挫折の舞台として再認されるようになったのである。明治大正の個々の作品が本当に普遍的だったかはともかく、個の確立への苦闘のあとがそこには刻まれていた。この時期の代表的な教科書作家は島崎藤村である。『家』『新生』『夜明け前』といった題名をもつ藤村作品は、家制度に代表される旧時代の拘束の中から身をもがくようにして現れる新しい時代をイメージ化するのに最適だった。

当時の教科書には小説や詩作品のほか、評論、文学理論を含めた多くの文学的文章が掲載されていた。なかんずく注目すべきは文学史に関する言説である。当時の文学史において、各時代の主流をなす文学形式はその時代の精神に対応するものと位置付けられていた。すなわち古代叙事詩は民族全体の意志を表現するジャンル、近代リアリズム小説は近代市民社会に登場する個人の運命を描くジャンルであり、それぞれの時代を代表する人間を主人公とし担い手とする文学は、歴史的発展の諸段階の表象とみなされていたのである。つまり、教科書の文学史とは近代精神＝近代小説を最終的な到達点とする目的論的な歴史であり、それが行き着くべき「近代」を価値化する言説だった。ここでの文学史は文学の歴史を語るものである以上に、その流れの中に個人、世界、人間性、民主主義、何より近代性といった一連の価値を折り込んで提示することのできる言説構成体だった。

文学の歴史は人間精神の発展段階を意味し、最終的には民主的な市民社会を到達点とする近代化のプロセスをそこに映しだすはずのものだった。しかしながら日本における実際の近代化はどうだったかというと、不合理な戦争に突き進んだ結果、アジアを巻き込む悲劇的な破局に終っている。この特殊日本的な「近代」を描くために、文学史は「遅れ」「ゆがみ」という言説をもっぱら使用していた。近代小説はすなわち近代市民社会確立の標であるが、日本の近代文学の場合、西欧近代小説のように着実な太い線での発達にはなっていない。それは日本の市民社会の確立が順調に進まなかったことの反映だとされた。明治期の自然主義作家たちは西欧近代のリアリズムを技法的に輸入しながらその背後にある合理主義、実証主義の精神を理解せず、ついに作家の生活周辺の些末な現実を描くことに終始した。その帰結が日本の特殊な小説形式「私小説」であり、「私小説」とは小説形式のことであるよりも日本近代の「ゆがみ」のシンボルとなっていた。日本の文壇を制覇したのはまがりなりにも社会を視野に置いていた島崎藤村『破戒』ではなく、作家が自分の失恋体験に陶酔した私小説『蒲団』の子孫だったという文学史観は広範な影響を及ぼしたが、それは文学の歴史というより日本近代を語るものだった。

フランス文学を基準として日本文学の「ゆがみ」「遅れ」を言い立てる文学史論は、やがて鼻持ちならない「近代主義」と呼ばれるようになる。以後の文学史は、西欧近代の圧迫下で圧縮された近代化を果たさなければならなかった日本の苦悩を体現し、問題化した漱石・鷗外の二大文豪をカノン化する文学史へとシフトするが、こうしたプロットの変化も含め、一九五〇年代までの国語教科書は文学史を通して何事かを語ろうとする――近代ないし日本近代を語ろうとする教科書だった。

一九五五年、自由民主党結成。結党大会で発表された「政綱」は第一に「国民道義の確立と教育の改革」を掲げていた。また、この時期からの社会は「もはや戦後ではない」という声とともに「戦後復興」から「経済成長」へ目標の射程を伸ばしていった。一九六〇年には日米安保条約改定に反対する空前の大規模抗議行動が起こり、岸内閣を退陣に追い込んだが、その後を受けて登場した池田勇人内閣は「一〇年以内に国民所得を倍増」させる方針を決定。経済が政治課題となる時代、したがって政治そのものは後退していく時代となり、個人消費の拡大をもって幸福の拡大とみなす価値観が形成されていく。

この時期から、教育を「開発」「投資」として位置付ける言説が広がっていく。所得倍増計画が提示された翌月、経済審議会六〇年答申「所得倍増計画にともなう長期教育計画」が発表され、そこでは現代は技術革新の時代であり、社会と産業の要請に即応可能な「人的能力の向上」を図る必要があるとされていた。もとより教育制度に強い関心をもっていた財界が政策レベルでの発言力を強めたことで、教育を語るための一連の用語は経済界用語へと変換され、戦後初期の「人間」は「人材」に、「教育」は「開発」に変わっていった。六二年一一月、文部省が発表した『日本の成長と教育』は、「人間能力をひろく開発することが、将来の経済成長を促す重要な要因」「教育を投資の面から、ことばをかえていえば、教育の展開を経済の発達との関連に注目して検討しようと試みた」と述べている。それまでの理想主義的な教育用語が「教育資本の蓄積」「教育投資の収穫」といった一連の経済用語に入れ替えられ、入れ替えられることで何かを考えることができなくなっていった。今や国語の時間は民主的な言論社会を支えるためにあるのではなく、個性をもって世界性に参与するためのものでもない。これ以降、教育問題は企業の要望とそれを反映した経済構想によって、教育それ自体の外側から規定される傾向を強めてゆく。六三年経済審議会答申、いわゆる「人づくり白書」では学校を労働力供給のための機構と位置付け、労働市場の構造に直接接続しようという構想が打ち出された。すでにこの時期、工業化の進展による労働力不足が問題になっていたのである。経済成長の目標達成のためにはどのような種類の労働力がどれだけ必要か、それを計量的に算出し、その数値に合わせて、各分野、各レベルの学校制度を拡張、再編する教育計画論が提示された。この時期には高校進学率が年々高まって六一年には高校急増対策の予算が計上されたが、新設校の六〇%は工業課程とされていた。この時点での社会設計は産業社会仕様である。

一九六〇年、学習指導要領改訂。国語科については必履修の「現代国語」と古典系科目とに二大別される。古典と現代とは別個の教科書として切り離され、文学史の連続性はモノのレベルで二分された。かといって、文化伝統の連続性のイメージが必要とされなくなったわけではない。古典は、むしろ変転はげしい科学技術革新の現代との間で相互浸透を起こすことのない場に取り置かれ、固定的ハイカルチャーとしての位置を付与される。この時消えたのは文化をその歴史性と社会性とにおいて動的に理解する理解様式である。

「現代国語」新設の時点で、文学と文学教育の役割そのものが大きく変化している。六〇年の学習指導要領解説には「いわゆる現代文学史を特別に独立させて学習させない」「作品の読解が主であって、文学史的な配慮は読解のための参考」程度におさめること、という指示がある。六〇年、七〇年の改訂を通して教科書の脱「文学史」化に向けた方向性がくりかえし確認され明確化されていったのだが、そこで消えていったのは文学年表的なあれこれの事実ではない。先にみた通り、教科書において「文学史」という言説の枠組みは、個々の文学教材に歴史的な意味を与えることにもまして近代的諸価値に対する信念を語る媒体となってきた。あるいは普遍的人間性への信頼を象徴する言説、社会の民主化と個人の主体性確立をはじめとする一連の啓蒙的理念を組織する言説、王朝の特権階級の専有物だった文学が武士や僧侶、そして町人へとしだいに裾野を広げ、やがて近代社会の構成員たる市民のものとなってゆく文学民主化の歴史、また人間が個性を発見するにいたる精神史だった。そしてそれは普遍的な「世界文学への道」だった。教科書からまっさきに消えたのは大文字の理念を情熱的に語ったリード文の類である。それは個々の実際の文学作品とはほとんど関係がなかったかもしれないが、それによって個々の作品は実体以上の輝き、つまり普遍的人間性を分有する言葉、人間精神と社会が到達すべき目的地たる近代の表象といった価値を付与されていた。そうした諸価値の集積たる「文学史」が取り下げられた時、教科書の「文学」に何が起こっただろうか。

「文学史」とは個々の作品に歴史的な位置を与えて相互をつなげる首飾りの糸だった。その糸がプツリと切れた時に、一つ一つの珠はどうなるのだろうか。バラバラにほどけて砕け散ってしまうのだろうか。普遍的な理想に向かって進む歴史過程に位置付けられていた文学が、その文脈たる社会と歴史とから切断される。文学史の後退は文学の脱理想化、脱社会化であり、それは脱政治化という新たな政治を意味することにつながっていった。文学が非歴史的なものとして再定義された時、その変化に対応して、作品を手に取る読者主体もまた歴史とも社会とも接点を持たない孤立した個人として再定義されることになるだろう。この時期、すぐれた文学作品を豊かに読み味わう、という読書のあり方が推奨されるようになってくるのはその徴候と考えられる。文学は今や個々人が余暇を豊かに過ごし教養を高めるための静止した「名作」である。夏目漱石はかつて「金力と権力」を恐れることのないパレーシアの行使、あるいは日本近代の問題と結びつけられていたが、この時期以降の漱石はというと、友情と恋愛の相克を描いた教材「こころ」の作家へと転身していく。

この時期、六〇年の学習指導要領改訂にはもう一つ、「実用的な文章、論理的な文章の読みにも、じゅうぶん習熟するように心がけたい」という文言がある。六〇年の時点ではこの文言のあとに「実用的なもの、論理的なものが強調されても、そのために文学作品の指導がおろそかになるようなことがあってはならない」という注意書きがあったが、一九七〇年の改訂で「おろそか」の位置がかわり、「文学作品の学習を重視するあまり、時として論理的な文章の学習がおろそかになる傾向が見受けられる」という文言に変わった。この過程で「論理」と「文学」は二律背反の関係にあるという前提にたった現行国語改革への道が敷かれたといえるかもしれない。「論理的な文章の学習」が強調される背景には、高度成長期の産業構造再編の課題、つまり農業国から工業国へ転換するにあたって良質の技術者の養成が急がれるという経済界の要請があった。

そして何より「現代国語」という科目名称である。五〇年代までの国語には目的論的な「近代」という暗黙の主題が存在していたが、この時期にそうした価値化は一掃され、単元名には「現代」

「今日」「これからの」という言葉が現れる。「現代国語」に収録されたある評論教材には、「もはや個人の理想と社会の理想が一致し発展するという夢は失われた。そして、近代の終焉、自我の崩壊が叫ばれる不安の時代になった」という一節がある。個人が社会を通じて世界に参与する、という同心円的調和の夢ははかなく消え、主体性をもった個人によって基礎づけられる市民社会の確立という課題ももはや破棄された。六〇年代に始まった「現代国語」と古典系科目の二大別体制はその後二〇年の間続く。八〇年代になるとこの編成が再び大きく変わる。

現代の国語

一九七八年の指導要領改訂で、国語科の「領域構成」が「表現・理解」の教育へと変更される。ポイントはこの順序であり、まず表現、そして理解なのである。国語は言語の教育なのか、それとも文学の教育なのかという議論が戦後ずっと続いてきたが、この改訂では「表現」を先行させることで国語科の「言語の教育としての立場」を明確化したのである。

ところが、「文字」と「声」とを問わずアウトプットかインプットかで分ける「表現・理解」という捉え方によって「声」が見失われ、結果的に文学作品の「読解」偏重という「弊害」を招いた、という問題意識により、一九九九年の改訂でさらに「話すこと・聞くこと」「書くこと」「読むこと」という領域構成に変更されている。ちなみにこれは学習内容削減をうたったいわゆる「ゆとり教育」の時期の改訂であり、この時期から私立校受験の過熱化（大学受験のペーパーテストのことを考えれば「話すこと」ばかりの公立校では心細い）、受験産業の拡大、教育における経済格差の問題が表面化する。八〇年代臨教審以後には何より教育の自由化、新自由主義改革の問題が浮上することになるのだが、ここでは国語の定義の変容を問うために、戦後初期から時を隔てて再び「話すこと」重視が打ち出されたという点に注目したい。

改訂指導要領に対応したマニュアルには、あいさつ、対話、討論、会議、連絡、発表等々の実践的な言語活動例が提示され、話し言葉特有の事項として、イントネーション、強弱、間の取り方、身振り表情などへの注意を喚起している。そしてインタビューにせよ討論にせよ「運び方の型」を学ぶことが課題として示された。「型」とともに強調されるのは「目的や場」「相手や目的」に「応じた」効果的で適切な話し方である。ここで要求されているのは言語行為の場に応じて自らをコントロールし、ふさわしい型を用いることのできる柔軟な能力である。時は流れた。もはや「おのれの正しいと信ずるところを多数の人に訴えることに勇敢であること」は要求されていない。自分の言うことを信じている主体であるということもやはり要求されていない。危険を顧みず勇敢に語ることはどう転んでも場面に「応じた」発話行為とみなされないだろう。実用的に「話すこと」は発話の場面と型に関係づけられるのであって、それは自己と真理とを関係づける行為ではない。かつて「話すこと」において期待された自己および他者との関係の変容はその残像すら残っていない。

以上、現在の国語改革を直接分析できなかったが、「実用的な文章、論理的な文章の読み」が前景化されていく経緯、文学が脱政治化、個人化される経緯、そして話すということが強い意味において「実用化」される経緯をたどることで「現在」の姿が理解できたかと思う。時代の要請に応じて「国語」は大きく変容してきたが、その「時代の要請」を規定してきたのはいったい誰だったのだろう。現在の「実社会の要請に応える国語」というのも、つまり経済界の要請に応える国語だと「率直にいう」べきである。経済界を指す婉曲語法としての実社会ならざる実社会、私たち自身の実社会に流れる声を聞くすべを、そして私たちの実社会で語るすべを学ぶための国語を、すっかり乏しくなってしまったこの現実の中から作りだしていかなければならないのだ。

再確認したいが、この「改革」は二〇一五年初めに下村博文文科大臣が宣言した「高大接続改革」に枠づけられている。本来なら事の順序として、まず改訂学習指導要領に沿った三年間の高校教育が行われ、その後それに即した入試が行われるはずである。しかし実際には高校の新学習指導要領に基づいた教育課程がスタートする二〇二二年より前、二〇二一年に第一回の共通テストが実施されている。大学入試を変えれば高校はそれを見据えた授業をせざるを得ない。高校の教育内容が変われば大学教育の構えもこれまでと変わらずにはいられない。入試を使えば高校生の運命を人質にできる。それを高大の蝶番にすることで疑問の声をあげる余地もなく改革を進めるというプランは、それ自体が高圧的な姿勢を示すものだった。(5) さらに高大接続宣言と同年に同じく下村大臣による「教員養成系学部・大学院、人文社会科学系学部・大学院」について「組織の廃止や社会的要請の高い分野への転換」に取り組むよう通知がなされ、強い批判をひきおこした一方で、「人文系」を不用品ととらえる議論が話題を呼んだことも覚えておこう。今回の高校国語の改革もこのことと切り離して考えることはできない。となると今後はこの流れに対抗する下からの高大接続の国語が模索されなければならないだろう。

註

（1）「移民時代」を見据えた「国語」問題を問う論者は、この文化ナショナリズムが同化主義につながることを危惧する。日比嘉高「高校国語科の曲がり角――新学習指導要領の能力伸張主義、実社会、移民時代の文化ナショナリズム」（『現代思想』二〇一九年五月号）、川口隆行「国語教育と日本語教育」（紅野謙介編『どうする？どうなる？これからの「国語」教育――大学入学共通テストと新学習指導要領をめぐる12の提言』幻戯書房、二〇一九年）を参照。

（2）「教科書検定　やまぬ怒り堂々と小説掲載、採択数1位に」『毎日新聞』二〇二一年一二月二七日。

（3）以下は佐藤泉『国語教科書の戦後史』（勁草書房、二〇〇六年）の内容と部分的に重複する。

（4）大滝一登・高木展郎編『新学習指導要領対応　高校の国語授業はこう変わる』三省堂、二〇一八年。

（5）五味渕典嗣はこの改革が安倍政権のレガシーとすべくオリンピックの「２０２０」に紐づけられたことに注意を引いている（『「国語の時間」と対話する――教室から考える』青土社、二〇二一年）。これもよく覚えておこう。

第Ⅱ部 「聞き書き」と文学史への抵抗

6 越境する日本語

植民二世・森崎和江の思想

はじめに

森崎和江は一九二七年四月に日本支配下の朝鮮に生まれ、一七歳までそこで育った。日本を知らない日本人として成長し、古都慶州の美しい風土と人々の中で自分の基本的な感性を形作った彼女は、後に日本語による表現者となるのだが、しかし次のように自分を形作り、自分の「肉」となった朝鮮を長い間言葉にすることができないままでいた。

唇には、背負ってくれたオモニとネエヤの髪がはりついている。(略) その一すじの髪毛についての私のこころは、いまだに一度もことばになっていない。(略) 私はひたすら朝鮮によって養われた。オモニに逢いたいが礼をのべる立場をもたない。私はこの小文を朝鮮人の目からかくしておきたい。その感情とのたたかいなしに私は朝鮮が語れない。

私は朝鮮について、事実を——私の肉となったものを——表現する自由はない。私はそれをおしころしてきた。おしころすことで、ネエヤをさらにふたたびおしころしている……。ここは、私のこの肉のどこかは、あれの墓である。(「二つのことば・二つのこころ」[1])

この場面に登場するのは小さな子どもとそれをケアする他者である。いかなる言語的な記憶をも逃れる幼年期の「私」、その唇にはりついたネエヤの一すじの髪。なまなましく具象的なこのイメージが、具象的であるとまったく同時に象徴性を帯びるのは森崎の思考の特徴だといっていい。この場面には「私」の形成に関わる根源的な条件が映し出されている。私の身体も生存も私が選択したわけではない他者によって支えられている。脆く、無力な子どもの身体を保護してくれた他者がそこにいたという事実、根本的でしかも自分の意志によらない事実を通して私は私になったのだ。だとすれば私は私自身にだけ関係しているのではない。「私のこの肉のどこかは、あれの墓」であり、つまり私の一部は他者である。そして植民者の娘・森崎の場合、その他者はいつも彼女を背負ってくれた朝鮮人のオモニでありネエヤだった。彼女の存在はそれじたい植民地主義と分離できない様態において形成されている。しかし、その過程のすべてが言語的存在に先立っているために、オモニやネエヤを言語化することはできない。表現しないことで、自分を作りあげた朝鮮を、より深く「おしころす」ことにもなっている。森崎はこうした強烈な逆説の所産として「私」を捉えていた。

鋳型

自分は朝鮮という「鋳型」に型どられた存在だと森崎は書いている。あるいは、「私は顔がなかった」とも言っている（「わたしのかお」[2]）。

森崎が朝鮮で育った自分を語る場合、いつでも精確に語ろうとし、そのために言葉が詩の言葉にならざるを得ないこと、そして詩の言葉でなければ可能にならない類の思想を切り開いていったことに注意を払っておこう。「鋳型」という言葉もまた高度に精確な詩語である。朝鮮はそのままの姿で支配者の娘の前に現れたりなどしなかった。それは敗戦から二〇年を経てわかったことである。森崎は朝鮮の懐で育ち、その風土を限りなく愛したが、それはそのままの姿の朝鮮でなく、「実は彼らの民族性の裏返されたものであったろう」（「故郷・韓国への確認の旅」[3]）。型どられたものとそれを型どった「鋳型」とはぴたりと一分の隙間なく張り付いている。にもかかわらず、その凹凸は裏返しなのだ。自分が他者を鋳型にして成型され、しかもそれが裏返しの他者だったのであれば、自分には起源と呼び得る起源はなく、自分は自分にとって二重に他者である。「私は自分の顔にさわると、その鋳型となった朝鮮のこころに外からふれている思いがする。外からさわりうるだけである」（「わたしのかお」）。

そして、植民地朝鮮に型どられた自分は、敗戦とともに鋳型から剥離し、その時限り遠ざかった。それから二〇年間、森崎は日本で顔をもたない時を過ごす。「敗戦後二十数年、私は私の鋳型である朝鮮を思うたびに、くだらなくも泣きつづけた。この断章も泣き泣き書いている阿呆らしさである」（「わたしのかお」）。

自分が泣きつづけたとして、朝鮮にとってそれが何だというのだろう。その涙が加害者の無自覚にすぎないとすれば、徹底的に無意味な涙であり、くだらないというほかはない。ただ、その地に生まれ、すべてを吸収して自己を形成した彼女にとって、朝鮮は自分の肉であり、なおかつ自分の他者だった。自分の内の他者、自分そのものである他者、そうしたものとの関わり方は加害／被害の単純な対応に収まるものではない。彼女は、自分の肉となったものを言語化できずにいたが、それは被害者の思いに対して恐縮していたからではない。それを表現する方法そのものを失っていたのである。

彼女は三・一独立運動も光州抗日学生事件も知らなかったと、後から振り返る。何ひとつ理解しないまま、何ひとつ選びとったわけでなく、自分はそこで自分となった。だから自分に罪はないというのではない。「自分の出生が――生き方でなくて生まれた事実が――そのまま罪である思いのくらさは口外しえるものではない」（「二つのことば・二つのこころ」）。

森崎の個体史は日本の植民地政策の歴史から分離することはできない。にもかかわらず彼女にとっては「個体の歴史をさておいて頭にえがくことができるアジア史、世界史のほうが鮮明」であり、また「朝鮮の民衆や農民や学生がたどった植民地闘争の書物上の歴史のほうが明確」だった。奇妙な歴史感覚である。大文字の歴史は明瞭に理解できるが、そこには自分自身の個体史を書き込む場所などどこにもないのだ。

植民地の日本語

支配者の娘森崎は、朝鮮時代も日本での戦後も一貫して「日本語」を使っており、その意味で彼女は何一つ失っていない。ただ、その日本語は「方言のない学習用語で、標準語と言っていた」[4]。つまり、朝鮮人の子どもたちが朝鮮語を奪われるのと引き換えに学校で習ったのと同じ、植民地の日本語ということである。森崎と朝鮮人の子どもたちとは「同じ」日本語を使っていたが、しかしその「同じ」を子細にみるなら、そこにも支配と被支配とが表裏をなして張り付いた「鋳型」の関係を見て取ることができる。

日本人の子どもである森崎は日本の童謡を歌い、童話を聞いて育った。しかしながら「ネエヤは十五で嫁に行き、おさとのたよりもたえはてた」という唄を唄う時頭に浮かぶのは「私を負ってくれたチマ姿のネエヤ」だった（「わたしのかお」）。また「おじいさんは山へ芝かりに、おばあさんは川へ洗濯に、という話は、私には朝鮮服を着た朝鮮のおじいさんおばあさんの行為としてしかえがけないのである」（「故郷・韓国への確認の旅」）。もちろん「鶴の恩返し」の鶴が嫁入りするのは、白衣にチゲをかついた朝鮮人の若者であり、「そうでないと物語のこころが読めない」。しかし「私は、物語のこころをたのしんでいるうちに、ふと、われにかえる。そうして、しばし、もやもやを味わわねばならぬ」（「わたしのかお」）。

森崎の日本語の肉の部分は朝鮮の風土と人々でできていた。ここで考えたいのは、同じ時期の、植民地朝鮮の子どもたちの「日本語」のことである。ここでは、在日朝鮮人の詩人、金時鐘が自らの幼少期を痛切な思いとともに回想した文を参照しよう。[5] 金時鐘は森崎和江と二歳ちがいで、一九二九年に釜山で生まれ、済州島で育った。つまり母国語を奪われつつ日本語を教育され、「朝鮮人の私が朝鮮語を朝鮮でなくした」世代である。そして優秀な皇国少年だった彼は、それを喪失とも悲しみとも感じることを知らなかった。金時鐘は、日本人の教師が、身振り手振りで楽しく話してくれる「桃太郎」や「金太郎」を、その時はまだあった「朝鮮語」の時間以上に楽しみにしていたことを、顔を上げられない思いで回想している。ということは、金時鐘もまた日本人の森崎と同様に、「おじいさんは山へ芝かりに、おばあさんは川へ洗濯に、という話」を聞いて育ち、「物語のこころ」を楽しんでいたのである。森崎はその時白衣の朝鮮服を着たおじいさんとおばあさんを頭の中に描いていたが、金時鐘はどうだったのだろう。朝鮮服のおじいさん、おばあさん、朝鮮の風土と人々でできている日本語の物語。二人は朝鮮で「同じ」物語を描いていたのだ。子どもの金時鐘は、押し付けられたとさえ知らずに日本の歌である「夕焼け小焼け」を歌った。森崎が歌っていたのと同じ、「ネエヤは十五で嫁に行き」である。そのネエヤも「チマ姿のネエヤ」だったことだろう。

二人は朝鮮の地で日本語を使い、その日本語の肉の部分は朝鮮の人々と風景とでできていた。二人の日本語が植民地の日本語であり、その構造において「同じ」であったことに私たちは虚を突かれ、そして深い戸惑いを覚える。その同一性は、支配と被支配、加害と被害の同一性であり、同じといえようはずもないものの同一性であるからだ。ここにみられるのもまた一部の隙間なく張り合わされた「鋳型」の関係であり、接面と離面のさかさまに張り付いた同一性なのだ。

同じ朝鮮の時空で日本語を吸収した森崎／金時鐘は、一方は奪った側の娘として、一方は奪われた側の息子として、逆の方向から深々と植民地を生き、そして大文字の歴史に書き込むことのできない個体史を背負い込んだ。重要なのは、別の立場からともに日本語詩人となった二人が、それぞれに自分の個体史の痛みを「日本語」そのものに対して差し向ける問いとして言語化したということである。日本語を空気のように、魚にとっての水のように、自然な環境とするものには、自分自身の日本語に内在する距離を測定することができないが、自分自身に対する隔たりをみつめる二人の日本語論は、日本語を自明のものとする言語的主体の死角を示し、そこから立ちあらわれる亡霊となるだろう。空気のように自然である日本の日本語にさえ、その亡霊は憑りつき、離れることはないのである。

「私は日本語をつかいながら、そのことばのもつイメエジのほとんどを朝鮮化して用いてきた。その集積からのがれ去ることは、もう私には不可能なのである。その偏向の事実によって、その原因とたたかう以外にないのである」（「わたしのかお」）。森崎の日本語は、日本語に対する距離なき距離を内在させている。森崎の感性を構造化した言葉は、まぎれもなく彼女の国の言葉であり、その意味で何ひとつ奪われていない。しかしその日本語は、単一言語使用者の言葉であっても、その内側では言語の疎隔化がいつでも起こっているということをなまなましく告げる事例でもあるのだ。自分の思考、感性を秩序化したたったひとつのことばは、朝鮮の子ども金時鐘が自国語を奪われながら父にそむいて吸収したのと「同じ」言葉であり、他者の言語だった。自然な言語、自然な感受性といわれるものが自然であったためしなどない。植民二世の日本語は帝国日本の植民地体制が生んだ特殊な歴史的産物だが、しかし森崎がその特殊性を彼女自身の生の次元で引き受けた地点で、それは逆にあらゆる言語的主体に対して突きつけられる普遍的な疑問符へと転じている。だれしも人は自分の思考を可能にし、自分の感性を分節した根源的な言語、かけがえのないたったひとつの言語を持っている。それでも、自分の内でもあり外でもある言語という場においては、一なる言語の脱構築がいつでも起こっているのだし、それを防ぐことはついにできない。森崎の言語は、ひとつの言葉の内の隔たりなき隔たりを指し示し、そして母語、母国語、かけがえのない私の言葉という固有性の観念を掘り崩している。彼女の日本語はつねに他者の言葉だった。

ユダヤ人を両親として植民地アルジェリアで生まれ、フランス語使用者として育ったフランス人であるジャック・デリダは、「私は一つの言語しか持っていない。ところが、それは私の言語ではない」と書いている。(6) ジャック・デリダのフランス語、森崎の日本語、金時鐘の日本語。そこに浮かび上がるのは、まず第一に彼ら彼女らの個体史に根ざした遠い痛覚、過ぎ去ることのない痛みの感覚である。だが同時にそれは、言語一般にとってのある普遍的な問いでもある。私の感性を形成した言語、その意味でたったひとつの言語、それは自分に対してそうと感知されることのない隔たりをもった他者の言語であり、そこには不可視の亀裂が走っている。

森崎和江は自分の痛みが植民者の側、奪った側の痛みであり、くだらなくも阿呆らしい痛みであることを正しく理解していた。それは反植民地主義の、抵抗の、解放の歴史の語りの中に場所を与えられない痛みであり、いかんともしがたく無意味で有害なばかりの個体史である。それでもその無意味さからなお何かを汲みとることがもし仮にできるとしたら、それは「鋳型」の力を借りることによってのみ可能になるのだという認識が森崎には直感的にあった。彼女はその後もたとえば日本語で育った在日二世に呼びかけ、また自らの経験を語る言葉がないと感じているものたちの言語意識に思いを寄せ、それぞれの「欠如」を結びつけようとした。言葉の欠如は、欠如であるとともに連帯の思想に転じ、それは全き日本語なる観念を幾重にも包囲することになるだろう。

韓国再訪

一九六五年、植民地支配責任を棚上げにした日韓条約が反対の声があがる中で締結され、日韓の国交が回復された。一九六八年四月、森崎は父が初代校長をつとめた慶州中高等学校の開校三〇周年記念式典に招待され、二〇年あまりの空白を隔てて韓国を訪れている。森崎はその時のことを帰国後まもない時期の文、「故郷・韓国への確認の旅」「土塀」などいくつかの文章に書き、さらに二年ほどたってから「訪韓スケッチによせて」[7]を書いた。森崎はひとつの場面に繰り返し立ち返ってはその意味を深化させていく。それが彼女の思想のスタイルである。

韓国との再会は、何より父の教え子たちの内に残存している「日本語」との再会だった。森崎は二〇年ぶりに会った彼らの日本語が昔のままだったこと、そこに「なんのなまりもないことに激しいめまいを覚えた」という。「日本に帰って来て、その日本語と同じことばを耳にしなくなっていた。地方はもとよりのこと、東京語も、そして共通語にも地域ごとになまりがあったから、わたしは亡霊となった自分に出会った気がした(8)」。

植民地支配が終って日本が立ち去ったからといって、彼らの内の日本語が立ち去ったわけではない。森崎を迎えた父の教え子たちの内側には、今なお「日本」が居残っていた。彼らは森崎の父、かつての日本人教師の記憶を敬愛をこめて語ったが、歴史のこちら側からいうならその関係は逆説的である。それは真の敬愛だった。敬愛のふりではなかった。だからこそ教育の場の支配は内的な深みにまで及んでいたことになる。理想主義的な教師だった森崎の父はそのためにこそ罪業を深めたのであり、そして、父の教え子たちはその逆説を深く理解しているようだった。


彼らが各自に、脱ぎ捨ててしまうことが不可能な体験としている日本の影は、私のように彼ら民族の影からのがれえないものだけが、その噛み合ったあとの深さを計るばかりであろうか。そしてまったく相反した立場での体験の、そのねじれ合った傷あとだけを資産のようにして相対すのである。(「故郷・韓国への確認の旅」)

プラスの資産なのかマイナスの資産なのかわからないまま、こうして訪韓直後の文にすでに「傷あと」を「資産」へ転化させようとする祈りのような表現が現れている。ただ、そこに思想的内容を与えるまでにはもう少し時間が必要だったようだ。さらに二年後の「訪韓スケッチによせて」で、森崎は父の教え子との再会という同じ場面に再び立ちかえっており、そこでは植民地の日本語という主題がより深められている。

おそらく仮名だが、金英洙という男性は、森崎の訪韓をほんとうに待っていたと告げ、そして彼女にこう尋ねた。「解放後二十数年たっても、まだわたしの感覚はにほん語を話しています。気分をこわさないで聞いてください。(略) 精神の形成期に使ってきたことばから、人間は完全に抜けられると思われますか? 一生の間にふたつのことばを国語とし得るものなのでしょうか」。

かけがえのない言葉が支配者の言葉であり、自分にとってそれがたった一つの言葉であるほかないのだろうか。この問いは先に触れたように訪韓直後の文の中にも表れているが、二年後のこの文にはさらに森崎がどう応答したのかが書かれている――応答がもし可能だったなら、このように応答したかった、と後に考えたのかもしれないが、その可能性を含め、森崎の思想として捉えることにしよう――。自分の内の言葉に苦しむ相手に対し、森崎は自分もまた言葉に悩んだのだと応じようとした。自分は「にほん語」しか知らない。にもかかわらず敗戦後、言葉に悩んだ。「にほん語がふたつに割れる」「あえていうなら、ふたつの民族の心に割れる」。つまり、日本の侵略の結果、自分の民族にも相手方の民族に密着しえず、自分もまた固有の民族性なるものを持ち得ない。森崎は、金英洙と自分の「にほん語」に、どこか重なるところがありはしないかと問うのである。

どちらの民族にも密着し得ない。だがそれはマイナスの意味しか持ち得ないのだろうか？　別のやり方で思考することはできないだろうか？　欠けるところなき民族性を持ち得ないこと、それは固有性や自然さという基準からはマイナスであり欠如である。しかしその欠如感は、逆に本質的な民族性という観念の内に自閉する両民族に対する批判の力となり得るのではないか。そこから「両民族の限界破り的機能を果すところの媒介者の思想」を生み出せないだろうか。森崎は彼にそう問いかける。

集団の自閉性、自足性を破壊し、集団を再創造する機能、それを森崎は「媒介者」の機能と呼んだ。「媒介者」は、この時期の森崎の文にしばしば現れる概念だが、[9]おそらくその背景になっているのは、森崎もそこに参加した「サークル村」の集団的文化運動の思想だと思われる。一九五〇年代末の九州を舞台に活動した「サークル村」は文化運動の実践を通して「集団」を均質集団としてではなく、多数で多様なものの接続としてとらえ直した。「サークル村」の運動の主軸をなす「集団」の思想は、一方で単独の個人という近代的な主体概念に対して批判的距離を取り、同時にその一方で、しばしば「日本的」と形容される排他的同質集団のイメージを覆そうとしていた。この両面作戦をとった点で「サークル村」の集団の思想は戦後思想の中に特異な位置を切り開くものとなっている。そして自らの内に自足し自閉した集団からは、政治文化を刷新するような新鮮な力はもはや生まれない以上、集団にはほかとの集団との衝突が必要なのである。一つの集団がほかの集団と衝突し、打撃を受け、互いの異質性を発見し、その異質性を掘り下げる。こうした運動によって、対立がそのまま共闘と同義であるような、さらに高次の集団を生みだそうとしたのが「サークル村」だった。知識人と大衆とは互いの言語を衝突させ合う必要があり、炭坑労働者は郵便局員と、学生は女性労働者と出会う必要がある。そして異質なものが出会う場にあっては、相互の異質性を媒介する「工作者」の機能が必要とされる。波風立たない集合でなく、異質なもの同士の衝突、対立という契機こそがそこに不可欠である以上、工作者は二つの集団を仲人よろしく取り次ぐのではなく、むしろ取り次ぐべき集団を変換し、翻訳し、それによって新たに産出しさえする。だから、その思想は元の集団のアイデンティティにとっては「加害者の思想」となるだろう。集団と集団の間にいる工作者は、どちらに対しても翻訳＝裏切りを行うものとして、どちらの集団にも完全には密着せず、「偽善」を強いられ、そしてどちらからも挟まれることになるだろう。「サークル村」は何よりそうした「工作者」たちを生み出すことを活動の第一の目的としていた。[10] 森崎はこうした「サークル村」以来の集団の思想、工作者の思想を、どちらの民族にも密着し得ない自らの実存に差し戻し、アジアの他者との歴史と交流というスケールにおいて再創造したのである。集団内部にありながら自らを異物と感じとり、だから他の異質さに呼びかけないではいられない。純粋かつ十全な民族性という観念を打撃し、変換しつつ接続する「媒介者」は、森崎自身の無意味かつ切実な個体史からかろうじて捻出された思想だった。

森崎の「媒介者」の思想は今日の私たちにとって間違いなく重要な示唆を与えている。ただそうだとしても、解放後もなお自分の中から立ち去らない日本語に苛まれてきた金英洙に対して、それを強いた国に属す森崎が、私もまた「同じ」なのだという時に、後年の読者はいくぶん居心地悪い思いをせずにはいられない。工作者や媒体者の思想がもとより「加害の思想」と規定されているのだとしても、植民地支配という文脈においてそのアイロニーは有効性を維持できるのだろうか。できないのならば彼女の姿勢は加害意識の希薄さ、あるいは欠如ともみられかねない。何より不遜なことである――金英洙も森崎が「支配民族の立場」だからそう考えるのではないかと言っている。森崎の不遜さについては後に改めて考えたいが、ただここで確認しておきたいのは、彼女には自らの欠如感によって相手の欠如に呼びかけようとする切迫した意志があったということである。彼女は日本人が単独で掘り下げていくような罪の意識には限界があると考えていた。

彼女がことさら不遜な媒介者として振る舞う理由はほかにもある。森崎は、そこに自らの位置を書き込んでいないような一般的な「正しさ」に対して批判的だった。被害者と加害者は、敗戦／解放とともに隔てられた。それは植民地支配の終わりであり、正義の回復である。ただ、その時から加害側の日本は被害者の顔を忘れ、同時に被害者の顔の裏返しである自分の顔をも忘れ、結局は責任の意識を忘れた。そのように正義の回復と思考放棄とが結託するのであれば、戦後という時間における正義はすでに形骸化している。それは正しいのではなく、正しさの身ぶりにすぎない。

解放後の韓国で「日本語」は親日派の標とみなされかねない。また、戦後の日本において「植民地育ち」は帝国主義への加担者とみなされかねない。その見方は一般的に「正しい」。だが、歴史のある局面において、被害者と加害者は深々と「同じ」日本語を生きていた。そこに内包されている歴史的内容は、後年の歴史記述よりもはるかに複雑なものである。植民地という歴史の空間において同じ場所を逆方向から生きた主体が深くねじれ合いながら相互に形成された。そのいかんともしがたい「傷あと」を、その歴史を乗り越えるための「資産」に転化させることはできないか。森崎は、歴史の複雑さとそこから掴み取り得る可能性をあらかじめ切り捨ててしまうような固定した正しさとは無縁であろうとしていたものと思われる。

歴史の犠牲者、歴史の行為者

森崎は現代中国研究者の竹内好を追悼した文のなかで、「そもそも「侵略」と「連帯」を具体的状況において区別できるかどうかが大問題である」という竹内の一行を引き、「もうこの一行だけでいい」と思うほどまでに心動かされたと書いている。[11] 日本近代の思想潮流の中からアジア連帯の伝統を探ろうとした「アジア主義の展望」の中の一行である。[12]

言うまでもなく日本のアジア主義思想の多くは、侵略と膨張主義のイデオロギーとして機能した。そのことを認めた上で、竹内は「見方によっては徹頭徹尾、侵略的」なイデオロギーであってもそれを性急に断罪することなく、その内側から連帯へ結びつこうとする思想成分があったとしたら、それを抽出する必要があると考えた。現実の歴史においてアジア連帯はアジア侵略と化した。そうだとしても、連帯の思想的伝統を形成する作業を断念するわけにはいかない。こうした竹内好の企図は思想の内容のみならず、思想のスタイルとしてもきわめて特異なものである。思想史家は一般的にある思想を全否定もしくは全肯定し、あるいは貢献と限界の分岐点を見極めようとする。だが竹内はそうしたやり方でなく、思想の全体を取り上げ、なおかつ水素と酸素をそれぞれ析出するようにして思想成分を抽出しようと企てたのである。アジア主義とともにやはり悪名高い言説として知られる著名なシンポジウム「近代の超克」を取り上げて、竹内はこのように述べている。「思想からイデオロギイを剥離すること、あるいはイデオロギイから思想を抽出することは、じつに困難であり、ほとんど不可能に近いかもしれない。しかし（略）事実としての思想を困難をおかして腑分けするのでないと、埋もれている思想からエネルギイを引きだすことは出来ない。つまり伝統形成はできないことになる」[13]。

森崎は竹内好の思想史のスタイルをより深いレベルで汲み取ったものと思われる。森崎の代表作『からゆきさん』（朝日新聞社、一九七六年）では、「からゆき」という言葉の当初の用法にしたがって、近代の幕開けの時期に海を渡って唐天竺＝アジアに散っていった民衆を、男女を問わず「からゆき」と呼んでいる。だから、娼婦として売られアジアの各地で娼楼勤めをした狭義の「からゆきさん」たちばかりではなく、アジア主義の壮士たちもまた語の当初の意味における「からゆき」ということになる。その両方を兼ねる者もいた——からゆきたちをめぐる幾つもの挿話の中には、「満洲匪賊のめかけとなったからゆきさんが、思いもかけぬほどの視野と胆力で、中国人と日本人朝鮮人の間をかけめぐって中国革命のとおい礎石のひとつになったこと」も含まれている。先に触れた森崎の「媒介者」の発想元は、まず誰よりもこのからゆきさんだったと考えられる（「媒介者の思想」[14]）。ただ、からゆきの問題圏にあるのはこのような連帯の痕跡ばかりではない。一方でアジア各地の娼楼に売られていったからゆきさんたちでさえ、侵略の露払いとなり戦争と様々な形でつながっていた。森崎は「からゆきさんすら一椀のめしを現地の民衆とうばいあう関係のなかにいた」ことを見逃すまいとしている。

森崎はからゆきさんを単純に断罪しているのではないし、彼女らの痛ましい運命を単純にあわれんでいるのでもない。海外に売り飛ばされ、売春を強要された少女たちの過酷な生涯に対してなお末端における侵略をみなければならないのは、その地点にこそ「庶民の生存と国家の意図との宿敵のような関係」が現れるから、そして「庶民のナショナリズムそしてインターナショナリズムと、国家のそれとのくっきりとしたちがいが、下層民衆のアジア体験の場に浮き出るから」である。森崎は身体を売るほどの過酷な体験をしていない。その森崎が「醜業婦」として蔑まれもしたからゆきさんに出会うための唯一の隘路がもしあるとしたら、それは彼女らをあわれみの視線でみることではない。そうでなく、彼女らがそのアジア体験の中から育てあげた心象世界を「日本への鋭い内部批判として受け取ること」を通してであるほかはなく、だから過酷な生を強いられた彼女らさえも日本民衆と同様に加害性を免れなかったという地点を「見のがしてやるような不遜な立場をつくり出すことなく」彼女らに出会わねばならないのだ（「からゆきさんが抱いた世界」『匪賊の笛』）。

その加害性をも含めて、アジア諸民族と肌身で接した数多のからゆきたちの体験こそが日本への内部批判の思想を生み出すための手がかりとなり、そしてそれが民衆が国家の思想から身を引き剥がすための契機となる。場所により、時代により、様々に異なる多様な「からゆき」たちの体験は、「侵略」から「連帯」にわたる微細なグラデーションを描きつつ、日本民衆の他者との出逢いの思想を映し出している。彼ら彼女らは何がしかの夢を抱いて海を渡り、食をもとめ、アジア連帯を試み、あるいは日本の支配権力と結託し、それぞれの夢に挫折した。森崎の両親の出身地、福岡は多数の「からゆき」たちを輩出した土地であり、理想主義者だった森崎の父親が海峡を越えたのも、やはりこの地の人々が育ててきた心性を分け持っていたからではなかっただろうか。侵略と連帯が分かちがたく浸透しあう無数の歴史経験を土壌として、森崎は民衆の生の事実と思想の複雑さを理解しようとした。何より侵略の罪業と切り離せない自分の個体史を記憶から厄介払いしてしまわないことによって、それを自らの思想的文体を生み出す場としたのである。

森崎は自分の個体史をまぎれもなく「原罪」だと認識し、父親の生を「無益有害」な生だと認識している。しかし同時にそうした無意味な生の内奥に層々と積み重なった経験を無視することによって叙述の一貫性を獲得するような歴史は、歴史の重要な厚みを縮減してしまうことになると考えていた。植民地支配、侵略主義を悪というのは正しい。だが、正しいだけのことであれば思想的衝撃にはなり得ない。それ以上に、負の問題もそこには胚胎されている。何より、正しい歴史は朝鮮人を植民地主義の被害者、犠牲者として記述することはできても、彼らを抵抗の主体として、あるいは歴史の行為者として理解することを難しくする。さらに、形骸化した正しさに依拠してものをいうなら、その時主体の更新はなされない。公式の正しさを公式的に繰り返すのは罪悪の認識として浅薄であり、その道徳的判断は道徳をひからびさせることはあっても道徳に何ものかをプラスすることはないだろう。

他者である朝鮮人を支配し、その文化と民族語をうち砕くのは残忍なことである。だが、民族語は砕かれつくすことなく、逆に植民二世である森崎の日本語の肉の部分に憑りついた。戦後の森崎は詩を書き、批評を書く日本語表現者となっていくが、その作業は自分の日本語の偏向をみつめ、その内にひそかに仕掛けられた時限装置のごとき朝鮮民衆の思惑を感じとり、その限りない優しさの中でまったく同時に展開されていた抵抗の跡を発見していくプロセスとなる。

「私の基本的美観を、私は、私のオモニやたくさんの無名の民衆からもらった。だまってくれたのではない。彼らは意識して植民地の日系二世を育てたのである。ようやく今ごろわかる」(「わたしのかお」)。

自分が朝鮮によって「作られた存在」であるとしたら、そのような存在を作った朝鮮の人々は歴史の無力な犠牲者ではない。行為主体としての彼らは何ごとかを行う空間をもっており、そこが森崎が森崎となった場所である。彼らによって作られた自らの生の亀裂をみつめることによって、森崎は被支配者の政治的行為能力の空間をほかならぬ自分の内に開いた。被害者を被害の相においてではなく、歴史の行為者として再評価することは、被害の程度を相対化してしまう加害者的な鈍感さと紙一重であるかもしれない。「私自身が今あるごとく作られるために、彼女らはどれほどの破壊を経てきたことか」(「わたしのかお」)と書く森崎はそのあやうさを自覚していた。それでもなお、彼女は非難をも厭わないと言った。

「半日本人」を繋ぐ

朝鮮民衆の抵抗の空間をほかならぬ自分の「肉」の内に開こうとした森崎は、同時に植民地主義以後の協働の可能性を探ろうとしていた。植民地生まれの日本人である森崎は、日本生まれの朝鮮人である朴寿南へむけて共闘を呼びかけている。

あなたの文章を読みつつ、一面でしきりに考えさせられたことは、（略）在日朝鮮人の二、三世であるあなた（方）と、朝鮮生まれの私（たち）とで、両方からはさみうちするようにして、互の原体験の追究ができないものかということでした。その両方の体験は奥ふかい根の部分できっとからみあっていて、どちらが主体でもない歴史によって、ふりまわされていることでしょう。現実的にはまことに困難に思われるそのとおい道のりにへこたれずに、なんとかその根を越える地点へとお互を凝縮しあい、両民族にとって本質的でしかも現代的な問題提起ができますなら、すこしはお互の個体史も積極的な意味をもつであろうにと、しみじみと思いました。（「朴寿南さんへの手紙」[15]）

在日二世の朴寿南は、小松川事件で死刑となった李珍宇[16]の支援活動をはじめとして、在日朝鮮人の若い世代の動向を見守ってきたジャーナリストである。この時期の彼女は、日本で生まれ、朝鮮を知らずに育った在日二世の若者が、「半日本人」、パン・チョッパリという蔑称で自らを呼ぶという強烈な自嘲について報告している[17]。

「半日本人」という言葉には、支配と抵抗の歴史が幾重にも層をなして重なっている。かつて植民地期の朝鮮人は、支配者として乗り込んできた日本人が足袋や下駄をはいている様をみて、チョッパリ、牛や羊などひずめのある動物、と呼んだのだという。しかし植民地主義以後の歴史は、やがて日本で生まれ日本語で育った二世の世代を生み出した。自らを半分のチョッパリだと自嘲する在日二世たちは、親世代の朝鮮人が日本人に向けた満身の怒りと侮蔑を、ほかならぬ自分自身に突きつけているのである。その墜落感を、朴寿南は自らのものとして詳細に記述している。

森崎は「半日本人」の絶望を汲みとるとともに、だがそこからの再起の道は、「半」ならざる十全な民族性の回復であるほかないのだろうかと問いかける。「半」を生きる思想もあり得るのではないか、と。そして、いくぶん言葉遊びめくことを認めつつ、森崎は朝鮮生まれで日本になじむことのできない自分もまた「半日本人」、パン・チョッパリだと言うのである。

敗戦このかた日本で暮らすようになった森崎は、個人としての「私」の存立も、また、異質な他者の存在も、いまだかつて認めたことのないような日本の同質的共同体の体質に激しい嫌悪を感じ、そのために周囲の人々を傷つけ、自分をも苛んできた。彼女は日本になじむことを拒否し、そういう自分をもてあましていたようである。その意味で、彼女も「半日本人」だった。在日二世と植民二世と、逆方向からの「半日本人」は、ともに自国と自民族の本質なるものから断絶した場に生を受けた。生まれるべき所で生まれず、生まれるべきでない所に生まれた自分たちは、その掛け違った生の体験の意味を共同で追及できないだろうか？　森崎はそう提案したのである。

彼ら在日二世の若者を「半日本人」たらしめた歴史に責めを負うはずの日本人が、その言葉を自らに引き付けて引用し、誤用し、私もまた「半日本人」だというのは、いわば身勝手な共感であるかもしれない。同じように「半」を生きているのだとしても、奪った者と奪われた者との決定的な裂け目がそこには横たわっているのだから。ただかろうじて言えるのは、「半日本人」という蔑称を誤用し、すなわち意味付けなおし、その作業を通して、語の内に潜在していた意味を明るみに引きだした、ということだろうか。完全な国民という基準によれば欠如であり「半」である自己は、首尾一貫した全き国民という帰属幻想に脅かされることのない自己をこの場で生み出すことができるのではないか。「半」を生きることによって、母国という起源に一致するという最終的に不可能な主体化の夢に傷むのでなく、今いる場所から次の歴史を生み出すことができるのでは。

「私には、あなた方二、三世が、母国へ類似している自分を探すよりも、民族的本質を断絶的に継承していることの内実を思想化し、その内側に加工し乗りこえて編入させている日本的質をとらえて日本人の視界をくだき、それら力量を母国の民族らへの衝撃としてくださることを心から念ずるのです」(「朴寿南さんへの手紙」)。

「民族的本質」をそのまま保存するのでなく、それを断続的に継承している二世は、その固有の力量によって、逆に真正の民族性という価値に衝撃を与えることができるのではないか。[18] この提案は、森崎が逆方向からの二世であることを根拠とし、動機としている。そして、植民地の体験は両民族の絡み合った体験であり、だから「被害意識をどれほど掘っても、また加害の罪を自民族内で追っていっても、その歴史的事実をふみこえることにはなりませんし、どちらの民族にとっても衝撃になりません」。どちらの二世も負の歴史の所産というほかないが、だからこそその歴史を越えて何事かをなすことができ、歴史に衝撃を与えることができるのではないか、というのである。

在日二世と植民二世、植民地主義の歴史の所産である対称的な二つの「二世」は、それを作り出した原因を超える思想的位置として再定義され、さらには普遍化されている——森崎は「パンチョッパリ」の語法をもうそろそろ古典化させてほしい、と要求するのである。「半日本人」の概念を、国家、民族と一致した十全な国民という観念を破砕するための、いわば方法としての「半日本人」へと拡張するなら、それを鍵として「自民族自閉症の患者である日本民衆」を国家意識に同調せざる「パンチョッパリ」として組織できるのではないか？　その点で在日朝鮮人の歩んできた歴史は、日本民衆にとっての参照項となる。「私は思う。在日朝鮮人が国家に依らずに民族としての自立存続の根を探さんとして、迷い呪い苦悩した歴史は、日本民衆にとっては、一つの先行した思想の跡であって、私たちは敗戦でもまだそこへ至らなかった、と」（「民衆の民族的出逢いを」[19]）。

「パンチョッパリ」の思想を必要としているのは民族自閉の病がより重篤である日本の方なのだ。それでも森崎はここで「半日本人」という日本語表記でなく朝鮮語音の「パンチョッパリ」の方を使っている。朝鮮語音の中にはもとの「チョッパリ」に込められた侮蔑、抗い、誇りという情動が刻まれており、さらに「パンチョッパリ」と自らを自嘲した二世たちの絶望がそこに重なっている。この語を今度は国家意識を掘り崩す思想語へと転じさせるにせよ、植民地主義から植民地以後への歴史が縫いこまれたこの語の遍歴を消去すべきではない。国家、民族を単位とする思考を揺さぶり、文化と政治を別様のやり方で語る可能性は、やはりどこまでも残り続ける歴史の痛覚の内から、かろうじて捻出されるものなのだから。

「半日本人」であることに傷んでいる歴史の被害者に対し、私も同じ「半日本人」だと呼びかける。同列に扱うことのできないものを同列化する。言ってみれば慎みというものを知らない。森崎もまたそうした批判を想定していなかったわけではないだろう。ただ、被害者の痛みに無遠慮に触れてはいけないという慎みは、しかしどこかで「無関心を贖罪だと感じ」る思考に通じており、それを裏返すなら他者に対して「同化の原理以外の対応を知らない」ことを証し立てているのではないか。だから森崎は自分の論理構成を「支配の裏返った感覚だとみられることもいといません」といった（「二つのことば・二つのこころ」）。

この時期の森崎の文章には、他者との出会いを思想化しようという苦闘のあとが刻まれている。日本人に欠けているのはその思想化の作業であると森崎は考えていた。たとえば、自分個人としては朝鮮人を差別したことなど全くない、と言う日本人は少なくない。おそらく主観的には嘘ではないのだろう。彼らは、他者としての朝鮮人の本質を考えてみることなどなく、したがって差別の意識もなく、ためらいのない同化作用をもって相手を吸収したのだ。日本人は、他者性について問い詰める思考様式を持ち合わせず、それゆえ同化をやさしさと信じて疑わなかった。こうした「同種同化」の原理は他者性の黙殺、死滅につながり、自分の尺度で理解できないものを理解できないという理由で拒否する「異種排除」の原則と裏表の関係にある。この強固な精神構造を超えるのは容易なことではない。

森崎は、植民地支配を理解するには国家の植民政策のみを問うのでは不十分だと考えた。国家レベルの支配様式に具体的な特徴を与えていたのは「日本人民衆のくらしのこころの様式」だったからだ。その日本民衆の生活原理を問い、なおかつ同種同化、異種排除とは異なった意識の型を伝統の中から発掘しなければならない。その検証を抜きにしたアジア民衆の政治的連帯など偽の連帯に終るほかないからだ（「民衆意識における朝鮮人と日本人」[20]）。

無関心か、そうでないなら同化吸収か。そのどちらもが自分にとって異質な存在を目の届くところから消そうとする思考である。だから、日本人は既知の尺度で把握できないものに向き合い、自分自身の思考法がその時全く無効になるという根源的な体験にさらされる必要があるのだと森崎はいう。「日本人の朝鮮問題は、やはり、日本自体を思想的葛藤の対象とした時にはじまるのだ。それ以外に朝鮮人を自分の発想の外に自立する存在だとして認識することができないからだ」（「二つのことば・二つのこころ」）。

日本は日本自体に向き合う必要がある。とともに、自分の誕生を日本のアジア侵略と切り離して考えることのできない森崎には、自分が単独で日本あるいは朝鮮を語っても無意味かつ無力だという直感があった。すでに、自分の「肉」がネエヤの「墓」であり、自分の日本語が植民地の子どもらの日本語である以上、「私」が単独で語る語り方はあらかじめ不可能であり無効なのである。戦後の日本で自分は半分しか生きていない、だからその半身に再び会いたいという彼女の切望は、こうして植民地以後の思想へと生成し転化していった。在日二世と植民二世と、逆方向からの「二世」の協働を呼びかける言葉は、森崎自身もそう自覚するように「不遜」であるが、彼女が探っているのは自己ではないものへと関係している感覚、集約されない複数のものの協働であり、しかもその時の他者とは自分の存在自体に罪業として刻まれている。森崎の思想とは、その思いの暗さを来るべき連帯の思想へと転化しようという賭けであり、それが彼女の不遜さに結びついているのだと、ここでは考えておくことにしたい。

彼女自身がみずからの不遜さに言及した文を引いておこう。彼女はその理由を誰ともない朝鮮人に対して次のように説明している。

「――不遜な表現であることだろう。もしこの小文を目にする朝鮮人があれば、どうか、あなたの不快に堪えてください。その不快が深部でかもすものを守ってください。その力によってねらわれぬ限り、私は朝鮮と日本についての表現が成立せぬという負目があります」（「二つのことば・二つのこころ」）。

あなたの不快を承知の上で語るのがはたして正しいのかどうかはわからない。むしろ正しさの基準そのものが揺るがされる場面である。森崎は、他者の主体性に臨む時、単に謙虚であればいいとも良心的であればいいとも考えていなかった。

「二つのことば・二つのこころ」は、一九六八年の金嬉老事件に触れた文である。在日朝鮮人二世の金嬉老は暴力団員二人を殺害したのち、宿泊客らを人質にとって温泉宿に立て籠もり、つめかけた報道陣を前にしてこれまで体験してきた過酷な朝鮮人差別を鋭く告発した。この事件が起こった時に日本人は一瞬、言葉を失った。だが、やがて「良心的」な日本人が声をあげ始めたのだろう、その一人とおぼしき森崎の知人は、金嬉老を支持する、と彼女に伝えた。しかしだれよりこの事件に震撼させられていた森崎は、金を理解し支持するという話者の、そう発話する主体の位置がわからずに激しい混乱をきたしていた。この事件の図柄の中で、自分はいったいどこにいるのか。強いて言うなら自分は、金の理解者ではなく、金の主体性にとりおさえられた「人質」だと、森崎はそう書いている。

森崎は朝鮮を奪いつつそこで育った植民地の娘であり、その「負目」とは、金を支持する、日本の帝国主義に反対する、といった「正しい」身ぶりですませることができる質のものではない。そこに自分自身の位置を書き込むことなく済んでしまうような正しさの身ぶりにこそ、森崎はいたたまれなくなっていた。自分は金嬉老の日本に対する闘いを第三者として支持する位置にではなく、彼のライフルに狙われ身動きすることもできないでいる「人質」の位置にいる。そして、その時はじめて朝鮮と日本についての表現が成立可能になるのだ。彼に取り押さえられた私は、もはや支配者の優位性を持たず、また彼に寛容な理解を示す支援者の位置にもいない。象徴的な位置としての「人質」は、それ以前のあらゆる安定した位置を失っており、だからこそ従来の政治的、認識論的な支配／被支配の図式からはじめて自由になっている。その時ようやくにして「朝鮮人の主体性に対してまともに対応する自由――つまり生命の危機感とひきかえに自己の朝鮮を掘り起す自由を確保する」ことになるのである。

この時期の森崎の不遜でも不穏当でもある発言は、今それを読む私たちを戸惑わせる。被害者の前では頭を垂れるべきではないかと。しかし彼女には、歴史の所産である自分はその歴史を乗り越えることができ、またそうしなければならないという強い思いがあった。日本は敗戦とともに旧植民地との関係を断ち、そして植民地化および脱植民地化の責任について「無関心」でいることができた。その地平においては、無関係なまま良心的に振舞うことさえ可能だった。しかし森崎が朝鮮について語り出したこの時期、二〇年を隔てて国交が回復し、記憶する前に忘れた他者が時を隔てて亡霊のように再来していた。その他者に出会いなおすための通路は、無為無関心にすぎた時間の分だけもつれてしまっている。その通路を再び開こうとする時の困難が、不遜でも不穏当でもあるような言葉の形をとったのではないか。それが慎みを知る日本人の心情をざわめかせるべくしくまれていたのだとしたら、私たちがそれを居心地よく受け取ることなどもとよりできない相談なのである。

註

（1）森崎和江『ははのくにとの幻想婚——森崎和江評論集』現代思潮社、一九七〇年、一七八—一七九頁。
（2）前掲『ははのくにとの幻想婚』二一三頁。
（3）前掲『ははのくにとの幻想婚』二六七頁。
（4）森崎和江『慶州は母の呼び声——わが原郷』新潮社、一九八四年、四〇頁。
（5）金時鐘「クレメンタインの歌」「私の出会った人々」『「在日」のはざまで』平凡社ライブラリー、二〇〇一年。
（6）ジャック・デリダ『たった一つの、私のものではない言葉——他者の単一言語使用』守中高明訳、岩波書店、二〇〇一年、一頁。
（7）森崎和江『異族の原基』大和書房、一九七一年所収。

（8）前掲『慶州は母の呼び声』四〇頁。
（9）森崎和江「媒介者の思想」、前掲『ははのくにとの幻想婚』所収。
（10）「サークル村」の思想については佐藤泉『一九五〇年代、批評の政治学』中公叢書、二〇一八年。
（11）森崎和江「一行の言葉　竹内好先生をしのんで」『竹内好全集　第八巻』月報、筑摩書房、一九八〇年。
（12）竹内好「アジア主義の展望」改題「日本のアジア主義」『竹内好全集　第八巻』。
（13）竹内好「近代の超克」『竹内好全集　第八巻』一一頁。
（14）前掲『ははのくにとの幻想婚』一二四頁。
（15）前掲『ははのくにとの幻想婚』一五六―一五七頁。
（16）李珍宇の事件と朴寿南の支援については佐藤泉「李珍宇の文学的形象と「半日本人」の思想と」坪井秀人編『戦後日本文化再考』三人社、二〇一九年。
（17）朴寿南「在日朝鮮人のこころ――半日本人の現実から」『展望』一九六七年七月号。
（18）金時鐘は森崎のこの文を引きながら、自分の日本語を日本人に向ける最大の武器として駆使したいと書いている（「朝鮮人の人間としての復元」『「在日」のはざまで』）。
（19）前掲『異族の原基』一二九頁。
（20）前掲『ははのくにとの幻想婚』所収。

7　森崎和江の言語論

森崎和江や石牟礼道子の作品は「単なるノンフィクション」などではない、としばしば言われる。その「文学性」にこそ注目せよということであれば、まったくその通りなのだが、ただ、いくらかひっかかる。彼女らの文学言語について考える時、「単なる事実」と「文学」の分割がなされる表層よりもさらに奥からかすかな地鳴りが聞こえてくるからだ。それを掘り下げていったところにあるのは、彼女らの実践した「聞き書き」の言葉の質である。

聞くという行為、書くという行為、それを融合させるのでも両極分解するのでもなく一体とした聞き・書きの言葉において、受動性／能動性という私たちの文法的思考にとってなじみ深い分割がうたがわしく揺らぎはじめる。そして単独の個を単位とする近代的な、あまりに近代的な主体概念に代わって、集団的な言語創造の場がひろびろと浮かび上ってくる。現在の私たちが「文学」としてイメージしているのは、文学の創造と私的所有権を短絡させたきわめて限定的な形態の文学ではないのだろうか。そうした文学概念を維持したままで『まっくら――女坑夫からの聞き書き』(理論社、一九六一年)や『苦海浄土』(講談社、一九六九年)を文学と呼ぶのはやはり躊躇される。彼女らが創り出した言葉を文学と呼ぶ時に、文学の概念そのものがそれまでと変わっていなければならないように思う。

森崎和江も石牟礼道子も、ともに一九五〇年代末の九州で展開された「サークル村」の集団的文化運動の中から自らの文体を探りだした書き手である。機関誌『サークル村』は谷川雁の筆になる創刊宣言の中で、次のように呼びかけていた。「新しい創造単位とは何か。それは創造の機軸に集団の刻印をつけたサークルである」(創刊宣言「さらに深く集団の意味を」)。

森崎和江の『まっくら』と石牟礼道子の『苦海浄土』とがまず初めに発表されたのは、どちらも『サークル村』誌上であり、その意味からも二人の聞き書きの言葉はこの運動体の中から生まれたものといってよい。もちろん時系列から言うと森崎は「サークル村」立ち上げに関わる前から詩を書いており、さらには旧植民地朝鮮で生を享けた時から生涯をかけて「日本語」を問い直すべく運命づけられた詩人だった。石牟礼道子の初期短歌の中には彼女固有の尋常ならざる感受性がすでに表われていることも、井上洋子氏の調査を通して広く知られるようになった事実である。ただ両者はともにそうした「個人の資質」を百年の近代に埋め込みつつ、それを内側から解体する方向へと向けかえる動的な運動の中に置き直す瞬間をもった。それを準備したのが九州「サークル村」という場であり、そして広くは一九五〇年代の文化運動だったのである。創造の主体を最深部に立ち戻って再定義し、すなわち創造行為と変革の政治とを一体のものとしてとらえ返そうとしたのが当時の文化運動だった[1]。

作品にその唯一の原因たる作者個人の名を刻むこと。この近代の美学的布置において、個性、独自性といった概念が価値として切り出されることになるが、それが維持されるかぎりたとえば寡黙な農民の声、筆を持つことのない人々の声が声として聞き届けられることはない。だとするとこうした近代の美学的布置そのものに「不和」(ランシエール)を突きつけ、現在の文化の定義によって深く沈みこんでいくほかない声に表現を与えるべく文化概念そのものを定義しなおす行為は根源的な意味で文学的なのである[2]。「サークル村」は文化を個に閉じられた営為ではなく、本質的に「集団」のものとしてとらえた。この地平においては「作者」と呼ばれる存在も単なる記述者であるにすぎない。こうした集団創造の思想に言葉を与えた谷川雁はごく初期の文ですでに「自分の作品が無数の人々との共同制作物であることを実感し得るまで立ち働いてみるよりほかない」のだと書いている(「「農民」が欠けている」一九五五年一月)。

谷川雁は、資本主義のヘゲモニーのもとに破砕された古い共同体を再創造する場が「サークル」であり、その文化は共有財であると考えた。共同体の共有感覚が、悪しき仲間意識となって外部に対し閉鎖的に働くことも当然あるだろう。だが、その危険性を認めることは、共同体意識を破壊して、個人意識を一度通過させなければ発展できないとする立場と同じではない。言うところの個人なるものは、結局のところ、資本主義的な私的所有の観念が要求する人間表象であり、その要求によって共有を忘れ、孤立にさらされたためにこそ、人々の欲望は共同体の特殊な形態である近代国家への帰属意識に吸収されていったのではなかったか。個人主義がよいとか悪いとかでなく、また共同体主義がよいとか悪いとかではなく、個人主義と共同体主義とを対立させる近代的な二分法を土台とする既存の思考秩序を組み替えたところに「集団創造」が文化の主題として浮上してくるのである。

機関誌『サークル村』の一九六〇年二月号に掲載された座談会記録には、「集団創造」をめぐる次のような谷川雁の発言がみられる。

（略）実はどんな創造もみんな集団創造の未熟なるものであるとみることができる。古事記なんかでも作者を一体だれといえばいいのか　オオノヤスマロだけでなくヒエダノアレも作者の一人だ。そもそもきき書きは、実際に書いた人間が作者なのだろうか。モデルの位置はないのだろうか。また、だれかがしゃべったことを材料にぼくが書いて原稿料をもらう　これは考えてみれば不思議なことで、そこに近代資本主義社会の大きなトリック、おとし穴がある。

精神上の私有意識をすてて、その意識そのものを契機にせねばならぬ。かまえにおいて資本主義的姿勢を否定するものといえよう。そういう否定する目でみて、私有意識のからくりからはなれていくような文学創造の方法をとるとすればどうなるか考えよう。

どのような創造も集団創造の未熟なるものなのだ。こういって谷川雁は価値転倒を図る。作家個人の名を冠し、その名において評価される作品は、いまだ集団創造の豊かさに気付くことができず、その手前でウロチョロしているにすぎないのだ。現代的な文化を覆っている「私有意識」の外皮を剥がせば、私たちはたった一人で書いている時でさえ集団創造を行っている。創造が作者個人の所産とみなされ、その私的所有物として現れるのは、資本主義的なかまえにおいてのみ、要するに文化が売るための文化商品として現れ、誰が印税を受け取るのかをはっきりさせなければならない場合においてのみである。にもかかわらず万物が商品として立ち現れる資本主義のリアリティが真の「現実」を覆い隠してしまうのだ。この「トリック」から身を引き剥がさないかぎり、私たちの前に「現実」が姿を現すことはないだろう。所有的個人主義の影響圏を脱出し、価格で価値を表現する商品世界からその身を振りほどいて、自分たち自身の価値を創出し、そして言語活動そのものにおいて「個人」と「集団」の境界線が引き直されなければならない。「独白」と「対話」の間には形式的な境界線が引かれているが、この境界線もまた一つの近代的なフィクションなのである。谷川雁は次のように言う。

独白のなかには対話はないと考えるのは対話への過小評価だ。対話は必ずしも対話のかたちをとらなくても存在しうるし、逆に対話の形式をとっていてさえそのなかに存在しない場合もある。いまの日本の悩みは後の場合で、どこにも対話がみつからない、故に対話をうちにもった独白も成立しないという文化全体の不具性の問題だ。それは文学でいえば一種の自己閉鎖性になる。

たった一人の内的な独白であっても、その中に対話は存在し得る。そして人と人とが話しているという形の上の対話の中に対話が存在しないこともある。独白と対話を分かつ真の境界線は、それを表層において分けている分割線とは別のところにあるのだ。ミハイル・バフチンがドストエフスキーの「地下生活者」の独言の中に豊かな社会的対話の構造を見出したように、独言の中にも他者の言葉に対する緊張関係においてなされる潜在的対話があり、隠された内的な論争や共感の響きがあるはずだ。自分たちが対話的存在であることを忘れた私たちは、共にいる時でさえ一人になってしまっている。「サークル村」の文化運動は言語活動の根源に対話の構造を見出すことによって言語観そのものを刷新しようと試みるものだった。「集団創造」の思想を支えているのは、言語活動はつねにすでに他者との共同作業であるという言語観なのである。

＊

森崎和江や石牟礼道子の「聞き書き」も、こうした運動体を揺籃として生まれ出た。そのことを確認した上でだが、両者の公約数ばかりを強調しすぎないようにしよう。それぞれの文学言語はくっきりとした固有性をそなえているからだ。ここでは森崎に『まっくら』『奈落の神々——炭坑労働精神史』（大和書房、一九七三年）を書かせるに至った彼女自身の言語意識について考えてみたい。根源にある光景は、彼女が生を享けた場所、旧植民地朝鮮という他者の場所である。

日韓条約締結後の一九六八年、森崎和江は二〇年あまりの空白を隔てて韓国を訪れ、かつての父の教え子たちとの再会を果たす。彼らの一人は森崎の訪韓をほんとうに待っていた、といった。人は一生の間にふたつのことばを国語とし得るものなのか。このことをほかならぬ森崎に尋ねたかったというのだ。長い植民地支配から解放され、朝鮮の地から日本が立ち去ったとしても、それとともに彼らの内から日本語が消え去ったわけではない。支配者の言葉、自分のものでない言葉が自分の思考を形づくるたった一つの言葉であるほかないのか。言語の分節化が世界の分節化の基盤になっているのだとすれば、自分に与えられる世界は他者の世界であり続けるのか。彼らはこの痛みを植民者の娘に打ち明けたのである。森崎にとっては突き刺さるような問いだったことだろう。

解放後の韓国は日本語で育った者を不信の目でみる。彼ら日本語世代は自らの内の日本語に痛みながら、それを韓国人に語ることはできない。その痛覚を理解できるものがあるとしたら、それは逆の立場から同じ日本語を使って植民地を生きた植民者の娘だけだった。これは歴史の皮肉というほかない。森崎は、再会した彼らの日本語が昔のままだったこと、そこに「なんのなまりもないことに激しいめまいを覚えた」という。彼らの日本語は、森崎の日本語と同じ植民地の日本語であり、政策的に作られた無臭の標準語である――「わたしは亡霊となった自分に出会った気がした」。植民地支配の加害と被害の、その非対称の関係は曖昧にされてよいものでなく、できるものでもない。それでも両者は「同じ」日本語を共有していた。森崎和江の言語意識の奥底には、この「激しいめまい」の感覚があっただろう。亡霊の日本語は朝鮮の青年にとりつき、植民二世の森崎にもとりついている。植民地の日本語、他者の日本語である日本語は、言語をその他者性へと立ち戻らせ、日本語の想像力に何がしかの変化をもたらすことだろう。

森崎がかけがえのない自分の言葉である日本語に違和を感じるのは、彼女が日本で生活するようになった後、植民地主義以後の時間性においてである。朝鮮の風土に包まれるようにして育った子どもの時代の日本語は、必ずしも無機的な人工語ではなかったはずだ。自分自身の日本語の真の意味が立ちあらわれるのは、後の地平で振り返る時である。それは政策的な人工語だったが、当時はむしろそうであるからこそ他人の汚れや共同体の澱のついていない新鮮な言葉だった。後年、森崎は朝鮮時代を振り返って「ことばは私と空を結ぶもの」であり、自然と個人の間に集団の影が入り込むことはなかったと書いている（「日本語とのつきあい」『詩的言語が萌える頃』葦書房、一九九〇年）。

「以前」の森崎は、言葉をとらえる肉体としての自分を、統一感をもって感じることができていた。「以後」に砕け散ったのは、その統一感である。森崎の言葉の肉の部分は朝鮮の風土の中で形成されていたが、その風景をもはや故郷と呼ぶことはできない。自分自身を形成した朝鮮の風土から剥離し、日本に戻った森崎の日本語は、「以後」の時間性の中で奇怪な異物と化している。言葉とその肉との関わりは大きく変質していく。

> 私にとって、日本のくにの日本語は、第二言語のように、どこまでいっても実感がつかめない奇怪な生態めいていた。私は、自分とことばと空や風とを、それまでのように、律動をもって感じることはのぞめなくなったのを知っていた。（「日本語とのつきあい」）

「日本のくにの日本語」は日本という共同体の所産である。ところが日本を知らずに育った日本人である森崎は、かつて一度も私的領域の成立を許したことがないかのようなこの共同体を受け付けられない。日本には日本的集団性の影に汚れていない言葉はまるでなく、自分の肉体のそばによせたい言葉はない。言葉をとらえて使うための基本的な感性が砕けてしまったのだと森崎はいう。言葉とそれをとらえる肉体との齟齬、断裂の意識。やがて森崎は詩作品を発表しはじめるが、彼女の詩語の核にはこの深刻な欠如の意識が住みついていた。[3] 詩集『さわやかな欠如――詩集』（国文社、一九六四年）のあとがきで、森崎は自らの詩作について次のように語っている。

私の詩の発想は、いつもことばの内外にある欠如感からですし、創作過程は、予期しない打撃で私の欠如をぶちやぶってくる異質の欠如性との作用反作用を要求し仮定します。それら相互運動が仮定でなく、いわば歌垣的発想が意識化され方法論化された高揚によって、掬いあげられ練りあげられて結晶するものでありたい。それは私の詩というより、私たちの詩、もはや固有名詞から自立した詩自体でありたいというようなものです。

森崎の文学言語の核をなしているのは、言葉の欠如の意識だった。それは当然ながら満ち足りた幸福の意識ではないが、だからといって不幸に終始するわけでもない。欠如の意識とは、日本語の中に安住することはできないという積極的な批評意識のことであり、それが詩の言葉にひとつの別のはじまりをもたらすのである。

この逆説において注目すべきなのは、予期せぬ他者からの打撃こそが創作過程では死活をにぎる要素となるという点、そしてその打撃もまたもう一つ別の「異質の欠如性」だという点である。言語的に自足した集団、足りないものが何もない集団は、その自足性ゆえに他なる存在を必要とせず、言語の秩序を越えていこうとする自己運動に身をよじるということもない。そこでは新しいと言えることは何も起こらない。最悪なのはそのことだ。詩的営為を成立させるのが欠如の痛覚であるなら、それはさわやかな欠如、なのである。この痛みを握りしめるところからはじまる創作は個に閉ざされた営為ではあり得ない。詩を可能にするのは自らの欠如が別の欠如に衝突される時の衝撃なのだから。言葉の非完結性を自覚せざるを得ないものたち、日本語に自足できないものたちは、その欠如を持ちよるようにして必然的に集団創造へとにじりよることになる。


文化の総体の中には、言語化されている部分と、いまだ言語化されることなく打ち捨てられた広大な領域とがある。それでもまだ文化に潜在的な可能性が残されているのだとしたら、それは今ある言語に満足する者の中にではなく、暗がりに放置されたままの後者の内にこそ秘められているはずだ。――五〇年代当時の集団的文化運動の思想を要約するとしたら、このように言えるだろうか。そしてこの思想の核には、言葉とそれをとらえる肉体との間の断裂の意識がある。

筑豊に移り住んだ森崎は、地下労働の世界を文字化することについてまわる本質的な困難に気付いた。そこでは労働する肉体そのものが語るから、そして言葉は労働する肉体のごく部分的な表現でしかないからだ。それだけではない。それは地上の言葉に翻訳できない世界だった。つまり、坑夫らもまた身をもって言語と肉体の断裂を生きる表現者たちだった。

そして彼らが炭坑体験を語らないのではない、語りたくて血が噴いていてそれでも語りたい映像は地上のことばに代えると崩れていくと言っているのを感じとる。（略）彼らは切実に表現したがっている。彼らほどことばの神髄を感じとり、その中核で生きつつある者は少ない。（「未熟なことば・その手ざわり」『匪賊の笛』葦書房、一九七四年）

地下を死者の領域とみなす農耕社会の観念体系＝言語の秩序によっては、地下労働独特の精神世界を表現することはできない。日本神話の否定の上に（即物的には下に）彼らの世界が広がっている。その世界が坑夫ならざる森崎にわかるというわけではない。それでも、心揺さぶられずにいられないのは、そこには確かに日本語の思考に自足できない世界、地上のことばに代えることができない世界が広がっているからである。それが言語的秩序の彼方へ向かおうとする詩語の自己運動を促さずにいないからだ。

私は自分が炭坑労働の体験者の意識を理解できるなどとは思っていない。またヤマ華やかな頃の彼らはしあわせであり、今日のさびれようは彼らにとってふしあわせだともその逆だとも思っていない。私は炭坑労働の体験者がその追体験をこの上もなく困難なものと感じているその感覚が自己のそれと重なるまでである。彼、彼女らは坑底で働いている時もその困難とたたかっていた。その自己対象化作業の一端に、私は私のそれを結びあわせんとしてきたのである。そしてかつても今も炭坑労働者らは自己のそれが完結したとは感じていない。その完結を抜きに、労働者のしあわせもふしあわせもありはしないのだ。(「筑豊からの報告」『ははのくにとの幻想婚——森崎和江評論集』現代思潮社、一九七〇年)

ここには、森崎の聞き書きの思想が過不足なく語られている。聞き書きの言葉は他者の意識の十全な共有の上に成立しているわけではない。それは他者の欠如感に自らの欠如感を結びあわせようとする作業なのである。『まっくら』で女坑夫の聞き書きを実践し、『奈落の神々』で地底での労働経験を精神史として掘り下げた森崎は、他者の欠如に深く踏み込む。その様子は不遜とさえ感じられるものだが、不遜の自覚、加害の自覚を抱いた上でなされたやみがたい共同作業によるのでないなら、決して欠如の意識が別の欠如と衝突することはなく、日本語の体系が揺るぎだすことはないと考えたからだろう。

註

(1) 森崎和江とサークル村については水溜真由美『『サークル村』と森崎和江——交流と連帯のヴィジョン』ナカニシヤ出版、二〇一三年。佐藤泉「第3章 谷川雁」『一九五〇年代、批評の政治学』中公叢書、二〇一八年。

（2）佐藤泉「1950年代文化運動の思想――集団創造の詩学／政治学」『立命館法学』二〇一一年三月。

（3）森崎の詩作品を読む試みとして、西亮太「『さわやかな欠如』を読む――森崎和江の〈詩〉を考えるための試論」（『現代思想』二〇二二年一一月臨時増刊号）がある。

8 森崎和江の「二重構造」論

「個」と「集団」を再発明する

七つ八つからカンテラ提げて坑内さがるも親の罰

かつて、こんな唄が炭坑で働いていた人々の間でうたわれていた。この唄の通り、七つ八つの幼いころから親に従ってまっくらな地下に降り、石炭を運んだ子どもがいたのである。森崎和江がかつて坑内に降りて働いたおばあさんの話を聞き歩いていたころ、彼女らはこの唄をうたってみせ、そして必ず「地獄じゃけのう、この世のさまじゃなか。言うたっちゃ、わかるめえ……」と付け加えた。

森崎はこの唄をはじめて聞いたとき、誤っている、と思ったという。罰とは罪の償いであって個体に終始するものだと、その時は思った。だが、そのころの自分は罰と自己責任の分別も知らずにいたのだと、一〇数年後の森崎はそう振り返る。罪と罰を個において短絡させるほどまでに自分の感性は「植民地生誕者」ふうにできあがっていた（「浮遊魂と祖霊」『辺境』一九七一年四月）。

森崎の「個」の意識は、朝鮮という他者の場、いわば場違いの場で生まれ育ったというその事実によって少なからず規定されていた。植民地朝鮮の日本人教育者だった森崎の父は、大正デモクラシーの時代精神を背景に「自由放任」を教育方針とし、日本人や朝鮮人といった属性でなく、個としての本質こそが人間の価値なのだと子どもの森崎に言い聞かせたという。そして、森崎の「たった一つの言語」である植民地の日本語は、生活の澱のない人工語だったが、むしろそうであればこそ他人の汚れのついていない新鮮な言葉だった。後年、森崎は朝鮮時代を振り返り、「ことばは私と空を結ぶもの」であり、自然と個人の間に集団の影が入り込むことはなかったと書いている（「日本語とのつきあい」『詩的言語が萌える頃』葦書房、一九九〇年）。

日本からいったん切れた植民地の日本人として、彼女は「私と空」を直接結ぶようにして――ということは国家や共同体という息苦しい中間集団の意識を澱のように溜め込むことなく、「個」の意識をはぐくむことができたのだとひとまず言える。だがそのために、敗戦後の日本暮らしは彼女の精神をひどく苛んだ。同質性を何より重んじる日本的共同体において、人々は挨拶のように「あなたのおくにはどちらですか」と尋ね、帰属意識を確認しては安心している様子だった。父の郷里の人々は、森崎が父の惣領娘であることを確認すると、彼女を全身すっぽり抱擁するように迎え入れ、そして彼女が何を考えているのかなど全く関心の外だったという。こうした同質的共同体の体質に対し、森崎はやり場のない憤りを感じていた。当然、罰は個としての「自己責任」に終始すべきであり、「親の罰」などという発想は個の単独性を蹂躙するものと感じられたことだろう。彼女は植民地の小さな近代女性だった。

たとえば女性がそうであるように「個」であることを歴史的に否定されてきた者がいる以上、彼女らが「個」であろうとする限りない希求を抱くのは当然だ。のみならず、個の存立も他者の存在も許さないかのような日本的共同体の体質は、他民族の同化と排除を旨とする国家レベルの植民地政策と癒着し、それを根強く支えてきた。その意味で、「個」の確立が戦後思想の課題となったのはゆえないことでは決してない。ただ現在のネオリベラリズムの統治の下で「自己責任」が自他を追いつめる支配的イデオロギーと化したように、「個」の思想もまた「集団」の思想が歴史的にそうであったのと同程度に、支配権力に横領され感性の資源として利用され得るものであることは否定すべくもない。それ以上に、「個」を単位とする主体概念は、ネオリベの制覇以前に資本主義体制そのものと根がらみだったのではなかったか。だからこそ、「個」と「集団」の思想を権力ではなく人々の側から再発明することは、個としても集団としても歴史に欺かれてきた者たちにとっては最重要の思想課題となるはずだ。この課題を引き受けようとする時に、森崎和江が「ヤマの衆」の集団性と創造性を発見するまでの軌跡は何より貴重な参照先となる。

まっくらな闇の中での地下労働に従事してきた坑夫らは「地獄じゃけのう」といい、地上のものには「言うたっちゃ、わかるめえ」という。その一方で彼らは「地の下でちゃ地獄じゃあるめえ」と地上的通念に反発する気質をみなぎらせもする。「地獄だといい、地獄じゃあるまいし、という。

この両者が一本の綱となっている。それは男や女や生者や死者や、坑内労働を行った者によってつくりあげられた固く太い感性の綱である。そしてそれは「親の罰」の結晶でもあった。だからこの唄によってたちどころに共有される世界がある」(「浮遊魂と祖霊」)。

「親の罰」の結晶は、親子一代二代の時間幅に収まるものではない。日本の初発の近代化を可能にしたのは石炭エネルギーであり、その石炭を掘り出す地下労働は囚人労働から始まった。地下界に人間を放り込むのはこわかったのだ。地下は死者の領域だから。そこで「下罪人」を放り込んだ。人間ならざるものたちを。光明の生とヒューマニズムの近代を可能にしたのが、非人間化された人々の地下の闘いだったという暗い逆説は、近代そのものの深い原罪を象徴してあまりある。地上の者には到底わからない地獄だといい、それでも地獄じゃあるめえと反発するヤマの衆は、その中からようやく切り開いたものを自分たちの内に共同で伝承することによってひとつの精神世界を共有してきた。

「お互いいのちがけの仕事をしとるじゃけ、お前はお前、おれはおれ、なんぞちゅう考え方は誰もせん」(「坑底の母たち」『母の友』一九七〇年七月)。炭坑労働には落盤、出水、ガス爆発と「坑内非常」の危険が恒常的についてまわる。だから、人々は互いに身体と命をあずけあって坑内に降りていった。そうしなければ仕事にならない。近代から追放されつつ近代化を支えた地下労働は、近代の作り出した個人という単位が労働の質そのものによって覆される場所である。地上の市民は炭坑ものを差別したが、差別されたものたちはというと、その協働の中から地上の国と拮抗するほどのさえざえとした誇りを獲得していた。

近代的自我という概念は、ホットケーキに垂れる蜜のようなしまりなさで（略）民衆意識の根源に根を張っている原初的自他混合性にふかぶかと犂をいれこむ力たりえない。が、ヤマの衆が体得しその感覚の変質を通して意識や日常用語に及ぼした孤立的な開放は、私などが大正デモクラシーを基本としていた親たちによって培養された自我といったしろものの結晶度より、数等に固い。（「浮遊魂と祖霊」）

堅固な集団性と、誇るべき創造性を生み出す抵抗力と、炭坑で育まれた精神性はいわゆる近代的主体概念を打ち砕くにたる一撃である。ただ、そこには解消不可能ともみえる難問が横たわっていた。どうあっても伝承しなければならない炭坑労働の世界とは、しかし地上世界の言葉に置き換えることのできない質のものだったのだ。既存の言語に代弁させてしまえば、その最も貴重な質を自ら手放すことになる。こうした言語的困難の意識を森崎は打ち消しがたいものとして抱いていた。彼女は坑内労働をした女性たちの中に「無言」の核を見出している。「その無言は、ぜひ世間に対していいたいことでもあり、いいつくせぬことでもあり、たとえ表現しえてもとても理解しあえぬであろうことでもあるようです」（「坑底の母たち」）。

何としてでも言語化したいもの、消滅させるわけにはゆかぬものがあり、そのために森崎は炭鉱閉山期の筑豊にとどまった。労働する肉体が意識すら追いつけないまま経験している実態に根ざした思想がそこには渦巻いている。けれど日本語の体系内にはそれを言い表すための言葉がない

（「肉体のことば」『理想』一九七二年二月）。

代弁者の言語を拒否し、その上で自らの肉体の思想を言語化しなければならない。これは言語と身体とにともに向き合おうとするものにとって真のアポリアであり、なおかつそれはきわめて貴重な意識である。なぜなら、このアポリアこそが森崎の思想において「労働」と「女性」とが鋭く切り結ぶ結節点となるからだ。森崎はくりかえし女性身体の体験を語る言葉の決定的な欠落について書いている。

誕生とは生まれた側を表現する。生誕とは不安定な用語で生まれることを指す。出産は産むことを生む者と生まれる者との二人の人格予定的な発想でとらえた用語である。が生む者にとって生むとは、「私」の分裂的統一状況からの解放ではない。そもそも「私」とは何なのか。妊娠している「私」を正確に表現することばがない（「肉体のことば」『匪賊の笛』葦書房、一九七四年）

お腹に子どもを宿した時、それまで何の疑問もなく使っていた「私」という一人称単数を身体が受け付けなくなった。孕み女の体験は、産むという他動詞、生まれるという自動詞に分割された二つの異なる主体の経験として断ちきられてしまう。それをそのままに表現することのできない言語体系の限界、さらに文化の体系の限界とともに、この時罪も罰も個の内で完結するものと考え得ていた「植民地生誕者」の思想も決定的にその限界を告げられたことだろう。

ことばは罪深いと思う。ことばを文字化することはさらに罪深いと思う。文字を独占した階層が強大な力、つまり形而上界を掌握してもろもろのイメジをまっさつしたのは極めて自然だと思う。／私は私のかげを探しながら、悲しみにみちてくる。私のこのことば。借りているこの感覚の、なんとうちつづくこと……。（「〈生む・生まれる〉モノローグ」『ふるさと幻想』大和書房、一九七七年）

朝鮮の風土の中で日本語を使ってきた彼女は、ほかならぬ「私」のことばが「私」のものではないという疎隔感に苛まれることができた。その隔たりの感覚が、のちには女性の経験を語る言葉がない、炭坑労働を語る言葉がないという欠如の感覚と結びあうのだから、それはこの上なく貴重な能力である。「文字を独占した階層」の専有物たる日本語の体系そのものによって、女性身体の経験、そして坑内労働の経験が、思考可能なものの外へと追いやられ、限りなく散逸し続ける。それだけではない。支配的な言語の網がかからない生の広がりを思考から排除することによって、日本語による文化と思想の形そのものが規定されてきたのである。それは人間の経験を男性の経験に切り縮め、産む性を不浄とし、死体を忌避する思想を育て、何よりその結果、一人では生きられない赤ん坊や高齢者、生の幅のうち脆弱な両端を断ち落とした上に構築される理念的な成人男性の経験を標準化し、生産性の尺度に生を押しこめる体制を下から支えることになる。そのために私たちはもはや、ヤマの衆が切り開いた感性の地平――苛烈な共同労働の中で互いの創造性を讃え合い、互いの生をゆだね合うことのできる開放的な集団性の質を理解できなくなっている。

坑夫らの身体の中にあった炭坑労働の記憶も、石炭から石油へのエネルギー政策転換による炭鉱の崩壊とともに散逸していった。筑豊の炭坑労働者たちは北九州の工業地帯に下請け工、孫請け工として吸収されていく。その後の労働変容を時代の画期として分析した森崎の思想は今なお鋭い。ここでは一九六九年末のいくつかの文章を参照しよう。

民衆共同体はそのままで肯定できるものではない。それは排他的であり自閉的であり、同質性結集の論理に貫かれているがゆえ、結局は同質国家の原理と癒着しそこに吸い上げられてしまった。だが、その負の特質とよぶべき特質も、民衆の側から意識的にとらえ返し、権力による統轄を断ち切るなら、同時に人々の抵抗を支える力になり得るのではないか。この時期の森崎の文にはそうした考えが提示されている。「私には（略）日本民衆の自閉性が力に見え、思想に見えた。それ自身を開くための」（「民衆的連帯の思想」）。七〇年前後を画期とする労働様態の巨大な局面転換を、その初発の瞬間で捉えた森崎は、その時マイナスがプラスに転轍する止揚点を歴史の中から掘り出そうとしていた。

この時期の森崎は「日本の産業構造の二重性」という概念をしばしば使っている。当時、日本の経済システムを「二重構造」という分析概念で捉える説明が一般に流通していた。上部の層には近代的な生産関係、現代化された経営形態があり、下部の層には依然として前近代的な労働様式、労使関係がある。近代と前近代とが分化しながら二層に重なっているという点に日本的構造の特殊性をみる説明である。森崎らとともに九州「サークル村」の文化運動に携わった谷川雁はこの「二重構造」という一般的な言葉を借りて、それを共同体の思想を刷新するための概念へと拡張している（「近代の超克・私の解説」、「日本の二重構造」）。経済システムとしての「二重構造」を、上級の支配層と下級の民衆の関係の説明に読み替え、その上でさらに上級支配層をこちら側から突き放す下部民衆の共和制、自治のイメージを描きだしたのだ。

では森崎の二重構造論はどうか。彼女の二重構造論は二つの領域に現れることに注意しよう。一つは、日本の植民地主義。植民地支配の原理を追求するなら、国家レベルの植民政策の次元を批判するばかりでは足りない。そこには民衆の生活原理の次元が二重に重なっていたからだ。そしてもう一つの領域は、労働の身分制。日本の産業界は、大企業労働者と下請け孫請けの中小企業労働者を身分的に分断しつつ重ねあわせる二重構造を巧みに利用した。戦後日本の「経済大国」化を下から支えたのは、大企業の隷属下にあった中小企業の忠誠心だったとさえいえる。つまり、植民地支配と産業構造との二つの領域で展開される森崎の二重構造論は、国家あるいは資本に外側から枠づけられつつその枠内で自主性を発揮してきた民衆意識の罪業と可能性とを突きつめようというものだったのだ。まず、植民地主義について。

しかし私には、支配権力の植民地主義の罪業と同様に、日本人庶民の生活意識の罪がこころにかかる。生活の場での異民族との交流がどのような原則のうえで行われたか、それは日本在住の民衆の意識の何とどう関連しているのか、その民衆の意識と支配権力の支配の原理とはどういう補足関係にあるか。そこまでみきわめねば、日本のアジア侵略の悪（略）をこえる思想は、日本民

衆の生活意識のなかには生まれないのだ。(「朝鮮断章・2――土塀」一九六九年一月)

植民地拡大期の日本の民衆は異民族と出会った時、他者の他者性を黙殺しつつひたすら彼らを「同化」した。そして国家の政策次元の同化主義原理へと吸収された。この考察は、植民二世として生を享け、「アジア侵略の悪」と自分の生を切り離すことのできない彼女の実存に関わっており、そこでは民衆の同質性原理に対する深い批判にアクセントが置かれていた。だが、七〇年前後に労働の身分制をとりあげた時期の二重構造論では、民衆の別の姿、別の力が引きだされている。民衆=下級共同体の自閉性には、それ自身を内側から破って支配権力の原理から自律する契機が潜在的に含まれているのではないか、というものだ。

一九七〇年代に入るとともに、先進諸国がのきなみ世界的な不況局面に入り、日本企業もまた生産拠点を労賃の安い海外に移して「世界化」を進めようという段階に入ろうとしていた。北九州は八幡製鉄と富士製鉄の合併が決まって、世界水準の企業へと飛躍しようとしていたが、その裏側では北九州工業地帯の足下にひろがる採炭地だった筑豊が、崩壊の一途をたどっていた。かつての炭坑労働者は、今や世界企業傘下の下請け工、孫請け工である。

彼ら下請け工は大企業の本工とともに同じ現場で働きながら、身分的ともいえる差別の下におかれていた。しかし、だからといって本工は世界企業の社員であることに誇りを感じ、下請け孫請けはその逆というわけではない。「企業が世界的水準に達しようとも、またそれが九州全域を総下請け地に予定しようとも、そこで働く者たちはいよいよ心うつろになっているかにみえます」(「北九州労働者風景――生産技術体系の中の若ものたち」『展望』一九六八年五月）。企業の世界化が進行するにつれ、個々の社員は自分たちの労働の手触りを感じられなくなっていった。さらに日々の技術革新に対応するため、労働から人間的な充足感が急速に失われていった。充足感というなら、かつての職人、かつての坑夫がそうだったように、自分の「腕」を頼みにして自らの労働を自ら管理する余地のある下請け、孫請けのほうがまだしも生き生きと働いている。下請け工らは、その一点において筑豊炭坑夫がもっていた心意気、労働の心情を断続的に維持している。

かたや大企業の社員らは、社内で時間外教育を受けながら、新しい技能への適応を強いられていた――「くそ、おれの脳味噌くらいおれの自由につかわせたらどうなんだい」。それでも、時間外教育の受講を拒否するものはただちに会社および組合からにらまれ、「人間スクラップ要員」とされるため、結局は定年まで社内教育とテストを受け続けねばならない。能力開発主義が、知能の自発的提供を強要し、労働から創造性が失われ、生のよろこびが忘れられていく。この過程で、労働それ自体が明治の炭坑の苦役労働とはまた別の意味で残酷なものに変っていった。自分にとって意味を感じられない労働は、たとえそれが高給であっても、たとえパネルのスイッチを入れるだけの労働であっても、それはまぎれもない苦役である。絶え間ない技術革新にさらされた大企業労働者は、自分たちの労働の意味と生の意味を捉えられなくなっていたが、それは個々人というより人間そのものを捉える不安と化して現代の人間に響いている（「労働の身分制を超えるために」）。他人につかえ、技術につかえるのではない、意味ある労働の誇りは、いったいどこにみつかるというのだろう。

森崎はこの時期、失業保険の期間を挟みながら短いスパンで職場を転々と移動する「流民型労働者」がめだって増加しつつあることに注目している（「民衆的連帯の思想」『現代の眼』一九六九年一二月）。大企業とその下請けとの間の賃金格差ははなはだしい。だからといって彼らは賃金の高い大企業がいいとばかりは考えない。若手の流民型労働者の大量出現には、巨大化する企業にあって細分化し非人間化していく労働システムに対する反発、そこからの逃走という面がある。ただその現象がはらんでいる思想性はいまだ掘り起こされていないし、抵抗のフォルムを与えられてもいない。

下請け孫請けを切り離した上で大企業本工の雇用を守る「合理化反対」は「二重構造」を温存するばかりである以上、もはや有効ではない。この時期の森崎は周囲の若い労働者らとともに「流民的労働者」と「本工との共闘組織」を作り出そうと計画していた。森崎の認識によれば、この段階で必要なのは「人々を流民化する物質生産技術の発展の法則に対決しうる、生存の論理の確立」だった（「流民意識と生の根拠」）。

流民的労働者（半失業者）と組織労働者との結束によって――現在なら非正規労働者と正規の労働者との連帯によって、ということか――分断支配を固定化させてきた日本の産業構造の二重性を内側から打破する連帯を生み出すこと。これが当時の森崎たちの構想である。

森崎によれば、日本社会の二重構造は下級民衆の協働社会に一定の枠内での限定された自主性をあたえてきた。その自主性を軸にして人々は民衆次元の諸秩序を生み出してきた。「その限定的自主性の評価は高くても低くてもよくない」のである。なぜなら、これまで民衆の「限定的自主性」は上部権力の支配原理の引き写しになってしまい、そのために国家原理あるいは資本の論理へと

「日本的」に吸収されつづけてきたためである。民衆は自分たちの自主性をフルに発揮しつつ、それを繰り返し簒奪されてきた。民衆の抵抗史にはその歯ぎしりするような痕跡が刻まれている。だからこそ「私たちが私たちの歴史から受けつぐべき止揚点はそこにある」のだ。一九六〇年代末のこの時期は反体制運動が高揚するそのピークだが、森崎は運動の全域にわたって奪い去られた「止揚点」を意識化しようとする動きが認められるように感じていた。森崎の二重構造論は、彼女の「一九六八年の思想」だったことになる。

民衆の共同体感覚は、その一面において上部の支配権力の論理が貫徹する従属の場であり、しかし他方ではその自律性を強めることによって支配権力の論理の枠を踏み破る抵抗のエネルギーの場ともなる。重要なのは民衆の力の結集がそれ自身の自閉性を開くための力にならなければいけない、という点にある。かたや流民型労働者である下請け工、かたや親企業の労働者、その連帯は異質なものの連帯であり、労働者として隣接しあいながらも身分的に分断された相互の精神の異質性を掘りさげつつ結びあうという作業がそこでは要請されている。相互の存在固有の論理を掘り出しあうことを通してそれぞれの集団を強化できるなら、やがてそれが高次の集団を生み出すことへとつながるだろう。ここには、異質なものの衝突を通した集団化という「サークル村」以来の思想のフォルムが認められる。上部組織の思わくに枠づけられつつ、その枠内で自主性を発揮してしまい、自らもそれを無意識に求めてしまう大衆の体質を踏み破るのは、こうした異質なものの衝突と連帯によって掘り下げられた高次の集団性にほかならない。

忘れてはならないのは、労働の領域で二重構造論を展開する森崎が、そこに再び植民地主義の軸を交差させようとする点だ。流民的労働者と組織労働者が産業構造の二重性を打破する連帯を生み出すことによって、またさらに生活の場において共闘を深める態勢を創り出すことによって、支配権力による簒奪の歴史に終始してきた民衆史を自律的な民衆史へと転換させることができる。そして森崎はここに「私は在日朝鮮人との思想的な出逢いも、この路上においてしかあり得ないと考えている」と加えるのである。安定雇用の労働者と不安定雇用の労働者の、隣接しながら異なる集団の連帯という課題は、在日朝鮮人という隣にいる他者との思想的出逢いの可能性と一体不可分なのだ。朝鮮人ばかりではない。当時、森崎と森崎の周囲に集まっていた労働者たちは「おきなわを考える会」を作って集会やデモを企画していた。[*]そこでは「下請け・孫請け制度粉砕が、おきなわ解放とならべられていた」(「非政治的基底からの共闘」『現代の眼』一九七〇年九月)。

国家の植民地政策とそれに無自覚に従属した民衆との「二重構造」。民衆はいつでも国家権力に利用された被害者なのだという理解によるならこの構造は克服できない。国家の中の民衆とは、支配権力による統轄を受けつつも、同時にあくまで独自の自主性を持ち、自律した意図を持っていたのだから。それは民衆の罪業であり、なおかつその可能性である。その自主性のプラス面とマイナス面とを思想化し、責任をとらなければならない。それによって国家次元で働く支配との結合を断ち切って、支配権力に向き合わせるに足るだけの自律性を掴まなければならない(「流民意識と生の根拠」)。かつて日本民衆は他民族を排除するか、そうでなければ同種とみなして同化した。その同化主義をむしろ優しさと感知し、それが他者性の殺害になるとは考えもしなかった。考えもしなかったという無思想性を超え、同質性結集の無論理から脱出する方法を探り出すこと、それが民衆の集団原理が国家原理によって吸い上げられようとする時の歯止めとなる（「民衆意識における朝鮮人と日本人」『現代の眼』一九六九年一月）。

一方に正規と非正規の労働者の連帯の思想があり、他方に他民族、他者との連帯の思想があるのではない。それは相互に異なる主題でありながらどちらも民衆連帯の思想であり、どちらもが支配権力の原理と民衆の生活原理との未分化な結合状態を断ち切るものとして構想されている。それが森崎の二重構造論ということになる。

代々民衆は支配された生活の内側で、その労働を通して形而上下の創造性を発掘し伝承する自律性を生かしてきた。その集積が民衆に、民衆固有のナショナリズムの原基たらしめている。その原基に立脚して、支配者の日本支配原理を打破せずには、日本民衆はどこまで行っても支配者が方向づける支配・被支配の日本的法則から脱することはできない。（『与論島を出た民の歴史』川西到との共著、たいまつ社、一九七一年／加筆版：葦書房、一九九六年）

民衆が自らの自律性をつかみ取り、その力で支配者の支配原理を突き放すこと。そして、この問題意識に精彩にみちたイメージを与えているのが、次のようなある女坑夫の語りである。明治天皇の時代、大正天皇の時代、そして昭和の時代を通して地下で働いてきた彼女はこう言う。「うちはその間ずっと山田炭坑で働いたとじゃけね、なんやかんやいわせんばい」（「民衆意識における朝鮮人と日本人」）。

明治天皇が四五年、その息子が一五年、孫が今三五年になるが、私も七〇年働いてきたのだから何のかのとはいわせん――『まっくら』にも登場する女坑夫のこの言葉は、三代の天皇の在位期間を数え上げ、それに自分が坑内で働いてきた時間を正面から突き合わせ、天皇制の時間支配を突き放すのだ。このアトヤマは、自分の生が支配秩序の時間性によって代弁されるのを許さない。炭坑での協同労働を経験してきた彼女の構えには、地上の同質集団と似たところ、あるいはいわゆる近代的自我を基礎とする個人と似たところなど微塵もない。存在のこの質を切り開いたのがヤマの衆の協働である。

だがその後、経済大国日本の企業経営者は好んで「日本的集団主義」を語るようになっていった。日本民衆の維持してきた集団性はいよいよその能力を発揮しつつ過不足なく資本の論理に吸収されていったということか。さらにはその「日本型」と呼ばれた集団性さえも、現在の競争主義の心性のもとでみる影もなく解体されていった。森崎の分析からおよそ半世紀が過ぎて、現在の私たちは、彼女がそこに罪業と可能性とのアポリアを認めた集団原理から二重に隔てられてしまっている。石炭から石油へ、石油から原子力へ。労働者はもはや「七つ八つからカンテラ提げて」という自分たちの地獄の唄、自分たちの精神性を確認する唄を持っていない。そもそもどのような唄であれ、原子力発電所に唄はないようだ。そしてもはや過酷な労働の中から共生の喜びをくみ上げ、それを資本に対する反撃力とするような抵抗の契機を見失ってしまっている。まして、国家による支配の原理に民衆連帯の力を正面から突きつけ、その地点で他民族、他者との出逢いの思想を捻出しようという苦闘も今では雲散霧消してしまっている。これらのすべての行き着いた果てにあるのが、私たちの現在のとりとめない苦痛であることはわかっているのだが、それでも森崎がアポリアの彼方にみていたもの、何としても言語化しようとしたものが、私たちにはもうかすんでみえなくなっている。

註

（＊）大畑凜「未完の地図——森崎和江と沖縄闘争の時代」『沖縄文化研究』四九号、二〇二二年三月。

9 死んだ肉体による文化批評

七〇年前後の森崎和江について

近代化論の人間像

歴史を近代の達成にいたる道筋として描き出す言説を近代化論と呼ぶとして、しかし「近代化」はつねにそれをどう定義するかが問題となる論争的な概念である。たとえば六〇年安保闘争の熱気がいまだ冷めやらぬ頃、米国の日本研究者たちの主導による「日本近代化論」が浮上してきた。(1) 米国の研究者は「近代化」の指標として、都市化、読み書き能力の普及、高度な商品化と工業化、マスメディア網の浸透、近代的な社会的経済的過程への社会成員の参加、組織化された官僚制的政治形態、科学的合理主義に基づく個人の志向という項目をあげ、これらをおおむね達成し得た日本の近代化をアジアにおける成功例として位置付けた。これに対し戦前講座派以来のブルジョア民主主義革命への問題意識を継承していた当時の日本の知識人たちは、市民的自由と個人の確立、民主主義、平等など、戦後日本がこれから達成するはずの重要な課題がアメリカ版近代化論のリストからはすっぽりと抜け落ちていることに当惑せざるを得なかった。

一九五〇年代半ばから六〇年代にかけての米国では「開発」のことを「近代化」と呼んでいた。そのことを念頭におくなら、なぜ日米の認識がかくもズレていたのかが納得できるだろう[2]。現在の視点で振り返るなら、定義自体によって一連の価値を排除する米国の近代化論者の姿勢は、日本社会の脱政治化を促すとともに、脱植民地化のただ中にあったアジアに対してソ連型ではない近代化モデルを提示しようという冷戦期の文化戦略を暗に表現していたともみられる。ただし、一連の政治的課題を重視した日本の知識人と「中立的」な指標を提示する米国の日本近代化論者とが、どれほど対立するようにみえたとしても、また、資本主義的制度の確立／市民社会の確立、あるいは経済活動の自由／政治的自由というアクセントの位置の違いがそれとして重要な争点だといえるとしても、両者はともに何らかの近代化のプログラムを共有しており、そして自由主義的な個人という近代的な主体概念を共通の前提としていた。

文学史的な言説が描く近代はどうだったか。日本近代文学史は、模倣的外面的な近代化を急速に達成しながら精神的近代化に関しては挫折の歴史を描いたという歴史像を前提に、「内生活の要求」ゆえに日本近代の「歪み」に苦しんだ作家たちについて語り、あるいは「家」からの解放、「近代的自我」の覚醒やその挫折を語ってきた。文学史もまた個人の確立を指標として近代性を判定する近代化論の文学版だったのである。その大半は男性知識人の苦悩を語るものだったが、このことは

「個人」という抽象的な人間が具体的には誰のことだったのかを暗に物語っていたように思われる。

戦後日本の再近代化言説において「個人」という人間像が中心となったのにはしかるべき流れがあった。敗戦後のある時期までは、人々の記憶の中に国家という全体のために個人が犠牲になるのは当然だとする戦前国家主義の抑圧性がなまなましい体験として刻まれており、そのために個人の確立という思想は清新かつ重要な課題として受け止められていた。だがその一方で、長期にわたって現実政治の力を握ったのは「行き過ぎた個人主義」「自由のはき違え」を批判し、「古い日本の良き部分」である家族観と同質的な国家の再興を潜在的に願望する保守勢力だった。こうした理念の対抗関係において、双方の価値観が正面から衝突し合ったのがまさに「個人」という争点であり、確立すべきか抑制すべきかという対立の中でこの概念がせり上げられていったのではないだろうか。そうだとすると、長い戦後の推移とともにこの対立構図が溶解していった時「個人」の内包する意味もまた変容を余儀なくされることだろう。経済成長の終焉とグローバリゼーションの深化にともなって、九〇年代以降、経済活動の自由化を進める新自由主義のイデオロギーが急速に広がっていったが、その前提には自己決定を重視する「強い個人」という人間観があった。「個人」という概念は人権尊重につながるばかりではない。そこには自由市場経済における自己責任論を招き寄せる面があったのだ。

「サークル村」、集団の思想

以上の概観から改めてその特異性が注目されるのは、一九五〇年代末の九州で展開された「サークル村」の集団的文化運動である。[3] 谷川雁の筆になる機関誌『サークル村』の創刊宣言「さらに深く集団の意味を」は、「新しい創造単位とは何か。それは創造の基軸に集団の刻印をつけたサークルである」とうたっていた。この運動体の中では、集団創造を課題とする芸術の創作論と、集団をいかに組むかの組織論とが一体のものとして考察されており、その点で単独の個体、個性を単位とする近代文学の理念とはよって立つ基盤が大きく異なっている。創刊宣言は、次のような歴史像の中に「集団」「サークル」を位置付けていた。「つまり今日は資本主義によって破壊された古い共同体の破片が未来の新しい共同組織へ溶けこんでゆく段階であって、そのるつぼであり橋でもあるのがサークルである」。

一般的な戦後思想において「共同体」や「村」が、近代化の徹底によって撤廃されるべき封建遺制の象徴として位置付けられてきたことを思うなら、文化運動を通して集団的主体を創出しようとした「サークル村」の特異性が際立ってくるだろう。その「村」とは資本主義の暴力によって砕け散った一つの価値世界を意味していた。近代を資本主義近代として再定義し、その苛烈な前進の力によって破壊された「共同体」の破片を拾い集め、鋳直し、近代を超える新たな共同組織を創出すること。この構想のもとに「サークル」という集団概念を刷新し再提示したところに、この運動体の思想的意味が認められる。前近代的共同体についてまわる束縛からの解放、自由なる個人の登場という歴史の方向を想定する近代化論は、一つには政治的自由主義の解放言説であり、それは単純に否定してよい価値ではない。だが一方で資本主義近代という観点からこれを再照射するなら、それは自由なる利潤追求を肯定する人間を作り出した言説でもある。経済的格差の拡大を容認し、あるいは自己責任の名のもとに人を追いつめる新自由主義的な価値意識もやはりこうした自由競争の徳目を極端にまで延長したところに位置付けられる。

「サークル村」の文化運動は「集団創造」をひとつの課題としていた。短い活動期間の中でその潜在的な可能性のすべてを開花させ得たわけではないが、やがてここから石牟礼道子『苦海浄土――わが水俣病』（一九六九年）、あるいは森崎和江『まっくら――女坑夫からの聞き書き』（一九六一年）、『奈落の神々――炭坑労働精神史』（一九七三年）、『からゆきさん』（一九七六年）など、比類ない聞き書きの作品が生まれたのである。これらの作品はどのように「近代」を語っていたのだろうか。

『苦海浄土』の語り手「わたくし」は、うなりを立てて連なるトラックの列が、水俣病四〇人目の死者となる荒木辰夫の葬列に泥をはねかけながら追いこしていった時、突然「手足を斬りおとし、眼球をくりぬき、耳をそぎとり、オシになる薬を飲ませ、人間豚と名付けて便壺にとじこめ、ついに息の根をとめられた」という戚夫人の無惨な姿を思い起こす。「故郷にいまだに立ち迷っている死霊や生霊の言葉を階級の原語と心得ているわたくしは、わたくしのアニミズムとプレアニミズムを調合して、近代への呪術師とならねばならぬ」。

こうした激烈な近代批判は『苦海浄土』の中でもおそらくこの箇所を措いてほかにない。この作品は、近代化がどれだけの悲惨を生みだしたかを書くことにもまして、近代化によって破壊される以前の漁師らが生きていた世界、患者たちの語りの中からたち現れるもう一つのこの世を、砕け散ったその破片を拾い集めるかのように復元することに傾注していくからである。苦海、悲惨であるとともに浄土、浄福の文学たるゆえんだが、それでも作品の動機はこの言葉の強度に中に明らかである。水俣にやってきた「近代」は産業化の近代であり、それは人をなぶり殺しにして顧みない近代だった。「わたくし」は「戚夫人」ほどの凝縮された無念をもってその近代を呪殺しようとしている。

一方、石牟礼道子と並んで重要な聞き書きの書き手である森崎和江は、近代性をめぐってより複雑な語り方を選ばざるを得なかった。森崎には植民地期の朝鮮で生まれ育った経歴があり、そして「植民地」とは一面において近代性の純粋培養器だったためである。以下では、植民地育ちの森崎がいかに固い殻をもった「単独の我」として自らを形成していったか、いかにその思想が個を軸とする近代的主体概念の先鋭的な表現となっていったかをまずたどり、そして、その先鋭化ゆえにこそ「単独の我」という自己像の限界に触れ得た経緯をたどりたいと思う。森崎は自分の個体史に即してその自我形成の過程を表現したのだが、それはおのずと近代性への単純ならざる批評となっている。そこにはポスト植民地の思想、労働する肉体、生まれて死ぬ生きものとしての人間といったいずれも根本的な問いが編みこまれている。

森崎和江は一九二七年、植民地朝鮮で生まれた。教師として植民地の青年の教育に当たっていた森崎の父親は、家庭の日常会話の中でも長女の森崎に「お前個人、それから朝鮮の青年個人というものに立脚して、個人はみな平等なものである」と話し聞かせたという（「女性の意識について」『ははのくにとの幻想婚――森崎和江評論集』[4]）。「集団に対する個人の優位」を原則とした父親のもとで、森崎は日本を知らない日本人として一七歳まで朝鮮で暮らした。植民地の日本人社会は単身者か核家族で構成されており、「伝統」を体現するような年配者はそこにいない。加えて、肉体労働に従事する日本人もまたいなかった。森崎の生育環境は伝統とも日常生活の土台とも切りはなされた一種の抽象的な実験場に類するものだったが、そこで生まれた本人はその抽象性に気づき得る立場にはいない。父の教えである自由主義的個人主義の人間観は、そのまま植民二世の娘にとっての現実だった。

もう一つのエピソードを加えておこう。森崎は植民地朝鮮の民衆が支配者である日本人の「女の子」に向ける張りつめた視線のことをしばしば書いている。性欲よりも殺意が勝るような彼らのまなざしをその身に受け、それを見つめ返すことで、森崎は在朝鮮の、日本人の、女性の身体を形成した。その個的身体の輪郭は張りつめた緊張感に満ちていたことだろう[5]。森崎は幼少期を通して他人の中に「まぎれこむ」という生活意識はなかったという。「日本には雑踏にまぎれるということばがある。群衆の中の孤独ということばもある。いかにも日本だなあと思う」（「わたしのかお」『ははのくにとの幻想婚』)。だからこそ、日本で暮らすようになってからの彼女は、他者の他者性について突きつめた思想をついに持ち得なかった日本に強く反発することになる。

敗戦を挟んで父の郷里で暮らすようになった森崎がそこで出会った「日本」は、徹底的な嫌悪の対象であるほかなかった。そこでは自分のことなど全く知らないはずの人々が、すべてわかっているという調子で、よく帰らしたのう、と受け入れてくれる。「私がどういう剣呑なことを考えている小娘かというようなことは全然問題にならなくて、父の総領娘だということだけでもって完全に受け入れてくれた」のだ。日本の人々は相手の帰属先を確認せずには済まないように「あなたのおくにはどちら」と挨拶のようにたずねてくる。個人の本質を問うことなく、家柄や生まれといった属性だけで受入れられるか排除されるかが決定される共同体の体質に、森崎は強く反発した。その感覚は「個的存在に対する自信のなさ」としか思えない。大人たちはいつもにたにたしており、「それは他人の帰属意識に対する許容の表情」らしかったが、同時に「それからはずれることへの恐怖の表情」でもあった。当時の森崎はその表情の群れに対し「くさった土民ども!」と、やりばのない憤ろしさに堪えていたという(「私を迎えてくれた九州」『ははのくにとの幻想婚』)。

単独の個体たり得ない人々が「土民」にみえるまでに森崎は「近代人」だったのだが、ここで注目したいのは、かくまで際立てられた図式である。この記述からはむしろ森崎が自分の内に育てた個という価値の抽象性を際立たせているように感じられてならない。抽象を現実の場で生きるとはどういうことなのだろう。たとえば次のようなエピソードがある。

日本に引揚げたのち療養所に入っていた森崎と見舞いにきた弟との会話を聞くともなく聞いてい

た隣の患者がこう言った――きれいなことばで話をするので感心していました、兄弟の間でそんな言葉をつかうのはどういう人なのだろう――そう語りかけられ、姉と弟は傷にふれられたように沈黙する。それは侵略時代の外地用日本語であり、政策的に作られた人工語であり、生活の澱のないことばだった。「外地では生活語の体系を観念化してしまった標準語だけが、植民者二世のことばとなって、朝鮮人の小市民階層の子らとそのことばを共にしていた」(「民衆のことばの発生」『匪賊の笛』[6])。

生活実態からあらんかぎり遠ざかった標準語。森崎の内部にあるのはこの非自然の言葉であり、それが彼女の自然だった。ここでは固有のものと外的なもの、自然と人工、あるいは観念と現実といった通例の対立が内的に瓦解している。「日本」に出会った森崎は、その共同体的心性に耐えがたい憤りを抱いたが、しかしその情動の根拠となる感性はといえば、植民地の人工空間で培養されたそれでしかない。日本は他民族の生活空間を奪い取ったが、そのことによって植民二世の娘もまた復讐されていた。朝鮮の風土という具象から剥離し、日本で暮らすようになった植民二世の日本語は奇怪な異物と化し、彼女の「言葉と肉」の関わりは大きく変質していく。「私にとって、日本のくにの日本語は、第二言語のように、どこまでいっても実感がつかめない奇怪な生態めいていた。私は、自分とことばと空や風とを、それまでのように、律動をもって感じることはのぞめなくなったのを知っていた」(「日本語とのつきあい」『詩的言語が萌える頃』[7])。

日本人の森崎が日本語のただ中で自分の声に違和を覚える。森崎和江の初期の著作(なかんずく『非所有の所有――性と階級覚え書』)を特徴づけているのは、まず何より独自の用語を駆使して書かれたその文の記念碑的なまでの難解さだが、それは森崎が日本語に対する不和をたえずその表現の内に組み込んで書いていたための難解さであり、断じて「日本のくにの日本語」と折り合おうとしなかったことを遂行的に示すような難解さだったと考えられる。彼女にとって日本語はどこまでも「奇怪な生態」だったのだ。それでも言葉は自分の内にあり、自分そのものを創っている。森崎は自分自身を「日本の土のうえで奇型な虫のように生きている」ように感じていた。[8]

森崎は自らを受け止めかねていたらしいのだ。その言語意識の核に深刻な欠如感を住みつかせていた森崎は、にもかかわらずというべきか、だからこそというべきか、詩を書き、文章を書く表現者となっていった。最初の詩集のタイトルは『さわやかな欠如』となっている（国文社、一九六四年）。森崎の表現の出発点に、言葉がない、という欠如の意識があったことは強調しておきたい。[9]

ことばの欠如

五〇年代末、『サークル村』発行所となる筑豊の炭鉱町に移り住んだ森崎は、かつて坑内に降りて働いた「後山」（石炭を搬出する仕事、転じてこの作業に従事した女坑夫）たちに出会い、彼女らの精神世界を聞き歩くようになる。彼女らが地下労働の経験から創り出した精神世界は日本語の文化体系では語り得ないものだったから、その独自の世界から照らし出した時逆に日本語による思考秩序の欠落の形がくっきりと浮び出る。炭坑町での暮らしの中で、森崎は地下労働の世界を文字化することには本質的な困難がついてまわることに気づいていった。そこでは労働する肉体そのものが語っており、そして言葉は労働する肉体のごく部分的な表現でしかない。のみならず、それは地上の言葉によって表現し尽くすことのできない世界だった。「そして彼らが炭坑体験を語らないのではない、語りたくて血が噴いていいてそれでも語りたい映像は地上のことばに代えると崩れていくと言っているのを感じとる」(「未熟なことば・そのてざわり」『匪賊の笛』)。

坑夫たちの噛むような無言とは、支配的な言語文化の体系によって影の部分に追いやられた埋み火であり、またそれ以上に支配的言語で代理＝表象されることによって本質的な部分が損なわれることを感知せざるを得ないための無言である。坑夫たちが地下労働の世界を語ろうとする時に、炭坑の闇を知らない日本語を借りるほかないのだとしたら、語るほどに自らの姿を支配的文化の姿に置き換えてしまうことになる。坑夫らもまた身をもって言語と肉体の断裂を生きる表現者たちだった。こうした無言や無念そのものを森崎は重視していた。それは既存の言語によってたやすく語り得てしまう世界に対し鋭く拮抗する潜在的なエネルギーの場であるからだ。

自分たちを規制している産業機構・政治機構の中で労働者の言葉は必然的にある貧しさを強いられている。しかし森崎はその貧しさこそが下層労働者の文化が蓄積されるための重要な鍵になると考えていた。ただ、その鍵をあける方法をまだ誰もしらない。「実はその貧しさこそが私たちの互いを結ぶ記号であり、それの社会的対象化こそが私たちの創造の手段であり、それの定着こそが私たちの能力の自主的運営であるのに。その方法は私たちの誰もが知らないので、その死はまた捨てられる」(「公開されない幻想」『異族の原基』)。(10)

そして森崎自身も労働者らと似た形で、「肉体の言語化をはばまれている苦痛」を感じていた（「言葉・この欠落」『異族の原基』）。森崎和江の聞き書きは、こうした自らの欠如の意識をもって坑夫らの欠如感に結びつこうとする特異な文学行為だった。わかりあえるがゆえの連帯ではなく、相互の苦痛と無念を深化させた地点でなされる連接としての連帯は、必然的に支配的言語の輪郭＝限界を浮かび上がらせ、それを包囲する集合を形成することになるだろう。今あるようにある文化に同一化するものは表象の中に留まっているのだが、それでも人は表象を超えて思考する自由をもっている。言葉と肉との断裂の意識は、文化の思想がそこから別の新しい始まりを始めるための重要な出発点となるのである。

「日本のくにの日本語」という問題系に加えて、森崎の抱える欠如感にはもう一つの系がある。生きものは生まれて死ぬというのに、それを語る言葉が決定的に欠けている、生のはじまりを語るための言葉がない。森崎はお腹に子どもを宿した時、それまで疑問なく使っていた「私」という一人称単数の主語を受け付けなくなった、という経験を繰り返し語っている。出産＝生誕という女性身体の経験は、母親が「産む」という他動詞、赤ん坊が「生まれる」という自動詞、つまり個としての主体をあらかじめ想定する二つの動詞に分割され、ひとつの出来事としては断ちきられてしまうのだ。

日本を嫌悪し、単独の我の意識を先鋭化させてきた森崎は、こうした女性身体の経験を介して近代的主体概念の限界に触れる瞬間を持った。未生と生のあわいにある出来事を、単独の個体を想定する言語は語り得ない。言語体系そのものによって孕み女の経験は言葉の外、思考可能なものの外に追いやられ、形をとらない砂のように繰り返し失われてきた。私たちは言語の外に広がるこの広大な闇を言語化できず、自分たちが何を思考することができずにいるのかを知らずにいる。生の広がりのうち言語が捕捉しない部分を思考から排除することによって規定されているのは、日本語による文化の形そのものなのである。

与論の洗骨

森崎の「欠如」の意識は単数一人称の「私」の限界、あるいは「産む」「生まれる」という単独主体を想定した動詞の限界を浮かび上がらせた。森崎の「産」の思想については繰り返し言及がなされてきたし、その延長上に「いのち」の思想が位置付けられもした。ことに、森崎後期の著書に「いのち」を冠したタイトルが多いこともあって「いのち」の思想家森崎というイメージは広く共有されている。[11] しかしながら、その思想の展開は、生のもう一つの端となる「死」の思想と相互に不可分だったということを、ここでは改めて確認しておきたい。あるいは森崎の思想における「死体」の重要性を忘れないようにしたいと思う。とりもなおさずそれは、私たち自身の思考に浸透した生と死の二分法——ほかのあらゆる二項対立の思考形式をひきよせ賦活してきた二分法——が脱構築を必要とする支配的な思考形式であることに関わるとともに、また死の観念ならざる死体を視野の向こうに追いやりつつ生の充溢のイメージに想像力の安定を見出してきた私たちの思考の型にも関わっている。森崎が生の思想家であることは、死体の思想家であることと不可分なのだ。それが重要なのは、何より自分たちが脆弱な生きものであり肉であるということをいつも忘却していることによって成り立つ私たち自身の生の問題であるだからだ。あるいは崇高な死を語る美学がこの期に及んでなお消えてなくならないためでもある。

森崎は川西到とともに与論島から仕事を求めて三池炭坑にやってきた人々のことを一冊の本にしているが[12]、その取材の中で森崎は、与論出身の老夫婦がこの上なく優しい言葉で「風葬」の風習を語るその声に耳を澄ませていた(「生のはじまり・死のおわり」『異族の原基』)。その老女は、たとえばこんなふうに語るのだ。「三年経つと、骨はきれいになっとります。骨拝みに行きます時は、みんなでお酒や水を持って……。ああ、みんな、やさしかもんですからねえ。頭の骨は長女が抱きます。白い布できれいに拭いてあげるのですよ」。

風にさらされた骨はまっ白になるという。その「美さ骨」を丁寧に集めながら、みんなでその人の話をする。骨に肉が残っている時には、両手で揉んであげるときれいになる。「強か人」は三年たっても肉が残っていて、それを、強いおひとだったからねえ、と話しながら丁寧に揉んであげる。骨は美しいですよ、と、その老夫婦は語った。

森崎にとって、老夫婦の語りはことのほか印象深いものだったようである。骨をやさしく撫で洗う人々は、死を死の観念で受け止めるのでなく、死んだ肉体という具象のいとしさ、かなしさを心に住まわせながら死を理解しているようだった。「その直接性は一人の個体や肉体にとどまらず、死後の骨そのものへ、霊界へ、というぐあいに生と死をひっくるめた形而上・下に巡環し、体系化され、それを共に持ちあっていたのである」。

しっとりと骨を撫でる老夫婦の言葉は、森崎に自殺した弟のことを思い出させた。同じ朝鮮生まれの植民二世として、誰より同じ痛恨を分け持っていたはずの分身を死なせてしまった森崎は、それでもみながそうするように遺体の処置を葬儀業者に任せた。弟を葬るすべを知らず、骨を撫でるということを知らなかった。与論の風葬の話を通して、森崎は自分たちが肉体の直接性をすでに失っているということに思い至る。自分は与論島での洗骨のやさしさ、骨を撫でる人々の厳粛でなまなましい語りかけを知らず、死体の具象性と死や他界という観念の抽象性とがとぎれなく循環する思考体系をすでに失っている。そして、人格の一端であった肉体の具象から逃げて、愛しい者の死体を他人に任せた。

では、死の観念から追い払われた実際の死体をその手に受けとるのはいったい誰だっただろうか。この文には、子供の頃から父親につき従って死体を清めてきた青年が登場する。彼には父とともに大切なこととして捉えてきた死体清めに関する考えがあった。人が最後に考えねばならないことを、彼は最初に考えてきたのだと感じている。しかし社会はその作業を不浄とみなし、それに携わる者たちを身分的に囲い込み、差別の対象とした。そして、死の観念から死体処理を断ち切り、排除する文化とは、産む女の生理を不浄とみなして辺地の産屋に隔離し、さらに女人禁制の境界を定める文化でもあったのだ。「生のはじまりの不確定さは、それを女体生理の不浄に閉ざすことでその統一的観点を引き返えさせ、死のおわりはそれへの限定を特殊に階層化させてその思想性を断ち、生のおわりから死のはじまりまでの極めて短い生態ばかりへ意識を通わせんとするのである」。

与論の洗骨のやさしさに思いを寄せながら、森崎は、生存のうちのごく限られた期間だけを十全なる生と定める自分たちの文化の体系、思考体系の脆弱さに思いを巡らす。意識でとらえがたい生存のはじめとおわりを恐れない人間の文化はないだろう。いとしげに骨を撫でるやさしい与論の老女も、死に対するまた異なった恐怖を抱いているにちがいない。それでも形而上の死の観念と形而下の死体との統一性を割ることなく、つまり生死に対するとらえ方を抽象と具象に分割することなく、ましてやそれによる身分差を作り出すことなく維持してきた文化が与論の人々の中には生きていた。日本語の欠如を欠落させたままにするのでなく、骨をなでる振舞いの中に維持してきたこの世界では、具象から出発する思考の体系化が無言の内になされている。それは抽象から出発し具象にふれて確かめるという思考の系列とは質的に異なっている。

一般的な西洋思想史は、私がそれを意識する限りにおいて世界が私に現れる、という相関主義的な思考を近代の出発点としている。意識によって捕捉することのできない生のはじまり、死のおわりの両端を、それぞれ女の不浄、死の不浄へと追いはらい、さらにそれを性差別、身分差別として制度化した文化の体系もまた、世界を私の意識との相関関係の内に閉ざそうとする思考といえるだろう。その体系の限界を対象化した森崎の思想を、根本的な近代批判として位置付けることもできるのだが、森崎自身は意識の支配が及ばない対象を遠ざける思考体系を、必ずしも近代の所産とはしていない。近代国家以前にイザナギは黄泉の国で腐れゆく死体に出会い、恐れ、ひた走りに逃げ帰り、身を清めた。そこからけがれの観念が生まれている。「黄泉比良坂が生者と死者とを断つ。というよりもそれは死の観念と死の現象とを分離させるのである」(「にほんの死とアフリカの死」

『異族の原基』）。

死の観念と死の現象の分離。そこから文化の階層分化が始まり、死の観念にたずさわるものは社会的上層、死の現象にたずさわるものが下層とみなされるようになっていく。一方には清い霊魂、一方には腐れゆく亡骸。この分離が成立した時、文化的な感性は一種の落ち着きを与えられ、そこからいわゆる死の美学さえ育てることも可能になった。しかしその時、日本の言語、日本の文化は支配者の感性の方へと吸収され、民衆の感性を掬い取ることのないものとなっていったのだと森崎は考える（「媒介者たちと途絶と」『異族の原基』）。

死から死体が切り離され、死体に関わろうとしない支配者側の感性が日本文化として体系化される。と同時にその体系化によって、産む性の身体や、亡骸を自ら処理した歴史を持つ民衆のやさしさが、言語化不可能の闇の中に沈められた。その無言は支配的な言語によって代弁できない貴重な無言であり、だから代弁させてはならない無言なのだ。森崎は、支配者側の感性で統一された文化を「代弁者文化」と呼び、これまで自分たちの言葉がそこに甘んじてきたことを思い起こす（「未熟なことば・その手ざわり」『匪賊の笛』）。そして、「生きものの肉の現象」である死と生誕の現実をゆがめてとらえる権利を言葉に与えてはならない、と述べた（「媒介者たちと途絶と」）。

人々は意識でとらえがたい生存のはじめとおわりを怖れ、自らが支配し尽くすことのできない生の不確かさ、脆さを恐怖し、それに必死で耐えてきた。森崎は、人々が自分たちの生の不安を支え畏怖を表現するために作り出した「禁忌」と、それを上から制度化した「禁制」とを質的に区別している。「禁制」は「禁忌」の豊かな想像力を制度に回収するとともに差別を惹起した。つまり私たちの畏れや不安は外側から代弁され、繰り返しすり替えられてきた。置き換えられ、作り変えられてきた果てにここにいる私たちは自分が誰であるのかを忘れてしまい、だがその自分たちに対してかすかな違和を感じてもいる。支配言語に違和を感じるもの、言葉の欠落を感じとるものの無言とは、支配言語による代弁を拒む無言であり、だからこの上なく貴重なのである。

からゆきさんの見事な死

「死体処理」をめぐるもう一つのエピソードについても触れておかなければならない。森崎は天草出身のある「からゆきさん」――森崎の代表作となる『からゆきさん』の中では「ヨシ」という名が与えられている――の死について、それを受け止めかねるように繰り返し反芻している。[13] からゆきさんとして売られ海を渡った彼女は、五年ほどの娼楼暮らしを経てそこから自分自身を救い出し、アジア各地を転々とした後にインドでマッサージ治療院を開き、人々の尊敬を集めるまでになった――抵抗運動のさなかにあったガンジーも、しばしば彼女を呼び寄せてはその治療を受けた、という。森崎は、自立的な生をもとめて誇りを失うことなく生きた無名民衆の一人であるこの老女を敬愛してやまないのだが、ただ一点、天草に戻った後に彼女が自殺したこと、最後に家屋敷をすみずみまで拭き清め、身辺の物一切を処分し、枕元に一輪の菊と、洗面器、消毒液、脱脂綿、つまり湯灌の道具を整えた上でひとり死んでいった、ということだけがいつまでも呑み込めずにいた。

見事な死に方だというのではない。

死後の肉体まで完璧に始末しようとしたこの老女の死に方を、当初、森崎は「醜悪だ」と感じたという。野垂れ死でよいではないかということだ。森崎の中に彼女の死は長い間未消化のままとどまった。「醜業婦」と呼ばれる経歴を負いながら、彼女は幾度も世間にいどみ、自らを律しつつ生きて自営自活の道を開いたのであり、その力強い自負心に森崎は敬意と共感を寄せている。彼女は「自立者」として生きたのだ。そして、その自立の生活が肉体的に不可能になろうとする時、死を選んだ。

本稿の問題意識に立ち戻れば、ここに自立した個人の崇高と、それが維持不可能となったのちになお残存する自分自身の身体との折り合いがつかない隘路を見て取れるように思う。森崎は、自立者としての自己像に執着するかのような彼女の死に方に反発を感じたという。「たたかいとった自己像が、肉体のおとろえとともにくずれ、人々の目にさらされ、その誤解の中に朽ちていく。野たれ死とはそのようなもので、存在とはもともと、そうした半面をふくむものなのだ」（「死者のことばと私」『産小屋日記』[14]）。

同時に森崎は、自分自身の反発の念が、売られることも買われることもなく父の保護の下で「自立した個人」の観念を育てた自分の生い立ちから来ていることにも気付いていた。「肉体を売春の対象として生きねばならなかった」（「肉体のことば」『匪賊の笛』）彼女は自分の肉体をどのように感じとっていたのだろうか。自分自身である身体が商品であり、貨幣と交換可能のモノであり、買い手が意のままにできる肉であることの底知れなさは、容易にくみ取ることができるものではない。

ヨシは「売られるということ」、他人の所有権の下に置かれることの何たるかを身をもって体験し、そこから必死で脱出したのである。彼女はもう二度と再び自分の身体を人の所有の下に置くことはするまいと考えたのではなかったか。そして見事な自立の生を生きた彼女は、その終わりの時に自己の十全な自己所有を歯噛みするほどの切実さで願い、しかし自己処理できない肉体、自分自身でありながら自分とともに消してしまうことのできない肉、自分自身の他者である肉に出会ってしまったのではないか。

売買春において売られるのは、売ることのできないものだった。売ることができるのは私が所有している物であり、自分の労働によって作り出した物がそうであるように、意のままにお金と交換でき、自由に操作でき、手段として扱える物である。意のままにできるのだから所有される物は所有する者にとって他者性をもたない。しかしはたして私は私の身体をそのような意味で所有しているのだろうか。もちろん一般的な所有概念の原点には自己身体の所有権という考えがある。ジョン・ロック以来、人はだれでも自分自身の一身については所有権をもっていて、だからその労働によってかち得たものは自分のものだというロジックで所有権は説明されてきたはずである（『市民政府論』）。だが、本当にそうか。私の性、私の身体は、私が作り出したものではない。そして私の意識による統御を越えて病み、老い、死んで腐る。私の身体は私が在ることから切り離すことはできないが、にもかかわらずそれは私の内の他者である。それは私が交換価値として意のままに扱うことのできる対象という意味での所有物ではあり得ない。身体——私のもっとも近い他者、それこそがかけがえのないものであり、だから売ることのできないものなのだ。その身体が「売られる」

時、所有できないはずの他者がまるで所有物のように手段として扱われている。それを、私たちは無惨と感じる。[15]

ヨシは商品として売り買いされ、他人の所有権のもとに置かれることの無惨さを身をもって知っていた。だからこそ力をつくして自分を自分に取り戻し、自己の自己所有をかなえ、そして最終的には自分の死体を自分で処理したいと願ったのだとしたら、ここには深い逆説があるように思う。彼女は二度と決して侵害されることのない自己の最終的な所有を果そうとした。だがその必死さの中には彼女がそこから身を振りほどいたはずの所有の観念が深く内在している。

彼女は、というより彼女とともに現在の資本主義の下に生きている私たちは、私的所有と交換価値のリアリティを深く内面化してしまっているが、しかしながらそこには何より他者性に対する感性が欠けている。近代的所有権がもたらすのは、所有物を意のままにし、支配し統御することがもたらす快であるが、それと表裏するのがこのからゆきさんの深い悲しみだったのではなかったか。ヨシの死に繰り返し立ちもどることで、おそらく森崎は所有できないものとしての身体、意識の統御を逃れる＝意のままにならないその他者性を見出している。その他者とは自分のもっとも近い他者、自分の身体なのである。

布団の裾に置かれた湯灌の道具。それは、自立した生を生きた彼女の自己像への我執だったかもしれない。あるいはついにかなわぬ身体の自己所有への執着と無念さだったのかもしれない。だが森崎は、やがてむしろそれは彼女が「書き残した言葉」ではなかったかと考えるようになる。そして、そのメッセージの中に自分自身が抱いていた解放のイメージの欠落部分を見出すようになってゆく。自分は自立できない存在である乳幼児を育てはしたが、強い個人でいられなくなる老齢者のことをこれまで心に止めてきたとは言えない。つまり、暗黙のうちに活動的年齢層にある人間の解放にもっぱら焦点をあててものを考えてきたのではなかったか。そして、こうした思索の内から「自立しがたい者との共存」という問いを立てるに至ったのである（「死者のことばと私」）。老女の自殺は彼女の涙であり、怒りであり、「生まれそうもない共存社会への、問いかけ」だったのではないか。森崎はそう考えるようになる。

自分にとってのもっとも近い他者である肉体を持った人間は、いわゆる個人でなどいられない。生のはじまり、死のおわりをも含めた生存の全体は、意志的個人が自らの裁量のもとに置くことのできるようなものではないのだ。生きることとは個人を超えることであり、私たちはその身体をいつでも他者にゆだねつつ生きている。ただ、ゆだねられるその他者は、単独の個体という自己イメージを基盤として近代化を推し進めていった戦後社会のいったいどこに育っていたというのか。「誰もがそうであるように、生きるとは自己を超えることだろう。そのもっとも深いところで。活動的年代の自己の、その前後にひろがる時空をも思想化しようとしながら。また他者のそれと共存しながら」。

ジュディス・バトラーは、単独の個という近代的な主体概念とは、生の根源的な脆さというその事実を都合よく否認したところに成り立つフィクションではなかったかと問いかける[16]。どのような人間も生まれたばかりの赤ん坊の時には日々周囲の人々にケアされることで生きており、のみならず大人になってからであっても不可避的に他者に依存している。人の生は脆く、弱い。その身体は他者の世界に差し出され、さらされ、根源的な他者性にゆだねられ、すでに他者の痕跡が刻まれているのだ。そしてその生の脆さ、弱さは、むしろバトラーがそう言うようにむしろ潜勢力の場でもあり、個人を単位とするのではない政治的想像力を切り開く原点、根源的な連帯を基礎付けるその始まりとなり得るのである。私たちはすでに相互に依存している。その回路をむしろ発展させることが真の安定した生へと通じるのではないか。

ヨシはみずからの死体をじっとみつめ、始末におえないそれを持て余すかのようにして、一人自裁した。それは生まれそうもない共生社会への涙であり、その彼方を願いながら強い個として生きて死なねばならなかったことの無念さである。彼女の無念をそのてのひらに掬うようにして、森崎は「共存」の思想を探る。ここではそれを「共同労働」と「共食」の原理から考えた文を参照しよう。

共同労働と共食

森崎の死体の主題からみえてくるのは、充溢した生のイメージの対極に置かれるいわゆる死体とは逆のもの、私たちが生きるということの基底である。生まれ、病み、死ぬ生きものである私たちは、肉体について最終的に自己統轄を貫くことはできない。そして「意識によって統御しがたい部分を肉体はもっていること、それを最も強く現わすのは死んだ肉体」なのである（「肉体のことば」）。

「死んだ肉体」とは、むしろ生きている自分の肉のうちの、意識による統御の及ばない部分であり、つまり意識の限界を印づけている。人が自分の意識でコントロールできない自然としての肉体を持つこと、すべての人はそのことを存在の条件としている。

存在の条件としての肉体。この水準での自己を維持するためには、まず何より自分ではない生きものの身体を食べて消化しなければならない。さらに、肉体はその死によって分解され、土になり、それがふたたび他の生命の基礎ともなる。他の生きものの体を食べる利己的な私は、その死によって意識をこえた利他的存在でもあり得ている。森崎は、ある文の中で「母乳をのませながら私は、今自分はこの子の食べものなのだな、と思ったことでした」と書いている。[17] 他の存在のための食べものである自分。子育てのしあわせを書いた文の中のグロテスクにも感じられる一節だが、森崎が時折閃かせるこうした想像力は、私たちの思考に異なる尺度を与えてくれる。

私の生は私の肉体の輪郭内に閉じこめられた生でなく、意識の閾のその先で、すでに様々な他者、物質、事柄に支えられているし、支えにもなっている。私の肉体、私の自己とは、拡張された物質であり他者であるのだ。この自己は血、汗、分泌物、排泄物となって絶え間なく自己から分離している。自らの意志で自己を律し世界を統御しようとする欲望にとって、自己の境界を絶え間なく侵犯する分泌作用、排泄物、さらに死んだ肉は嫌悪と恐怖の対象となるが、そのようにして意識から遠ざけておいたとしても、最終的に精神がそのプライドを貫くことはできない。私たちは他の生きものの肉を食べ、消化し、排泄し、死んで朽ちゆき、蠅にたかられ、蛆に食われる一続きの肉である。むしろその肉の循環が生きものとして生存する条件、精神的存在さえその上で可能になる土台であるなら、「死んだ肉体」は生と死、自己と他者、精神と物質、個人と社会、こうした対立を解体しつつ、あらたな次元の生の概念を開示することになるだろう。私たちを構成しているのは人間や非人間である他者、物質をも含めた広がりであり、その相互依存性が私の生を可能にしている。

近代的主体の概念は、精神が身体を統御し、認識主体が対象を支配し、人間が動物を食べるという図式を前提とし、その一方向的な図式を維持する堅固な境界を前提としている。こうした構図が転倒するようなことがあってはならず、人肉食に象徴されるように境界を侵す行為は忌避と嫌悪の対象となるだろう。だが、そうした強い意識の主体は、死から死体を切り離すことによって維持された文化の体系を暗黙の前提としている。生まれて死ぬ生存の生の両端を断ち落とし、意識の力でとらえ得る範囲をもって全体とみなす主体は、ある意味ではつねにすでに私自身である物質、私の最も近くにいる他者を否認し、差別を生み、弱者である自分、自分の脆さを忘れようとするのだが、それでもその限界において単独の個人という自己像は自己完結をはばまれている。条件的に自分の意志では手に負えない肉として存在している人間は、最終的に自己処理しがたい肉や骨を他者にゆだねるのであり、またゆだねられる他者を思考に繰り込まなければならないのだ。そして支配文化に服せざる民衆たちは、生活のなかでつねにそうしてきた。「自分の意志では手に負えない肉体、野たれ死するのは結構だけれども自己処理しがたい肉や骨々を、他者にゆだねる、またゆだねられることを自然だと感じ合える関係は、久しく血縁であった。（略）同時に共同労働の（つまり共同で肉体の創造的活力を支えあった）間柄でもあった。「かまどの火」を共にする間柄である」（「肉体のことば」）。

炭鉱労働の精神世界を描きだした森崎は、その世界の中からこうして「共同労働」と「共食」の原理を取り出した。[18] 坑内労働には落盤、出水、ガス爆発という「坑内非常」がついて回る。坑夫らは土の中に生き埋めになったままの仲間の死体、そのみなれてきた耳や唇、炭壁にはりついた肉片を肌身に感じとりながら、日々命と引き換えに地下に降りていったのだ。だからこそ彼ら彼女らは互いに命をあずけゆだね合う協働の感性を育み、それをこの上なく貴重なものとして噛みしめるように捉えていた。労働する肉体を語る言葉がない、という思いはこの代えがたい経験の蓄積とともにあったはずである。生存の条件としての肉体があるために、人々はその肉体をあずけ合い、ゆだね合い、そして食を共にするのである。

労働する肉体を語る言葉がない。お腹に子どもを宿した身体を語る言葉がない。死を悼みながら死体を遠ざけ、その処理を他者に任せてきた。このように、森崎は自分たちの文化の限界を浮かび上がらせてきた。それは坑夫と孕み女と死体とによる根源的な文化批判となっている。彼ら彼女らは、「代弁者文化」によって置き換えられるか、そうでないなら沈黙を深くするほかなかったかもしれない。だが、同時にその豊かな沈黙の中で、支配文化の限界をよそにして、共同労働と共食の原理を維持してきたのである。

森崎和江は、閉山期の炭鉱地帯でこうした文化批判を深化させるとともに『奈落の神々』を書いている。彼女は炭坑労働の中で形成された独特の精神世界を何としてでも失われてはならないものと感じていたが、それは石炭から石油へのエネルギー政策転換と、炭鉱閉山後の坑夫らの苦闘を目撃しながらのことだった。七〇年代、生産技術の高度な発展＝近代化によって、労働の場の人間関係もまた大きく変容し、人々が相互に創造性を認め合う文化の場であり得た共同労働もその存立基盤を破壊されていった。

たとえば森鷗外の『舞姫』は近代的自我の覚醒と挫折を描いたとされる。その主人公の近代的自我への往復、具体的にはドイツへの往復を可能にしたのは「石炭」であり、作品の言葉はこの語から始まっているのだが、そのことに気づく読者はそれほど多くない。[19] 近代化は「石炭」、つまり蒸気機関の使用による動力革命によって達成された。だがその近代は、自らの存立条件である石炭のことを忘れ、その石炭を坑底の闇に降りて掘り出してきた坑夫らを不可視化し、当初から差別の対象としてきた。近代は自らの産屋を隠し続けてきたのである。さらに石炭から石油への「エネルギー革命」によって切り棄てられた数十万の炭坑労働者とその家族はどこへ消えて行ったのだろう。近代そのものが、自らの生のはじまりと死のおわりとを認識の外部に追いはらってきたかのようである。事故で坑内に生き埋めになったままの坑夫たちがそうだったように、現在の原子力発電においても発電所の保守管理にあたる被曝労働者は徹底して不可視化されている。本社の社員は可視的かもしれない。だが、被曝労働を支えてきたのは幾層にも重なった下請け構造である。彼らを意識の外へと切り棄て、闇に沈め、そうしながら近代化は成長、進歩、発展として表象された。

生のはじまりと死のおわりから目を背ける文化は、いったいどのような人間を「人間」として描き出してきたのだろう。赤んぼうでもなく、老人でもなく、障害者でもない人間、誰にも寄り掛からない自立した個人、加速する効率性原理に日々自分を適応させ、自らの労働力としての市場価値を高める努力を怠らない生産性の高い人材ということになるのだろうか。ただ、私たちは確実に今、そうした強い人間の像に脅かされ、疲労している。

註

(1) 佐藤泉「治者の苦悩アメリカと江藤淳」『戦後批評のメタヒストリー――近代を記憶する場』岩波書店、二〇〇五年。
(2) サラ・ロレンツィーニ『グローバル開発史――もう一つの冷戦』三須拓也・山本健訳、名古屋大学出版会、二〇二二年。
(3) 佐藤泉「第3章 谷川雁」『一九五〇年代、批評の政治学』中公叢書、二〇一八年。
(4) 森崎和江『ははのくにとの幻想婚――森崎和江評論集』現代思潮社、一九七〇年。
(5) 佐藤泉「森崎和江『からゆきさん』――傷跡のインターセクショナリティ」坪井秀人編『戦後日本の傷跡』臨川書店、二〇二二年。
(6) 森崎和江『匪賊の笛』葦書房、一九七四年。
(7) 森崎和江『詩的言語が萌える頃』葦書房、一九九〇年。
(8) 森崎和江『まっくら――女坑夫からの聞き書き』理論社、一九六一年。
(9) 本書第7章参照。
(10) 森崎和江『異族の原基』大和書房、一九七一年。
(11) 茶園梨加「「産」の思想を考える」『現代詩手帖』六一巻九号、二〇一八年。坂口博「初めに「いのち」ありき」『現代思想』二〇二二年一一月臨時増刊号。

（12）森崎和江・川西到『与論島を出た民の歴史』たいまつ社、一九七一年。
（13）佐藤泉「からゆきさんたちと安重根たち——森崎和江のアジア主義」『越境広場』創刊〇号、二〇一五年。
（14）森崎和江『産小屋日記』三一書房、一九七九年。
（15）身体が「売られるということ」や「所有」については立岩真也『私的所有論』（勁草書房、一九九七年）に示唆を受けた。前掲「森崎和江『からゆきさん』——傷跡のインターセクショナリティ」も参照。
（16）ジュディス・バトラー『生のあやうさ——哀悼と暴力の政治学』本橋哲也訳、以文社、二〇〇七年、同『アセンブリ——行為遂行性・複数性・政治』佐藤嘉幸・清水知子訳、青土社、二〇一八年。
（17）森崎和江『大人の童話・死の話』弘文堂、一九八九年。
（18）佐藤泉「集団創造の詩学——森崎和江『まっくら』」『社会文学』三〇号、二〇〇九年。
（19）私自身、『舞姫』の冒頭の言葉が石炭であることを西成彦『胸さわぎの鷗外』（人文書院、二〇一三年）によって教えられた。

10　果てなき負債の果て

石牟礼道子『苦海浄土』について

漁師の栄耀栄華

石牟礼道子は水俣の漁師たちの食がいかに贅沢なものだったかを繰りかえし書いている。

人びとは爺さまが「焼酎の肴には、ぶえんの魚の刺身でなければいけない」としていたことも思い出した。／——海ばたにおるもんが、漁師が、おかしゅうしてめしのなんの食わるるか。わが獲ったぞんぶんい（思うぞんぶん）の魚で一日三合の焼酎を毎日のむ。人間栄華はいろいろあるが、漁師の栄華は、こるがほかにはあるめえが……。

魚は舟の上で食うとがいちばん、うもうござす。／舟にゃこまんか鍋釜のせて、七輪ものせて、茶わんと皿といっちょずつ、味噌も醤油ものせてゆく。そしてあねさん、焼酎びんも忘れずにのせてゆく。／昔から、鯛は殿さまの食わす魚ちゅうが、われわれ漁師にゃ、ふだんの食いもんでござす。してみりゃ、われわれ漁師の舌は殿さま舌でござす。

かかは飯たく、わしゃ魚ばこしらえる。わが釣った魚のうちから、いちばん気に入ったやつの鱗がはいでふなばたの潮でちゃぷちゃぷ洗うて。（略）鱗はいで腹をとって、まな板も包丁もふなばたの水で洗えば、それから先は洗うちゃならん。骨から離して三枚にした先は沖の潮ででも、洗えば味は無かごとなってしまうとでござす。

老いた漁師の語り出す「ぶえんの魚」は、文学言語の中に映し出された食の中でも至上の美味と言ってよい。けれどその刺身がうまかった、だからこそ海辺の人々は気づかぬうちに水銀を大量に摂取したのかもしれない。そして人々の身体は取り返しがたく損なわれた。もし魚がまずかったら、有害物質のために魚の味が駄目になっていたら、そうすれば患者は患者にならずに済んでいたのでは、などとも考えてみるが、まずい刺身であればよかった、というのはまぎれもない倒錯である。石牟礼道子が漁師の美食を書く言葉は根本的な逆説を突きつける。

爺さまたちは誇りをもって殿さまにもまさる食を語り、石牟礼道子はそこに「栄耀栄華」という言葉を与えた。そこからすれば「東京ンもの」など気の毒なものなのだ。

あねさん東京の人間な、ぐらしか（かわいそうな）暮らしばしとるげなばい。話にきけば東京の竹輪は、腐った魚でつくるげな。炊いて食うても当たるげな。／さすれば東京に居らす人たちぁ、一生ぶえんの魚の味も知らず、陽様にも当たらぬかぼそか暮らしで、一生終わるわけじゃ。わしどもからすれば、東京ンものは、ぐ、ら、し、か。鯛にも鯖にも色つけて、売ってあるちゅう話じゃが。／それにくらべりゃ、わしども漁師は、天下さまの暮らしじゃあござっせんか。

東京者は一生「ぶえんの魚」の味も知らないままで生涯を終えるわけだ、鯛にも鯖にも色をつけて売っているというではないか……。爺さまの話は一部未確認情報も混じえてエスカレートするが、それも当然のことである。自分たちのたぐいない美食を語る漁師らは、それを通して自分たちの価値そのもののために闘っているのだから。あらゆるものが商品として現れる資本主義体制の下では、生の再生産に関わる食のレベルにいたるまでがことごとく市場に包摂されてしまっている。爺さまはそうした現代的な体制に対する満身の侮蔑を自らの内に組織し、根本的に異なる固有の価値世界をそこに突きつけているのである。

一九五〇年代末にようやくにして水俣病が社会問題化すると、記者やら学者やら、水俣の外から都会人士がやってきた。彼らは漁師たちがおさしみをドンブリいっぱい食べている、ご飯はあまりたべない、などという話を聞いてすっかり驚いてしまい、それでは主食は何か？　栄養が偏るのでは？と心配し、そして「貧困のドン底で主食がわりに毒魚をむさぼり食う漁民たち」などという絵柄を思い浮かべてしまうありさまだ。彼らは漁師の誇り高い生をついに理解できない。水俣の海の舟上の刺身は、漁師たちの内なる価値世界をあますところなく体現しており、だからこそこのたぐいない魚を食べてきたことで、なぶり殺しに等しい病気になったことの無惨は計り知れない。

漁民たちは目のまえに広がる海で獲った魚を毎日食べていたが、それは彼らが「貧しい」からではない。彼らは自分たち固有の「豊かさ」を生きていた。石牟礼が「栄華」という言葉を使ったのはそのためであり、そこには「豊かさ」や「貧しさ」とは何なのかという主題が潜んでいる。人々の生において「豊か」であるものが、別の表象システムにおいては「貧しさ」として映し出されるなら、これは価値をめぐる闘いそのものなのである。すべてを貨幣価値で計量する世界に対し、それと鋭く対立する自分たちの世界を突きつけ、維持すること。あるいはその世界を思い描く自由を人間にとって死活に関わる権利としてわが手に握ること。老いた漁師の言葉には、こうした闘いが映し出されている。

近代の大波

私たちはもう値段をつけて店に並んだ食品しか思い浮かべることができなくなっている。食べて、生命を再生産し、明日も仕事に行き、給料をもらい、そして食べる。この循環の内にとざされることで私たちは資本主義システムの一環として組み込まれているのだが、その循環の外側を指し示すように漁師たちの舟べりの美食がある。そこには魚屋もスーパーも、切り身についた値段も貨幣も一〇％の消費税も介在していない。システムの外の刺身は「栄華」の標だが、それを資本主義の表象体系のもとで理解しようとすればたちまち無惨なことになるのだ。市場経済の枠組みの中では豊かさと貧しさがさかさまに描きだされるが、その時私たちは何を生の価値としているのだろう。『椿の海の記』や『葭の渚』など石牟礼道子の自伝作品には水俣に近代がやってくる前の光景が描きだされており、『苦海浄土』の杢太郎の爺さまの眼には「会社」がやってきたころの水俣がまぼろしのように浮かんでいる。

会社は太うなる。港はでくる。道がでくる。飯場もでける。／道のはたには田んぼのぐるりにおなごのおる家も出くる。おなごどもは、たいがい天草からきとるちゅう話じゃった。

そげんしたふうで、いっときのまに町がでけ、汽車が会社の前から走る。／ふとか学校もでけて、孫どもはなかなか感心に、字を読むことができるばな。字の一字も見えんわしどもにゃ漁師より上の仕事があろうかいと思うが、字ちゅうもんを覚えてみると、しゃりむり漁師がよかとは、本人思わんかもしれん（略）孫の時代になれば、今度は中学校までも上がらるるようになって、本人がふのよけりゃ、ひょっとすれば、会社のボーイくらいに、やとっていただくかも知れん。

会社ができる、水俣もひらける、みやこができると、その時人々は思った。新しい町の創設が、そのまま一つの世界の倒壊であるような巨大な変容を、爺さまの語りはゆらめくように映し出している。「いっときのまに」近代の大波が押し寄せ、爺さまの世界が手を伸ばしても取り戻せないほど急速に遠ざかってゆく。私たちの地層の一枚下には一つの歴史を破壊した惨劇が横たわっているのだ。そこには漁師たちの砕け散った世界が破片となってちらばっている。

港ができ、広い道路ができ、大きな学校ができれば、孫たちは「字ちゅうもの」を読むようになる。そうなれば舟を出して魚を捕る生活ばかりがよいと思わなくなるかもしれない。それより、会社に雇われることを良しとするようになるのかもしれない。漁師らの固有な世界を津波のように押し流していくのは、文字と賃金、言語と貨幣、この二つの「一般的等価物」である。「会社ゆき」の奥さんたちは、まだ庭で家族が食べるための野菜を作っていたかもしれないが、それ以上に夫のボーナスがあがるようにと期待するようになっていくだろう。「会社」とその周辺産業も含めて、急速に賃金労働者と購買者が同時形成されていく。石牟礼道子が自分の故郷と会社の歴史を記した部分を読むと、資本蓄積は非資本主義的社会層を必要とする、という古典的なテーゼが目の前で展開するのをみる思いだ[1]。資本主義は資本主義の外部である自然経済的な社会を必要とする。同時にその人々を農民、漁民ではない賃金労働者に変えなければならない。そして、さらに露骨な一国経済の外部としての植民地と水俣の連続性を石牟礼は書きつけている。「朝鮮窒素肥料株式会社」は一九二七年に朝鮮の咸鏡南道（ハンギョンナムド）、湖南里（ホナムリ）の土地を工業用地として買収しているが、もちろん石牟礼道子はその記録から「買収は警察官の立会いの下に行なわれた」という説明書きを見落していない。そこに住む人々の抵抗を暴力をもって押さえ込む必要があるような買収だったのだが、水俣のチッソが有毒排水を不知火海に放流しはじめるのがその五年後のことである。植民地朝鮮と水俣の海とはともに資本が必要とする外部、そして必要によって破壊される外部であり、その意味で一続きであることをこの記述は知らせる。暴力、および「字ちゅうもん」をも含む象徴的な権力をもってするのでないなら、自然経済の世界を資本主義の必要のために組み替えることはできなかったのだ。

だから『苦海浄土』はこの歴史過程を自然な流れととらえるのではなく、逆さに撫で上げるように書いていく。そこでは異なる二つの体制が相互にぶつかりあって渦を巻いていた。一方にあるのは商業経済。そして他方にあるのは、漁師らの言葉に即して言うなら「天」の分け前で成り立つ経済である。

成長前夜

ブレイヴァマンは衣食など生の再生産に関わる領域が市場に組み込まれ消費の対象へと変貌してゆく歴史的経過を記述した。二〇世紀に入るとともに、調理済み食品や既製の衣服が普及しはじめ、その分だけ共同社会の生産的機能が衰弱していった。人々は生活の欲求を市場に依存するようになる。「スタイル、ファッション、広告、および教育過程によって特に若い世代につぎからつぎへと加えられる社会的慣習の圧力」[2]は、「自家製」をかっこわるいものとし「店で買ったもの」を自慢の種に変えていった。なるほど高度成長期に生まれた私は、子どもの頃に既製服でなく母親が縫ったワンピースを着た記憶がある。とはいえさすがに生地は既成であった。すでに成長期日本社会は、村人が飼っている羊と彼らの衣服が一つながりにつながって、その間に貨幣が介在する余地のないような牧歌的光景ではあり得なかったのだが、それでも非資本主義的領域はほそぼそと残っていたということか。というより家事労働をはじめとするケアの領域は、人々が生きている以上消えてなくなるということはない。だが、それらを支払いから除外し「労働」として表象しない体制、逆にいえば賃金労働のみが労働として標準化され、人々が自らを商品として表現するようになり、それ以外の数値化されない様々な営為を無価値とみなす体制が成立するのがわが成長期だったのだ。普遍的市場の体制は人々の感性や生活文化を市場の水路に流し込み、作り手がそのままで受け手であったような衣食や生の文化の姿を忘れさせるだろう。「成長」は、こうした大がかりな記憶の入れ替えをともなうのでないなら不可逆的で根底的なものとはなり得なかったことだろう。

成長社会の構成員は漁師たちの至上の刺身を「栄華」として理解できない。彼らはあまりに貧しいから値段のついた食品を買うことができないのだという市場の文法が、漁民の生の様式をことごとく無惨なものに変換してしまうのだ。その枠内で書かれる処方箋は、辺境の地にもっと進んだ生活を、成長を約束する産業を、といった具合になるのかもしれない。そして別の経済があり得ることを認める能力の途方もない欠如をさらけだす。海辺の被害民は極上の刺身を通して身体と生存を損なわれ、固有の「栄華」を誇った彼らの生の様式が侮辱を受けたのだが、それは漁民だけの悲劇ではない。私たちもそれなりに刺身を食べはするものの、うまいまずいの尺度と高い安いの尺度を区別するチャンスからは絶望的に見放されている。

「人間栄華はいろいろあるが、漁師の栄華は、こるがほかにはあるめえが」。老漁師は、栄華の複数性と異なる価値世界の間の通約不可能性をこのうえなく鮮明に語り、そして自分らの望む生こそを栄華と呼ぶ自由を想像せよと説いているのである。成長は私たちをいわゆる「豊か」にしたかもしれないが、私たちが想像可能なものの幅をおそろしく削減した。食も、人も、様々な栄華をも交換可能とする市場主義のパラダイムが、愚劣なものに独特の勢いで老漁師の英知を押し流していく。ただ『苦海浄土』はそれを自然の過程として描くことはしない。この作品にはおよそすべてのことが記されている。苦海のただ中の浄土を書いたこの作品には、もう一つのこの世が予示的に立ちあらわれもする。

歴史的にみれば市場経済は比較的あたらしい存在であり、むしろもうひとつの栄華を可能にするような別の経済の方がむしろずっと優勢だったのだ。それが市場経済へと統合され、海辺の人々の共通財だった海が一企業に収用＝私物化され、そして水俣病が発生したのである。私物化以前の海を、老漁師は次のように語る。

わしどもは荒か海に出る気はなかとでござす。わが家についとる畠か、庭のごたる海のそこにあって、魚どもがいつ行たても、そこにおっとでござすけん。

あねさん、魚は天のくれらすもんでござす。天のくれらすもんを、ただで、わが要ると思うしことって、その日を暮らす。／これより上の栄華のどこにゆけばあろうかい。

海は海辺の人々の共有する畠であり庭であり、魚は天の分け前だった。海と魚をこのように語る言葉と、私的所有の思想との間の抗争の全過程を『苦海浄土』は記録しているのだが、たとえば緒方正人氏の次のような言葉の中にも、共の海の姿は豊かに描きだされている。「魚はもっとはっきり海から、あるいはえびすさんから頂くもの、授かりものというか、分け前を貰ったという受け止め方があって、そこに信仰心というか、海への感謝の気持ちというものが、今より遥かに強くありました」[3]。

緒方氏は、漁師として魚を殺し、その魚を食べて人一倍焼酎を飲むことについて「罪の自覚」があるという。魚を捕るのは殺生であり、命の負債を負うことだ。商取引の負債であれば、当然金銭で返済すべきであり、精算が完了するとともに負債にまつわる罪の自覚もふくめてすべての関係が終了する。だが、えびすさまへの負債とは返済できる負債ではなく、だから返済すべきとも考えられていない。商取引の負債と、えびすさまへの負債と、異なる二つの負債があるのだ。店頭にならぶ魚の切り身であれば、代金を支払いさえすれば負債は帳消しになるが、切り身の価格表象からは、魚を殺したという暴力の痕跡も「罪の自覚」もあらかじめきれいに拭い去られている。価格において、支払いさえすれば消える「負債」の観念が発生しているのだ。そう考えるなら、緒方氏の語りが示唆するのは貨幣と暴力（の消去）との密接な関連である。

芦北の網元だった父親を水俣病でなくした緒方正人氏は、文字通り全身全霊を傾けてきた未認定患者の運動から八〇年代に離れ、その後の劇的な思想的転機を経て独自の思考を深めていった。危機の中で想起したという氏が小さいころの経済的光景に触れておきたい。氏は、父がまだ生きていた五歳くらいの小さいころにはじめて五百円札、千円札などお金というものをみたが、それを欲しいとは思わなかった。生まれてから買い物をしたことがなく、近くに店があるわけでもない。米も麦もからいもも自分たちで作っていた。そこから味噌を作ったので、そうめんなどと交換できた。魚やカニ、ナマコ、タコ、貝はもちろんすぐそこの海にいて、買うものはほとんどない生活だったという。目の前の海からとってきた魚は商品でなく、えびすさんの分け前だった。つまり共有の富とは自然が人に与える恩恵であるとともに、それを基盤として人々が創り出した社会的関係の特徴ある様式をも含むものだった。

チッソの工場排水が汚染したのはこの海であり、海沿いに暮らす人々が分け持つ豊かな富である。水俣病闘争においてはこうしたもうひとつの富の形態をめぐる記憶が私的所有や交換の論理と正面から衝突する。それを記録した『苦海浄土』は、同じ平面で同時存立することが不可能でさえある言語体系、異なる価値世界を作品の言葉に引き入れ、起こるべきだった論争を潜在的に引き起こしてみせ、必然的にいわゆる「文学」の枠から溢れ出る未聞の言語構成体となっていった。『苦海浄土』を「文学」としてカウントしなかったこの時期の「文学」概念はそれなりに「純粋」だったかもしれないが、その「純粋」はやはり私有の観念を前提とする文化概念のそれだったかもしれない。

公序良俗

水俣病事件にあっては、それが認知された最初の時から、交換できないものが交換されてきた。一九五九年末、チッソは県知事らの斡旋で患者団体と協定を結び、決着を図った。悪名高い、と世にいわれる見舞金契約である。死者、患者成人、未成年者に対する支払いを取り決め、そして「過去の水俣工場の排水が水俣病に関係があったことがわかってもいっさいの追加補償要求はしない」という項目を最後に加えた契約書だった。「大人のいのち十万円／子どものいのち三万円／死者のいのちは三十万円／と、わたしくはそれから念仏にかえてとなえつづける」(『苦海浄土』)。それ以前にさかのぼる大正一四年、昭和一八年の漁業被害交渉でも、支払いが済んだあとは「永久に苦情を申出ない」との文言が記されていた。石牟礼道子はこれを「子々孫々にわたり、不知火海を買いとった」と言い直している(「常世の渚から」『流民の都』)。

後日、会社側は自らの廃棄物が原因であることを内部実験によってすでに知っていたことが発覚し、この契約は「公序良俗」に反するとして破棄されている。人の命を買い取り、海を私物のように買い上げることを意味する契約内容はおぞましく、しかも詐欺的だった。この契約に表示されているのは、支払いが済んだら関係者は今後一切無関係であるという商取引の思想であり、これをもって漁師らが天の分け前をもらって暮らしてきた海が、近代的所有概念のもとに置き直されたことを意味する。私的所有権とはつまるところ自由に消費する権利であり、叩き壊す権利であり、売り払う権利である。海が貨幣で売り買いされ、その果てに沿岸で暮らす人々の命が三〇万と交換され、その支払いが済んだ瞬間に漁民と企業の関係は将来永久に終了するのだ。とはいえ、一定額を支払えばこれかぎりで貸し借りなし、という交換の形式そのものは、商取引上の負債、交換の論理にかなっており、私たちの公序良俗の範囲内ではある。だとすると普通の顔で契約を進める私たちの公序を異化の眼でみる必要もあるのではないか。

公序良俗に抵触しない普通の交換の論理とは何か。一つは、契約書にみられる「返済完了」の思想である。取り決めの通りに返済が終了すれば、それをもって双方の関係も終了する。負債が消えれば平等性が回復し、互いへの責任をそれ以上感じる必要はなく、両者は相互に無関係になる。

もう一つの特質は「公正な基準」の語りである。一九六八年、政府はチッソの責任を認め、公害の公式認定を行った。だがその後の数次にわたる補償交渉で、企業側は患者団体の要求に取り合おうとしなかった。チッソ側の見解は「一企業一地域の問題ではなく公正な基準を求める必要がある」というものだった。誰が誰にどんな苦しみを与えたのかという具体的な関係の外に一般的基準を設定し、これに基づいて補償額を計算すべき、というのである。こうした「公正な交換」の論理において、出来事は非人格化され抽象化され、ほかの場で起こった出来事、今後の発生が予測される出来事も含めて共約可能なものとなる。「公正」な基準など必要ない、とはいえない。だがそれは加害者が加害当事者としての意識から離脱することを可能にし、最終的に貨幣がそれぞれ特異な出来事の間を通約し、「一般的等価物」として機能することを可能にしてしまう。

私たち市場経済の主体は、本質的に平等で、相互に無関係で、具体的な顔をもっていない。計算し尽くせない出来事の質を感受する必要もない。これはしかし、意味のカタストロフであるかもしれない。ジャン゠リュック・ナンシーは「フクシマの後で」思考するということは、フクシマの前にフクシマを可能にした布置を志向することだという観点から「一般的等価性」を原理とする文明そのものを思考の俎上にのせた。「一般的等価物」はマルクスが貨幣をそう言い表した言葉であるが、今や海やいのちやあらゆる計算不可能なものが、一般的等価物として計算される体制が「潜在的に、貨幣や金融の領域をはるかに超えて、しかしこの領域のおかげで、またその領域をめざして、人間たちの存在領域、さらには存在するものすべての領域の全体を吸収している」。(4)

クジラの歯

貨幣の領域を超えてひろがる「一般的等価性」の体制について、デヴィッド・グレーバーの負債論がひとつの視座を与えてくれる。(5) グレーバーは、かたや道徳や正義、かたや商取引、異種の領域の言葉が異種であるにもかかわらず相互に浸透していることに注目した。道義的意識が商取引の語彙に浸透された時、いったい何が変わってしまうのか。

負債とはいまだ完了していない交換であり、交換の論理の前提には等価性がある。交換されるものは等価とみなされ、すなわち死者一人と三〇万円は等価である。そのやりとりに参加する企業と被害者とは対等とみなされ、そして返済が完了すると両当事者は互いに関係から「自由」になる。負債の論理は、継続的な社会関係を終わりにすることができ、そもそも人格的な関係の一切を抹消することができるのだ。「最終的かつ不可逆的」に。負債が金額として数量化され計算可能となるときに、誰が誰に対してどのような責を負っているのかという具象世界の一切について考える必要がなくなる。金は金であり、商取引の語彙は道徳を非人格的で抽象的な数値に替えるのだ。

五九年の見舞金契約はきわめて低額であり、しかも詐欺を含むものであったが、困窮し追いつめられた患者たちはそれを呑まざるを得ず、それから一〇年近い間彼らは沈黙した。その沈黙の内には二重の憤りが重なっていたのではないか。昨日まで立派に漁をしていた漁師が突然発病し、死んでゆき、あるいは二親とも死んだあとに子どもが残され、残された家族が病み、周囲から差別を受け、今後どうやって生活してくのかまったく手だてがないというのにこの値段は安すぎた。そして、命に値段が付き、計算可能性、等価性の論理、交換の論理に引き入れられることそのものが異様なことだった。安すぎるという前者の憤りと命の価格化そのものに対する後者の憤りとは、同じ平面にならぶ憤りではないが、にもかかわらず水俣の言葉の中でこの二つの次元を切り分けるのは難しい。

二つの次元を分節するために再度グレーバーを参照しよう。人類学の知見を通して「負債」の歴史を解き明かしたこの思想家は、「商業経済」の軌道上に生きる私たちの常識とは完全に異なった考えを表現する貨幣を「社会的通貨」と呼び、それを使う経済を「人間経済」と呼んだ。貨幣の起源にかんする興味深い記述の中でグレーバーは「原始貨幣」と呼ばれる貨幣を紹介している。その貨幣はいかなる意味でも借りを返す方法ではなく、逆にどうやっても支払い不可能である負債の存在を承認するための方法だったのである。

たとえば「花嫁代価」。夫の家族が女性の側の家族に犬の歯やタカラガイを贈った。これは女性売買ではなく、牛を売り買いするように女性を売り買いしているのではない。牛を買うものは、牛を自由に処分する権利を買うのだが、花嫁の家族にタカラガイを贈る夫は逆にその妻に対して負う責任を認識しているのだ。そこで起っているのは支払いを済ませれば関係も終了するという商取引ではなく、逆に人と人の間の関係を新たに打ち立てる行為であり、その機能を果たす貨幣をグレーバーは社会的通貨と呼んだ。

フィジー島の求婚者がクジラの歯を女性に渡す時、それは自分がどのような支払いも不可能なほどかけがえのない価値あるものを要求しているのだということを承認した印なのである。女性の贈与に見合う支払いは別の女性の贈与のみだが、それを果すまでに人ができることは、ただその未払の負債を認知することだけであり、そこではいずれ夫側親族の女性が贈られることが少なくとも儀礼的フィクションとして期待されていた。

この種の貨幣は殺人贖罪の場合にも使われる。殺人者の一族は被害者の家族にひとつの生命を負っていることを認め、その印としてクジラの歯や真鍮棒を贈って復讐の連鎖を回避した。どのような意味においてもその貨幣は生命の賠償にはならないし、なり得ない。いくらかの貨幣が命の等価物になると考えるほど人は愚かではなく、血資を支払うものに許されているのは、ただ負債の存在を永遠に承認することのみなのだ。この貨幣は悔悟に満ちた罪の告白であり、許しへの嘆願なのである。一個の生命に対する負債は絶対の負債である。なぜなら人格は唯一であり、それぞれが他者との諸関係のただひとつの連結点なのだから。つまり、人間経済のもとでの社会的通貨のきわだった性質は、それが決して人間と等価ではない、等価にはならないということを認める点にある。「人間経済」のこうしたイメージは「市場経済」に根深く拘束された私たちが何を忘却しているのかを示唆し、想像力の幅を大きく押し広げてくれるのだが、ここで考えたいのは、「人間経済」と「商業経済」と、異質の経済体制がぶつかった時に何が起こるのかだ。

『苦海浄土』の舞台においては、二つの異なる地平に生きるアクターがゆくりなくも向い合う。患者の再三の要望を聞き入れず、会見を避け続けた島田チッソ社長が、一九七一年一一月、ようやくにして患者の前に姿を現した。浜元フミヨさんは次のような言葉を絞り出すように発した。

「わたしは……ほんとうに、他人にゃいおうごたなかです。板のようになって、死にました。人間がですね、親が、親は板のようになって死んだんですよ。それば考えればですね。補償金ばどして貰う、なにを、なんばどして貰うちいうても、むざむざそれを使う、使われますか。親の身体をですね、あげんして死んだ親の身体を、切って、使うのと同じ」。

浜元さんの父母はともに三一年発病。その年のうちに父親が、三四年には母親が、それぞれ悶死した。父親は熊大医学部の「学用患者」として、自分で押し止めることのできない痙攣のためベッドに結わえ付けられながら絶息した。母親もまた「学用患者」となって、その姿は研究用映像として記録され熊大医学部に保存される。両親に先立って一九歳の弟がすでに三〇年に発病していた。浜元フミヨは両親が一日一刻ごとに殺されていく姿に最後まで立ち会った。その補償金として受けとった金は、ほかの物品を購入するための金でなど、いかなる意味でもあり得ない。一九七三年、訴訟判決後の東京直接交渉の場でも浜元さんは親二人分の補償金が記載された通帳を島田社長に突き返しつつ、こういっている。「こん金、何に使えちゅうですか。（親の）手やら足やら切って使うと同じですよ」（『天の病む』）。

補償金は板のようになって死んだ両親であり、その手であり足であり、そうである以上ほかのものと交換可能な一般的等価物ではない。チッソの支払った貨幣と、彼女が受け取った貨幣とは、ひとつの同じ貨幣でありながら、二つの異なる体制の間で引き裂かれており、その間の深淵はあまりに深い。ここで何が起こるのか。

血讐のイメージ

生命は絶対であり、人はいかなるものとも等価ではあり得ない。それが「人間経済」の原則である。人はたとえもう一人の人とでも交換できず、「目には目を」の復讐殺人を遂げたあとでさえ、愛する者を失った被害者の悲しみと苦痛の償いにはならない。しかし、この人間経済が別の経済体制に接する時、何かがじわりと変質する。

目には目を、流された血には同じだけの血を。一九六八年一二月の日付のある『苦海浄土』あとがきには「銭は一銭もいらん。そのかわり、会社のえらか衆の、上から順々に、水銀母液ば飲んでもらおう。（略）上から順々に、四二人死んでもらう。奥さんがたにも飲んでもらう。胎児性の生まれるように。……」という言葉が記される。石牟礼道子は「近代法の中に刑法があるかぎり、死につつある患者たちの呪殺のイメージは、刑法学の心情を貫いて、バビロニアあたりの同態復讐法へ先祖返りをするのもいなめない」と書いている（「復讐法の論理」『流民の都』）。法が法である以上は、個々別々の様々な個別事例を超えた一般的に適応可能の「公正な基準」としての形式を持たなければならない。それでも比較を絶した苦痛、計量できない悲しみがある。それはどのような表現をとるのだろう。

目には目をという論理、すなわち同態復讐法という論点に関しては臼井隆一郎が『苦海浄土』を神話世界に解き放って作品世界に豊かな広がりを与えているが[6]、ここではまた別の観点からこの論点に注目しておきたい。日本には今なお死刑制度があるからというのも一つの理由ではあるが、それだけではない。血讐そのものではなく、血讐のイメージが立ちあらわれる手前で、あるいは立ちあらわれるその場所で何が起っているかを考えたいのである。

生命は絶対であり、ほかの何ものも生命と等価になどならない。グレーバーの用語法で言うなら、それを認知し承認することで成り立っているのが「人間経済」であり、そこで使われたのが「社会的通貨」ということだった。その象徴的な貨幣が機能することで、血讐が回避され、果てを知らない復讐の連鎖が回避される。しかしながらグレーバーの記述はここで終わっていない。その人間経済がもろくも浸食されていく過程がこの後に続くのだ。

命の代償が不可能であることの印としての象徴的な貨幣。それがいったいどのようにして負債を支払うための貨幣に転じ、交換可能なものへと転じていくのか。転換の契機として決定的なのは暴力の介在だとグレーバーは言う。命は返済できない。ただし、戦争捕虜である奴隷には値段があった。槍を突きつけられ、戦争の暴力が介在する時に、何かが変わるのだ。奴隷の境涯がそうであるように、それまで人をその人たらしめてきた人間的ネットワークから切りはなされた時、その時人が売り買い可能の物となる。そして売り買い可能の人間＝奴隷につけられた値段が、今度は婚資、血債の基準に転化し、それが先例となる。そして機械が始動するように奴隷貿易の陰惨な歴史が動き出すことになる。

固有の人間関係の文脈から暴力的に剥奪された人間。それが取引可能な物となるのだ。ここでもう一つの重要な聞き書き作品である森崎和江の『からゆきさん』（朝日新聞社、一九七六年）の冒頭を思い起こさずにはいられない。水俣の、その向かい側の天草とも関わり浅からぬ作品である。海の向こうにからゆきさんとして売られてゆく少女たちは、自分たちがただ売られてゆくのでなく、親の戸籍から抜かれた上で売られてゆくということを知った時、それまでの心の支えを失って底のない絶望に陥った。年季奉公の場合であれば、実際には身を売るうちに身体を壊して故郷に帰り着けないことがあるにしても、少なくとも建前上は親との絆は断たれていない。身を売ることが心身を切り刻まれる悲惨であったとしても、彼女らはふるさとで貧しく暮らす親兄弟のため、という思いで自分自身を支えることができた。しかしその肉親との関係から剥奪された人間は、唐から天竺へといくらでも転売可能の商品となる。いかにして生身の人間が商品となるのか、それはどのような意味で無惨なことなのかを、商品となった娘の側から書いていったのが森崎の『からゆきさん』であり、『苦海浄土』とともにこの聞き書きもまたおのずと怜悧な経済史となっていることに私たちはあらためて戦慄する。

文脈をもとに戻そう。一個の生命にみあう等価物などあり得ない。だれよりも水俣病の患者たちは腹の底からそれを理解し、人間経済の要にあるこの思想をあらためて握りしめる。彼らはそれとはまったく別の、交換を前提とする経済の地平に向き合うことになったから血讐のイメージが浮かび上がるのはその二つの体制の間に広がる不可視の深淵が口を開く瞬間である。

命はたとえもう一つの命とさえ交換できないという思想と、命はもう一つの命としか交換できないという思想。交換は不可能だという思想とそれを可能にする思想。それが紙一重で区別しがたく接する閾がある。交換の論理を前にして、命は絶対であるという思想が緊張のピークに達した時、その間を隔てる透明な膜がひそかに震え出し、堰を切り、その時発せられるのが「水銀を飲め」という言葉だったのではないか。人間経済が、その臨界で市場経済の価値世界に出会う。そこで起こった思想の惨劇について以下では考えよう。

公正な基準

一九六八年、政府はチッソの責任を認め、公害の公式認定を行った。しかしその後の数次の補償交渉でも企業側は患者団体の要求に取り合おうとはしなかった。チッソ側の見解は「一企業一地域の問題ではなく公正な基準を求める必要がある」から、というものだった。「公正な基準」という言葉に石牟礼道子は傍点を打っている（「復讐法の論理」『流民の都』）。水俣病は公害問題一般の「モデルケース」であり、今後発生が予測される事件、あらゆる事例に共通の基準として一般的に適応可能な尺度に従って、公正に賠償額が算定されねばならない。このロジックによって負債は脱人格化され、この事件に固有の加害者が誰なのか、被害者の一人一人がどんな悲惨をくぐったかは関心の外に置かれる。「基準」の介在によって道徳が計算の問題となり、すべての生と死が一般的に等価となった。七一年一一月、自主交渉派患者の尾上さんと島田社長との間に、以下のようなやり取りがあった（『苦海浄土』）。

尾上時義　（略）そしたらどうです会社のいうことは……。ハカリがない。
社長　は？
尾上時義　ハカリがない、マスがない、この一本鎗で何回行ってもこればかりいう。あげくのはては、「会社の方は厚生省にお願いしとる、あなたたちも行ってお願いしろ」ということだった。

会社側は、一般的基準が必要だ、あなたがただけを特別扱いにはできない、と言う。基準に沿って判断する、もしくは基準がないので支払えないということだが、患者らはそれにハカリやマスという生活の言葉を与えたのである。近代社会とは、人の命をハカリで計ろうとする、そしてハカリがないから計れないという。石牟礼道子は、自分が触れたのは患者たちの持つ濃厚な人間的要素であるとともに、近代社会に対する「抜群の認識力」だったと書いている（「流民の都２」『流民の都』）。

正義はただ法にかなっていればよいのではない。外部にある一般的基準に従うことで自らの内省を省略するのは正義の外部化というべきであり、それはすでに正義ではない。患者たちは「法」という言葉も「貨幣」「言語」という言葉も使わず、ただなぶり殺しにされようとしている自分らの命が一般的に計量されることへの強い違和感をもって、それをハカリ、マスという生活言語で述べた。貨幣とともに言葉もまた一般的等価物であり、ともすれば固有の生を一般化してしまう。だからこそ一般性に抗うものは自分たちの世界の言葉を手放すわけにはいかない。

「公正な基準」あるいはハカリに則って賠償金が算定される時、加害者は自分が具体的な誰に対して何をしたのかを考える必要がない。患者たちがどのように苦しんだのか、どのように親が逝くのを見送ったのか、子どもをみとったのか、そのすべてが抽象化されてしまう。そしてすべてが「公正」に算定されてゆく。交渉の言葉がギリギリのものになっていく。そのピークで患者らが口にしたのが「わかるか」という言葉であり、そして「水銀を飲め」という言葉だった。親が狂い死に、小さな子どもがくたれるごとく死んでいった、そしてバラバラに解剖されて闇に消えた、それがどういうことなのか「わかるか」ということであり、あんたがたも「水銀を飲め」、そうすればわかるから、ということである。

「今度貰ったお金で、あんたの長女を買いますから、うちは長女を死なしとりますから。そすっと水銀のましてクタクタになしてあなたに看病させますから。あたしゃ三年間ね、手もあげられない、崩れてしまった娘をこの手であつかってきたんですよ。この手で、親子二人が泣いて。そのことがわかりますか、あんた方には。だから、娘さん売りなさい。そすれば判りますから」(『天の病む』)。

小さい娘をみとった母親が、表情を曇らせ、力を失った声でこう述べた。恐ろしい言葉でないとはいえない。だがこの言葉は計量できないもののありかを語ろうとする言語の限界において発せられた言葉でもある。「公正」な補償交渉の言葉からはきれいに拭い去られた暴力に、患者と家族はすでにさらされてきたのであり、そこで発せられるのがこの「わかるか」であり「水銀を飲め」だった。

患者らは文字通りには交換の言葉を使う。死んだもんば元の体に戻せ、おれんおやじば、おふくろば返さんな、そっで貸し借りなしたい。だが、それが語っているのはまぎれもなく交換の不可能である。たとえ仮に厳密な秤量をつきつめた交換を行い得たとしても、被害者はやはり空しい。彼らは交換の言葉を通して交換の不可能を語り、そして別の経済を照らし出す。交換の言葉としてこれを読むなら、執念深い復讐心の表れにほかならない。だが命は絶対であり、貨幣で表現できるものでなく、交換できるものではないという原理の側から読むなら、抽象化できず、数量化できず、だから返済完了になどなり得ないものがあるのだという声なのである。

「会社が潰れようが水俣市が潰れようが、悪事して我が身が安泰ちゅうことがこの世に通るか。文句のあれば水銀のんでみろ。息の切るるまで、ばっちりともせずに立ちおうてやるばい。／おっかさんが一日一日じわじわ殺されてゆくのを、ばっちりともせず見送った。お父っつぁんが毎日毎日ばた狂うて殺されてゆくのも見送った。何年かかって息の切れたか、他人の言葉ではわかるみゃ。自分の親で試してみろ」(「復讐法の倫理」『流民の都』)。

水銀を飲めという言葉が発せられるのは、極まりない悲しみが数字におきかえられ一般化されようとする地点においてであり、それは同時に「他人の言葉ではわかるみゃ」という言語の限界を指し示している。双方が顔を合わせて向い合う「実地交渉」の場は、一般的等価物としての貨幣のカタストロフであるとともに意味のカタストロフであり、貨幣と言語で通分されようとしている世界の極限なのだ。

血讐の真実

被害民と加害企業の間にはたいていの場合、第三者の調停、国家や県、「公正」な法の言語が介在する。それらは法の枠内で生活する私たちにとって必要な制度なのだろう。しかし同時にその制度は関係を抽象化し、非人格的な手続きに置きかえ、患者らの経験した生と死の出来事を、当事者自身からさえ遠ざけていく。起こった出来事が何であったのかを真に理解する可能性が残っているとしたら、それは行政でもなく弁護士でもなくもう一方の当事者たるチッソだけではないか。当事者が自ら何を行ったのかわからないでどうする。そして川本輝夫氏ら自主交渉派の被害民は、加害当事者と直接相対する場を創りだした。『苦海浄土　第三部』がそれを記録している。

七一年、川本輝夫さんたちの直接交渉が始まる。川本さんは、お互いの小指を一緒に切って、要求書の血書を書こうではないかとカミソリを手に島田社長に迫る。「同じ指を切って痛もうじゃないですか、どっちも」。

進展のないまま交渉は深夜に及んだ。自主交渉に参加している患者らはもとより病人たちだが、島田社長もまた体調を崩しており、会社側の医師は「社長も人間ですから」「人命を尊重して下さい」と長引く交渉にストップをかけた。これまで失われた命、倒れていった患者を思えば、この「人命を尊重」という言葉に対し、怒りをもって言い返してもよいのではという思いもよぎるが、それは所詮ヤジ馬の思いにすぎない。この場面で川本さんは、ただ放心し、嗚咽した。こういう年寄の病人を相手にして話をせんばならんのが悲しか、「社長……わからんじゃろう、……俺が鬼か……」。

「うちん親爺は六十九で死んだ。親爺が死んだとき、俺は声をあげて泣いた、一人で。精神病院の保護室で死んだ。（略）誰もおらんとこで。しみじみ泣いたよ、俺は。保護室のあの格子戸の中で。親爺と二人で泣いたぞ。そげな苦しみがわかるか。精神病院へ行ったことがあるか、お前は。誰もみとるもんなくして、精神病院の保護室で死んだぞ。うちん親爺は。こげんこたぁ、誰にも言うたこたぁなかったよ。俺今まで。（しゃくりあげながら）俺も看護夫のはしくれだけん、あんたが具合の悪かぐらいわかるよ。狭心症がどげんとか高血圧がどげんとかぐらい、わしもわかる」（『天の病む』）。

わからんじゃろう、わかるか、わしもわかる。川本の言葉が、何か重要なことをわからなくさせてしまう一般的等価性の輪郭をなぞりさするようにして発せられているのがわかる。川本輝夫の父は、どこの病院に行っても水俣病の診断を付けられず、最後は精神科病棟でなくなった。死後、川本にカルテをみてほしいと依頼された原田正純医師は、水俣病の症状がそろっていることに愕然とした。川本は六〇年代の終わり頃から潜在患者を掘り起こす活動を始めた。そうした一日一分ごとのすべてをその細部において「わかるか」という思いが、水銀を飲めという血讐の言葉の背後に降り積もる。それは患者たちの世界がそれを掬い取ることのない交換価値の世界に接するところの透明な閾で震える言葉である。そこに「俺が鬼か」という言葉がこぼれる。死にゆく命と死んでいった命を誰より強く握りしめてきた者は、そうであるがゆえ相手の病が「わかる」のであり、その命を前に自分が鬼になるのかとくずおれるのだ。これが血讐の真実であり、それを口にするものは、自分の言葉のただ中でその不可能を知るのだろう。すべての痛苦を素通りして貨幣と言語が行き交う場に抗し、それで通分できないものを血のイメージで表現した言葉さえ、それは交換の言葉だった。「俺が鬼か」の中に折り込まれているのはこの底のない無念ではなかったか。

　血讐の言葉は、言葉通りのレベルでは「殺人者には極刑を」という、私たちの社会では「多数派」の声とされている死刑存置論と区別できない。けれどそれはおそらく二重になった言葉なのだ。被害者の遺族であれば、命は命としか交換できないという言葉の裏側に、命はたとえ命とさえ交換できず、遺された者の慰めにはならないという思いを貼りつかせていることだろう。だが、一般化した極刑論はどうだろう。そうしてこそ気がすむのだという交換完了の意識、商取引の意識がそこに重なってはいないだろうか。そこには「わかるか」「わかる」という地点まで被害者と加害者が関わり尽くすというイメージは宿っているだろうか。石牟礼道子は、チッソの幹部一人一人とともに水銀を飲み交わして死にたいという不思議な宴のイメージを書いているのだが。

「いまも、死につつある患者たちが、確実におもっていることは、自分の命の終るとき、ただで、ひとりでは、決して死にたくない、ということである。チッソ幹部の一人、一人と、有機水銀を飲み交わして死ぬこと。肉に仕込んで送ろうか。パンに仕込んで送ろうか。酒に仕込んで、果物野菜に仕込んで、菓子調味料に仕込んで送ろうか」(「晴れの日に紅をさして」『流民の都』)。

海沿いで暮らした人々には天の分け前で暮らした記憶があり、彼らには返済できず、返済すべきでもない「負債」の記憶をよりどころにしてこの経済とは別の経済を思い描く力がまだ宿っていることだろう。砕け散った世界も破片となってそこここに輝いていることだろう。けれど水銀を飲めという血讐のイメージが、その由来といえる人間の経済の記憶から断ちきられ、言葉通りには「同じ」である交換の言葉と化していたなら。飲めというなら飲んでみせようという粗雑な応答がなされたなら。それは水俣の記憶に対する最悪の返答となってしまう。それはもうひとつの経済を肯定するものとはなりえず、逆に交換の論理に固執し、そこに備わっているとともに隠されている暴力を手放しで解放するものとなるのだから。

血讐の言葉は、それをあるべき場所で、可能な限りの深さにおいて聞き取るものの存在を絶対に必要としている。一般的等価性の体制の下で、その言葉は血で償えという交換の言葉と必ず聞き違えられる運命にあるからだ。患者たちは血をもってさえ償うことはできないというもう一つの意味をからくも聴き得る可能性を秘めた存在としてほかならぬ加害企業を見出し、交渉の場での直接対面を求めた。彼らが言った言葉は終始「わかるか」だったのだ。東京駅前本社に乗り込んだ時、不思議なことに患者たちにはそこが自分の家のような場所、真の居場所だと感じられたという。患者の言葉を聞くべきであり、また聞き得るのは、どうあっても返済できない負債の場でありチッソという場である。

そして、加害者のほかにその言葉を聞いたところに成り立ったのが『苦海浄土』ではないか。途方もない無念と痛覚を印しているにもかかわらず、『苦海浄土』が限りない浄福の文学であるのは、その最も深い意味においてこの作品が聞き書きの言葉であるため、正しき場で聞かれた言葉が刻まれているためだと思う。「言葉をたやすく持てるものの、言葉の軽さと、言葉の無の中に底に沈んでいるものの位相の間に深い川のようなものが流れる」(「刃を持たぬ鬼たちの涙」『流民の都』)。

私たちは大なり小なり言語と貨幣が原初のざらつきを摩滅させなめらかに流通する場に生きている。その私たちがまず知るべきは、石牟礼道子が深い川、と表現しているこの深淵の存在である。

一株運動の時期に石牟礼道子は「散乱放逸もすてられず」、つまり暴れてもよろしいという題の講演を行っている。「患者さん達は、裁判闘争にも一株運動にもそれほど――というより全然幻想を持っておりません。なぜかというとあの人達はやっぱり生き地獄にいるわけですから、たとえ株主総会の会場でチッソの偉い人達に、「水銀を飲め」と云ったとしても、やはり空しいわけでございます」(『流民の都』)。

七〇年の株主総会の場でひときわ目を引いたのはご詠歌を歌い鐘を響かせていた白装束の一団だった。「大阪駅に巡礼団がついたとき、どこの新聞記者氏だかが、せきこんだ真顔できいたという。／「あの、水銀は、どなたが、お持ちなんでしょうか。教えて下さいませんか。チッソの幹部に呑ませるという水銀は」／「さあ、誰が持っとるか、知らんばい」」（『弥勒たちのねむり』『流民の都』）

言葉をたやすく持てるものと言葉の無の中に沈んでいるもの。その間の深い川を、もう長いこと彼女らは身をもって往還してきたのだろう。その彼女らが市場社会の市民らの、そもそも浅い地獄を「知らんばい」といってコケにするのはもっともなことである。目には目を、殺人者には極刑をという言葉は、たしかに通常の交換の論理から隠されている暴力を感知させるものではある。水銀を飲めという言葉はメディアを通して社会を戦慄させただろう。だが、とり返しのつかないことをとり返そうとするように発せられたその言葉が真に聴きとられたかどうかは覚束ない。患者の言葉はスキャンダルとして社会に衝撃を与えはしたが、その向こう側の世界については受け取られることのないままだったように思われる。海沿いで暮らした人々には海を分け持ち、天から魚を分けてもらった記憶があり、彼らにはその「負債」の記憶をよりどころにして別の経済を想像する力が宿っていただろう。しかしそうした負債を返済可能の負債へと置きかえたところに成立したのが市場の論理である。そして市場は自らの荷姿にあわせて思考可能なものの幅を切り縮め、罪と栄華の様々について思いをめぐらすための足場を減退させていったのだ。

附記

＊『苦海浄土』の引用は『苦海浄土　全三部』（藤原書店、二〇一六年）、そのほかの文と資料は『わが死民』（現

代評論社、一九七二年）、『天の病む』（葦書房、一九七四年）、『流民の都』（大和書房、一九七三年）によった。

註

（1）ローザ・ルクセンブルグ『資本蓄積論 新訳増補』太田哲男訳、同時代社、二〇〇一年。
（2）ハリー・ブレイヴァマン『労働と独占資本――20世紀における労働の衰退』富沢賢治訳、岩波書店、一九七八年。
（3）緒方正人『チッソは私であった』葦書房、二〇〇一年。
（4）ジャン＝リュック・ナンシー『フクシマの後で――破局・技術・民主主義』渡名喜庸哲訳、以文社、二〇一二年。
（5）デヴィッド・グレーバー『負債論――貨幣と暴力の5000年』酒井隆史監訳、高祖岩三郎・佐々木夏子訳、以文社、二〇一六年。
（6）臼井隆一郎『『苦海浄土』論――同態復讐法の彼方』藤原書店、二〇一四年。

11　とばりの向こうの声を集める　アレクシエーヴィチ、「聞き書き」の力

夫の留守

森崎和江であれ、石牟礼道子であれ、あるいは藤本和子、スヴェトラーナ・アレクシエーヴィチであれ、「聞き書き」の書き手はどういうわけなのか女性が多い。また彼女らが話を聞こうとする相手のほうも女性であることがやはり多い。これをもって聞き書きを女性のジャンルとするわけにはいかないが、それでもこのことが聞き書きの言葉の特質を考えるための入り口になるように思う。

アレクシエーヴィチの『戦争は女の顔をしていない』[1]にこんな挿話がある。戦線で知り合って、「結婚式は塹壕の中」だったという夫婦の家庭に話を聞きにいった時のこと。アレクシエーヴィチが妻の話を聞こうとすると、夫は妻に食べ物の用意をせよなどといってなかなか彼女を着席させな

い。「わたしがしつこく奥さんに話をききたがるので、夫は「教えたとおり、『きれいでいたかったから、お下げを切ってしまったときは泣いたわ』なんていうお涙頂戴や女々しい説明は抜きで話してあげなさい」と言って、いやいやながら奥さんに席を譲った。奥さんはこっそり告白した。「一晩中わたしと一緒に『大祖国戦争の歴史』を丹念に読んだんです。わたしのことが心配で心配で。今だって、見当はずれなことを思い出すんじゃないか、ちゃんとした話ができないんじゃないかって気をもんでるの／こんなことは一度ならずあった」。

じっさい、「こんなことは一度ならず」あるようだ。かつて九州の炭鉱で坑内労働に携わってきた老女たちの声を集めた森崎和江も、やはり夫がそこにいるというだけのことが女性の語りに及ぼす影響について書いている。「あんた、わたしの一生は小説よかもっと小説のごたるばい」と語るそのおばあさんは、記憶をたどり、坑内唄などまじえて、精彩あふれる話を聞かせてくれていた。そこへ夫である「おじいさん」が帰ってくる。

「おばあさんの口が、風のおちた洗濯物のように、ふいに、ととのい、そしてかわきました。講釈好きなおじいさんはそのよこで、極めて好意的で常識的な概念化をこころみようとしていきます。私はおばあさんの話が、「小説よかもっと」没個性的になったのが残念で、なんとか彼女の特異な時間へかえってもらいたいと水をむけました。けれども河床の石はかわらぬ高さに水をはねあげるばかりで、決して転げくだることをしません」。

「ちらちらと男たちの影を走らせていたおばあさんをそののち二回たずねました。そのたびにおじいさんも、にこにことベッドからおりてきて、とうとう話を平均化させてしまいました。／これにこりて、聞きあるくのはおばあさんがひとりのときを原則にすることにしました」(『まっくら——女坑夫からの聞き書き』[2])。

夫の存在といってもそれはただちに暴力や抑圧を意味するわけではない。このおじいさんはむしろ「好人物」のようである。だが、森崎が聞き、書こうとしているのは常識的で平均的な概念のうちに過不足なく収まるような声ではなく、坑内の闇の中で働いた女の飛沫をあげほとばしる語りだった。だとすると「男/女」の二分法の背後には必ずしも性差に還元することのできない何かがあるということになる。聞き書きの言葉とは、しかるべく平準化された公式認定の語りと、そこに収まらない何かの、気配のレベルの差異に関わっている。

さらにインドの「聞き書き」の場合。ウルワシー・ブターリア『沈黙の向こう側——インド・パキスタン分離独立と引き裂かれた人々の声』[3]はインド独立にともなうインド・パキスタン分離という歴史的な出来事を人々がどのように記憶しているかをインタビューの手法で調査した圧倒的な作品である。たいていの場合、インタビューは女性たちの家事の合間の短い時間を縫って行われた。だが、夫や息子がそばにいると会話を乗っ取ってしまう傾向があり、すると女性たちは黙り込んでしまう。これはめずらしいことでなく、口述から資料を得ようとするインドの歴史家は一様に「彼女たちの話に違った方法で耳を傾けること、隠されたニュアンス、半分言いかけたこと、ときに会話より雄弁な沈黙などを聞き取ることの難しさ」について語っているという。

三つの聞き書きのテーマは戦争、炭坑労働、国境とそれぞれに異なっていて、そもそもの背景が違っているのだが、それでも三つに共通するのは、いうなれば「夫の留守を狙って」女性の声を聞き取らなければならなかったという事情である。

ステレオで聞く――『沈黙の向こう側』

『沈黙の向こう側』についてはすこし説明が必要かもしれない。インド独立はガンジーやネルーなど帝国主義に抵抗したカリスマ的指導者を生み出し、それまでの西欧中心的だった世界史の軌道を変える第三世界の登場を刻みつけた。だが、この「大きな物語」は同時にインドとパキスタンの分離を伴うものだった。とつぜん、それまで存在しなかった国境線が引かれたが、宗教分布はそう簡単に地理と一致しない。インド側に住んでいたムスリムはパキスタン側へ、パキスタン側にいたヒンドゥーやシク教徒はインド側へと脱出を強いられ、一二〇〇万人にも及ぶ人々が奔流となって国境を横断したのである。人々はそのとき「我々」と「あいつら」という概念を身につけ、各地で虐殺が起こり、「あいつら」の側の女性が拉致され暴行された。のみならず、レイプや強制的な改宗という一家にとっての不名誉を避けるために、家族内での殺害や集団自殺が起こったのだが、そうした事件は「殉教」という言葉で伝承され、暴力性が抜き取られた。輝かしい独立の裏地をなす印パ分離の歴史は、女性に対する暴力の歴史であったのだ。こうした事実は公的記憶から脱落してしまうか、そうでなければ暴力性を取り除いた形で記憶されるほかはない。そこで起こっていたのは何であったのかを知るためには、女性たちの記憶、彼女らの声が不可欠だが、しかしそこには声の困難が幾重にも横たわっている。

著者によれば、数人一緒のインタビューではいつも話すのは男性になる。印パ分離は家族の歴史であり、年長の男性を差し置いてほかの家族に話をさせるということはない。可能なかぎり行った個別インタビューでは、女性たちはまず初めに自分には何も話すことなどない、話すに足るほど重要なことはない、というのだそうである。声そのものが差別の下に置かれているときに、女性の声を聞くのはとてもむずかしい。著者ウルワシー・ブターリアは、キャスリン・アンダーソンとデイナ・C・ジャックの議論を引きつつ、女性の語りには二つの矛盾する見方が交錯しているという。一つは「その文化の中で支配的な地位にある男性たちの概念や価値観を反映した見方」、もう一つは「女性の個人的な経験からくる、より身近な現実によって作られた見方」である。女性の経験は支配的な意味に適合しないが、それにかわる言葉を彼女ら自身もまだ獲得できていない。女性たちは自分の人生を語ろうとするとき、広く一般的に流通している言葉を借りることでしばしば自分の考えや感情を押し殺す。だから、女性たちの声を聞き取るには、支配的な声と押し殺された声とを聞き分け、それらの相互関係を理解するために「ステレオで聞くこと」を学ばねばならない。

あるコミュニティは、レイプされるくらいなら、あるいは改宗させられるくらいなら、という理由から「自発的」に井戸に飛び込んで自ら命を絶った九〇人の女性たちのことを伝えてきた。その集合的な記憶には、自分と自分の家の名誉を守った彼女たちの「崇高な自己犠牲」に対する尊崇の念が重ねられ、犠牲者の名は記念プレートに刻まれた。彼女たちの思いはこうした儀式化の向こう側の沈黙の内に閉ざされており、サバルタンはもはや永遠に語らない。彼女たちの決定は本当に自らの意志による「選択」だったのか、「強制」ではなかったかという疑問を禁じ得ないものの、もはやそのことを明らかにするすべはないのである。著者は、どこから選択でどこから強制だったのかの境界はあいまいだと書くにとどめつつ、ただ選択か強制か、女性たちは主体だったのか、それとも犠牲者だったのかよりも重要なのは、こうしたことが未来に与える影響力だと述べている。つまりそれがコミュニティの中で長い年月をかけて獲得してきた象徴的な意味ゆえに、これから後のさらなる暴力を扇動するのに使われる可能性がないとはいえない。そうした可能性も含めて、未来という時間性において沈黙を聞く視点もまた必要だというのである。

この挿話だけではない。インドの女性たちの声は幾重にも「向こう側」にある。まず、彼女たちの声にアクセスすること自体がむずかしい。話を聞く相手として中流階級の女性をみつけるのは比較的容易だったが、ダリト（被差別民）の女性をみつけるのはむずかしい。何より、レイプされたり誘拐されたりした女性と話をする方法がみつからない。「それは彼女たちが実に効果的に見えない存在にさせられているからというだけでなく、彼女たちの多くが、このまま自分たちの物語を固く閉じたままにしておきたいと願っているからなのだ」。

誘拐やレイプを経験した女たちの沈黙をこじ開けようとするのははたして正しいことなのか？　長い沈黙の後に語り始めるのは「解放」なのか？　語りを強いることがまた別の侵害になるのでは？　こうした問いに対してたやすく答えをみつけることなどできはしない。だが、そのことを思い出すのが危険である間は、思い出すことが不可欠でもあると著者はいう。思い出し、悼み、その記憶を認めることができるようになって、はじめて忘れ始めることができるようになるのだと。

聞き書きの書き手は共通して女性の声を受け取るのはたやすいことではないと感じている。森崎和江が話を聞いたアトヤマ（女坑夫）たちは、夫も家庭もどこ吹く風という風情の、腰の据わった女性も少なくない。だが、剛毅な彼女らであっても、地下労働の世界は地上の言葉、地上の規範によるのであれば本当のところ理解されないのだろうという諦念や、世間からの孤絶の様相が重なって響く。その森崎が詩人として、思想家として、言語についての独特の考察を深めていったのは、このことと無関係ではない。森崎は、妊娠したとき「私」という単数一人称を使えなくなったという。あるいは出産・誕生という一つの出来事が言葉としては「産む」「生まれる」に割れてしまうという。女性身体の経験を語る言葉がない。支配的な言語で語ることのできない経験があるということを、森崎はその言語をじっとみつめるようにして考察してきた。聞き書きとは、逆説的なことだが、声の不可能に接近しつつ行われるものなのだ。それゆえ、時として聞き書きは支配的言語の限界に触れる。

藤本和子『塩を食う女たち――聞書・北米の黒人女性』(4)は、彼女が聞きとった黒人女性の言葉、「わたしたちがこの狂気をいきのびることができたわけは、わたしたちにはアメリカ社会の主流的な欲求とは異なるべつの何かがあったからだと思う」という言葉で始まっている。主流的な欲求とは異なる「何か」とはまた、主流的な言語では語ることのできない「何か」であっただろう。「黒人社会にあることを言葉でいおうとしたって、半分も表現できないと思う。実際に生起することなのに、それを描写できる言語がないわけ」、「新しい言語が必要なのよ」。

藤本和子は、アメリカで黒人女性の体験を「聞き」、しかもそれを日本語で「書いた」。その作品は「聞き書き」と「翻訳」との本質的な関係を、つまり、言語化困難な言語の作業は必然的に起点となる言語のない「翻訳」となるのだということを、作品の実践によって示唆している。その藤本が、黒人たち、女性たちには言葉がない、というときに思い起こすのがほかならぬ森崎和江の「さわやかな欠如」という表現だった。藤本は「「さわやかな欠如」から出発すればいい」と書いている（『ブルースだってただの唄――黒人女性の仕事と生活』[5]）。言葉がない。その認識の上で聞き書き作者たちは、聞き、そして書く。言葉の欠如、声の不可能とは、だから行き着いた結論では決してなく、自分たち自身を名付けようとする行為の「出発」の地点を徴づけているのだ。声が容易に発せられること、聞かれ得るということ、声が不可能ではないということは、それが公的な歴史、主流の言葉による語りであるということを証明しているにすぎない。そして、支配的な言葉によってすでに翻訳されていることに気付く機会を失っている。言葉の欠如から出発する聞き書きは、だからひとつの新しい世界を開くのだ。

女性たちの声が幾重にも重なった帳の内に閉ざされているインドという場所で、だからこそ彼女たちの声を聞く必要があると考えたウルワシー・ブターリアは、「男性の話と女性の話との間にいくつか明確な違いがあることに気づき、はっとする」と書いている。男性たちはコミュニティとの関わりや、広範な政治的現実について語る。女性たちは彼女たちの人生の細かな点について語る。「インタビューを受けた男性が、行方不明になったり殺されたりした子どもについて語ることは滅多になかったが、女性たちがこういったことを言い逃すということはありえなかった」。

国家統合の語り、そのひとの真実

聞き書き作者は女性たちの声を不可能な声、困難な声として聞くすべを学ぶのだ。そこに別の何かが響くとき、歴史の表層に現れることなく隠れていたひとつの世界が姿を現す。アレクシエーヴィチの聞き書きは、女の戦争を聞くことから始まった。まず、独ソ戦の兵士として従軍した多くの女性たちが存在したということ、しかし「偉大な勝利」の歴史からはその存在がかき消されてきたこと、したがって不可能な声となってきたということ、それが重要である。彼女は聞き書きというジャンルにおいてはじめて姿を現す世界があるということについて最初から意識的だったようである。戦争は何千とあり、戦争についての本もまた無数にある。「しかし、書いていたのは男たちだ。わたしたちが戦争について知っていることは全て「男の言葉」で語られていた。わたしたちは「男の」戦争観、男の感覚にとらわれている。男の言葉の。女たちは黙っている」。そして、そのために「まるまる一つの世界が知られないままに隠されてきた」。それが女の戦争を書こうとする強い動機となっている。

一九八五年、ゴルバチョフのペレストロイカが始まると、それまで引き出しに入れたままになっていた原稿はすぐさま出版され、その部数は二〇〇万部という驚くべき数字にのぼったという。しかしそれ以前には雑誌であれ出版社であれ、いずれも活字にしようとは言ってもらえなかった。「拒絶の理由はいつも同じ――あまりに恐ろしい戦争だ、悲惨すぎる、生々しすぎる。共産党が指導的にリーダーシップを見せている部分はどこにあるんだ？」

検閲官は彼女の本を「ヨーロッパの半分を解放したわが軍に対する中傷だ」と断じた。英雄的な戦いを書けばいいのだ、そういうものは何百とあるではないかと。「ところがあなたは戦争の汚さばかりを見せようとしている」。国家の代弁者である検閲官がいうには、真実というのは単純な事実ではなく「我々が憧れているもの」「こうでありたいと願うもの」なのだ。「あなたの小さな物語など必要ない、我々には大きな物語が要るんだ。勝利の物語が」。

検閲官は、独ソ戦の愛国主義的な語りを国民統合の手段として位置付けているのだが、いうまでもなく、これは二〇二二年二月にウクライナへの軍事侵攻を開始したロシアにとってまさに現在形の問題である。侵攻後の五月九日の戦勝記念日にはロシア各地でシンボルであるオレンジと黒の縞のリボンが翻った。独ソ戦のソ連側の犠牲者は二六〇〇万人以上にのぼる。多大な犠牲を払って勝ち獲った「大祖国戦争の勝利」は、ソ連時代の革命の栄光と共産主義イデオロギーに代わる国民統合の理念となり、プーチンのロシアはこれを政権の求心力を高める手段として使用し、さらに現在の戦争への動員資源として使用する。だから、独ソ戦はかつてそう描かれたように、今もやはり偉大な祖国の勝利、英雄的な戦いとして描かれなければならない。

ただ、「我々には大きな物語が要る」と述べるのは必ずしも国家の代弁者たる検閲官だけではない。「ニーナさん」とのやり取りからは、国家の語りが人々の外側にだけあるのではないことがわかる。アレクシエーヴィチはニーナさんの台所で、さまざまな話を聞くことができた。まだ戦場に出たばかりで子どもといってよい年齢だった彼女は「英雄的」でなどあり得ない。語られたのは、コックの荒唐無稽な冗談を真に受けて笑われたり、大尉殿と呼ぶのを忘れて、おじさん、おじさんと呼んでしまったりという細部に満ちた戦争の記憶である。その後、録音を書き起こし、衝撃を受けたことを選び出して書いた原稿をニーナさんに送ると、やがて新聞の切り抜きや愛国的な公式報告書とともに、それはずたずたに削られて戻ってきた。ニーナさんによれば、「私は息子にとっては英雄です。神さまです。こんなのを読んだあとであの子がどう思うか」ということだった。

こんな時には「一人の人間の中にある二つの真実」がせめぎ合っているのだとアレクシエーヴィチは言う。一方は「心の奥底に追いやられているそのひとの真実」、他方は「現代の時代の精神の染みついた、新聞の匂いのする他人の真実」。そして第一の真実は二つ目の圧力に耐えきれない。

三人の聞き書きの書き手は、一様に男性の存在が女性たちの語りに与える影響に言及していた。それは「男性」の顔をした規範的な語りであり、アレクシエーヴィチのいう「他人の真実」のことだったのかもしれない。話を聞くときに誰か身内や近所の人が居合わせると、それはもう聞き手を意識した話になる。彼女たち自身の内側で「他人の真実」の圧力が増し、声が自らに自己検閲を加えるようになる。そして「話は無味乾燥で消毒済みに」なり、「かくあるべしという話」になってゆく。彼女ではなく超自我が語り出すことになる。そして声はかたっぱしから常識化、概念化、平均化されていく。そして「私は、誇り高く、とりつくしまのない記念碑ばかりが立っている輝く表面に覆われた砂漠に身を置くことになる」。男性の言葉／女性の声、公式の物語／私の語り、他人の真実／そのひとの真実。聞き書きの困難はこうした二項の後の方、帳の向こう側の声を聞くことの難しさに関わっている。そして、ニーナさんの場合のように、この対立軸は一人の人間の内にさえ内化されており、そのため二項図式はいつでもより複雑なのである。

勲章のことだけ

「公的な語り」が「私の声」を圧し潰す。ただこの図式による理解では充分に聞きとることのできない声もある。たとえば、ある女の人の「勲章のことだけ書いてよ」という声。この挿話はペレストロイカが始まったばかりの時点で出た『戦争は女の顔をしていない』の最初の版には存在しない。このとき削除した箇所を含めた二〇〇四年の増補版で加筆された部分、そして、検閲官による削除でなく、「わたし自身が削除した部分」に現れる挿話である。

その女性が戦場から帰ってきたとき、彼女の母親はこういった。「出て行っておくれ。まだ妹が二人いるんだ。あんたの妹じゃ、だれもお嫁にもらってくれないよ。あんたが四年間というもの戦争に行っていた、男たちの中にいたってことをみんな知っているんだよ」。この話をした後に彼女は言う。「あたしの気持ちに触れないで。ほかの作家とおなじように、あなたもあたしの勲章のことだけ書いてよ」。

勲章のことだけ書いて――彼女は勇敢さを誇示したいのではない。公式の語りによって覆い隠してしまいたいものがあるということだ。誰の目からも、自分自身からも隠してしまいたい痛みがあり、その痛みのありかをこの言葉は指し示している。この挿話は、なぜ戦後「勝利の栄誉」の背後で独ソ戦に従軍した女性兵士の存在がかき消されていったのか、その残酷な理由を私たちに知らせる。これもまた公式の声と押し殺された声との一つの関係の例だが、その関係は外部からの「抑圧」といった単純なものではない。彼女は何かを語ることによって別の何かを語らない。語らないことによってかろうじて生き延びてきた。「勲章のことだけ書いてよ」という悲痛な声は「ステレオで聞く」必要があるのだ。この女の人にとって過酷だったのは戦場だけではない。心をかき乱されずにいられない悲鳴がこの作品には響く。

「大きい物語」の瓦解

それでも独ソ戦は「勝利の物語」である。少なくとも彼女の言う「勲章」に関しては「祖国の勝利」という大きい物語によって安定した意味を保証されており、それゆえかろうじて彼女の痛み、彼女の孤独を覆うかりそめの鎧にもなりえていただろう。ところが、アレクシエーヴィチ五部作の中の別の聞き書き、『アフガン帰還兵の証言——封印された真実[6]』に収められた声には、そうした安定した公式の物語による保証が徹底して欠けてしまっている。一九七九年末に始まるソ連のアフガニスタン侵攻は、当初、社会主義の兄弟国を支援する「国際主義の任務」とされていた。だが、その公式の語りは最終的には維持できなくなっていった。公式の物語の圧力は小さな声をかき消してしまうかもしれない。だが、それが欠けていることにより人々の声が行き場を失うこともある。声が声を引き裂いてしまうこともある。

アフガン介入当時のソ連の新聞には「我が国の青年たちが橋を建設し、友好の並木道をつくり、医者たちはアフガニスタンの女性、子供の治療にあたっている」と書かれていた。検閲は「兄弟国」を助けるために派遣された「我が軍の兵士たち」の死が新聞に書かれないよう監視していた。兵士の家族のもとに送られてくる「大きな亜鉛の棺」のことは秘かなうわさとしてだけ知られていた。だが数年後には、この軍事介入の失敗が明らかになる。アフガニスタンの人々はソ連に感謝などしていない、彼らは逆に自分の国を守って抵抗しているのだ、この戦争は「汚い戦争」だった、政治の誤りだった。そう公言する声も広がっていった――二〇二二年に始まったウクライナ侵攻も、やがていつかはこのように語られることになるのだろう、その「やがて」がいつになるにせよ犠牲者を重ねた後にやってくる「やがて」の時は決定的に遅いのだが――。アレクシエーヴィチの聞き書きによって明るみに出されたアフガン戦地の酸鼻をきわめる実態は、それまで何も知らされていなかった国民に大きな衝撃をもたらした。ソ連軍は正式撤退を決め、それがひとつの引き鉄となって、ソ連自体が解体へと向かっていった。

国民にとってこの推移は、美名のもとに隠されていた真相を知るという価値転倒の経験を意味した。しかしアフガンに送られた痛ましいほど若い兵士たちは、そこで地獄をみたのである。相手は子どもか女性かなどと考える前に撃った。友人のバラバラになった死体をあつめてポリエチレンに包んで運んだ。両足、両手を失った。そして帰還後も悪夢に悩まされる。ところが「真相を知った」人々は若い帰還兵に「あなた方はあそこで人を殺してきた」という目を向ける。アフガン戦争は独ソ戦がそうだったような「勝利の物語」ではない。公的な語りが維持できなくなったこの戦争の場合、帰還兵の負った深い傷を覆うにたるような鎧などはどこにもなく、彼らのアイデンティティは壊れたままになっている。

アフガン侵攻をめぐる聞き書き作品を発表したアレクシエーヴィチは戦没兵士の母親や帰還兵に名誉棄損で訴えられたという。その背景にはおそらく戦争の推移とともに消滅した「公式の語り」とそのために幾重にも屈曲して「押し殺される声」の苦しみがあったのではないだろうか。聞き書きの言葉の困難がここではきわめて複雑な様相をとったのだ。

帰還兵の聞き書きを発表するや、アレクシエーヴィチの電話は鳴り続けになったという。その一つとして作品の冒頭には、触れるな、手を出すなという電話の声が書きとめられている。「放っておいてくれ。俺は兄弟分だった親友をポリエチレンに包んで駐屯地から運んできた。(略) バイオリンを弾いたり、詩を作る奴だった。あいつが書くなら許せるが、あんたじゃな」。

あいつが書くなら許せるが、というこの電話の主は、アレクシエーヴィチの書きとった証言が虚偽だといっているのではない。事実だということはわかっている。ただ、事実であったとしてもそれを身をもって体験していない者が外側から書くのは許せないということだろうか。事実をしかるべく意味付けるための「物語」が成立しないときに、残酷な事実は残酷さのままとなる。何の意味も与えられないなら、無意味だとされたなら、あるいは「汚れた戦争」と呼ばれるのなら、では死んだ親友の死は何なのか、失った両足は何なのか。やはり出版の後に抗議してきた戦没兵士の母親は、こうした行き場のない思いをアレクシエーヴィチにぶつけている。「よくもあんなことができたわね！　私たちの子どもたちの墓に泥を塗りたくって！　あの子たちは最後まで祖国に対する義務を果たしたのよ」「あの子たちについて美しく語る本を書かなければ。ただの肉弾にしてしまうのではなく」。

この母親は無効になりつつある「祖国に対する義務」という公的語りをなお守り、あの子たちを「美化」すべきだと主張する。自分の子どもが「汚い戦争」に参加していた、それは無駄な死だった、犬死だったというのは耐え難い。ただの肉弾、ただの犬の死ではなく美しく語らなければ、勲章のことを書かなければ。アレクシエーヴィチは本を書いたことでこうしたさまざまな非難を浴びたが、息子の死を意味付けることによって自分自身を支えなければならなかった母親の非難は、たとえば「あんたみたいのがいるから我々は今世界中で陣地を明け渡さなければならなくなってるんだ。ポーランドも失い、ドイツも失い、チェコスロバキアも失い、我が大国はどこに行ってしまったのか教えてくれよ」といった非難と同じではない。いや、こうした大国主義者もまた『セカンドハンドの時代――「赤い国」を生きた人びと』[7]に書かれたような転換の中で深く傷ついたのかもしれないが。

犬の死を、未来から掬いとること

わが日本でも「負けた戦争の記憶」は長らく問題であり続けてきた。沖縄の批評家、岡本恵徳は一九九五年の文でいわゆる「犬死」について考察している(「悲劇と論理の区別」『「沖縄」に生きる思想――岡本恵徳批評集』[8])。岡本の二人の兄は二人ながら戦死した。あるとき兄たちの死について母と話していた際、深く考えてのことではなくそれを無意味な死だったと言ってしまい、母の激しい怒りをかったという。犬死などというむごい言葉ではなかったが、いずれにせよそれは心ない業だったと岡本は後悔する。その死が意味あるものだと思うことで悲しみに耐え、戦後を乗り切った母にとっては、生きる支えを否定されたことになるのであるから。

従軍経験者の中にはアジアに対する加害や戦争の侵略的な性格を認めたがらない人が少なくない。それを直ちに「軍国主義」と断罪するのは半分正しく、半分正しくない。そうした声の中にも戦争の無意味化を拒み、戦死を尊い記憶にすることによって戦後を生き抜こうとする思いがなかったわけではないだろう。その背後に遺された母親や友人の悲しみがあったのだとすると、その思いを単に否定し、その死は無意味だった、犬の死だったというのはむごいことである。だからといって単に肯定し、美化の語りに加担することはましてできない。私たちはどちらも選ぶことができず、どうしてよいのか戸惑うことしかできない。ただ、岡本恵徳が、日本の〝戦後〟は「美しい語り」に代わるべき「アイデンティティの根拠を示し得なかった」と言っているのは重要だ。犬死論か美化かの二者択一ではない方向があったはずなのだ。しかしながら日本の〝戦後〟は歴史の事実を客観化できず、むしろ南京虐殺の場合がそうだったように事実を覆い隠すことを許容した。そのために、あり得べきもう一つ別のアイデンティティを不可能にしてしまったのだと岡本は書いている。

岡本恵徳の考察からもう三〇年近い時が過ぎた。その人にとっての戦争を支えに戦後を生きてきた人々の切実な思いさえも、戦後の世代交替と、それに伴う忘却の深まりとともに、どの時点かで実体化され政治資源化されていった。現在の歴史修正主義の語りの中に悲しみの跡をうかがうのは難しい。私たちはすでに幾重にも、岡本恵徳の示唆していたあり得べき可能性を取り逃がしてしまったのだ。過去の未来となったそれは、歴史の中に場所を持ち得ていない。

『アフガン帰還兵の証言』に話を戻そう。帰還兵の思い、戦没兵士の母の思いには行き場がなく、救いがない。犬の死という語りは耐え難いが、かといって「国際主義の任務」という公式の語りはもはや空々しく空回りするだけだ。この聞き書きには意味を与えられそこなった悲鳴のような声が響いている。それがどのように方向付けられればよかったのかというなら、それは頭の中だけでなら私にもわかる。息子の死という救いのない事実を集合させ、誤った戦争に身をもって参与し参与させられた経験の中から答えを導き、反戦、反権力の力を生み出せたとしたら、それは記憶の「美化」とは異なるもう一つ別の意味化となり、おそらく岡本恵徳の示唆した戦後の生を支えるためのもう一つ別のアイデンティティとなり得たはずだ。取り逃がしてしまった可能性だが、日本でもどの時点かでそれができていればと思わずにはいられない。アフガン帰還兵の声を書きとめたアレクシエーヴィチは、今またウクライナに対する軍事侵攻が始まってしまったことをどれだけ無念に思っているだろうか。

無意味な死、犬の死に固有の悲惨さは、その悲惨を人々に強いた権力への怒りへと結実すべきなのだ。愛国主義の政治は、戦死した子どもを美しく語る本を求めずにおれない母親の思いさえ動員対象にする。だから母親たちは美しい物語を求めるのをやめるべき、そして怒るべきなのだ。その可能性を感じさせる証言も確かにある。だが、アレクシエーヴィチ自身は向かうべき未来を本の中に掲げることはない。ただ自分たちの本当の顔をみよう、というだけだ。大きな物語の向こう側の小さな人々の声を信じる彼女は、みずからの声でいわゆる正しい方向を指し示すことはしないのだろう。彼女の聞き書きはあらゆる声、異なる声を集める。その数多くの悲痛な声が一点に束ねられることはない。ただ、その声の合唱の響きの彼方に、遠近法の消失点のように、そんな一点が浮かびあがるのを待つのだろう。それが、聞き書きというジャンルの原理ではないだろうか。私はそれが真の力になると思う。

独ソ戦に狙撃兵として従軍した少女を主人公とする物語、『同志少女よ、敵を撃て』[9]が、ロシアによるウクライナへの侵攻が続く中で注目されている。逢坂冬馬にこれを書くきっかけを与えたのがアレクシエーヴィチの『戦争は女の顔をしていない』であり、その意味でアレクシエーヴィチは一つの「原作」である。逢坂は、狙撃兵を含む五〇〇もの女性たちの声の壮大な合唱が、その遥かな延長上に結ぶ一点がもしあるとしたらそれは何か、と考えたのではないだろうか。物語はその一点をめざし、少女が照準をさだめて放つ弾丸のように、微塵のまよいなく進んでいく。そして未来を現勢化させる。それが、聞き書きと物語との根本的なジャンルの違いである。文学作品を映画化するときのように、そのジャンルによってこそ描ける世界を開いてみせるのが「原作」への最大のリスペクトにほかならない。『戦争は女の顔をしていない』は聞き書きの傑作、そして『同志少女よ、敵を撃て』は物語の傑作だ。アレクシエーヴィチの作品は、演劇になり、コミカライズされ、また映画にもなったという。『同志少女よ、敵を撃て』のように、物語を生み出しもした。さまざまな表現ジャンルの中に生まれ直すことにより、ひるがえって聞き書きという文学ジャンルの特異性とポテンシャルが少しずつ明瞭になってくるのを感じる。

追記——二重の聞き書き作者

以上の文章の「アフガン帰還兵の証言」に関する引用等は、『アフガン帰還兵の証言——封印された真実』(三浦みどり訳、日本経済新聞社、一九九五年)によったが、その後、アレクシエーヴィチが巻き込まれた「裁判」の記録や裁判所に宛てられた投書なども含めた増補改訂版を底本とする新訳『亜鉛の少年たち——アフガン帰還兵の証言〔増補版〕』(奈倉有里訳、岩波書店、二〇二二年)が刊行された。旧訳を読んだだけでもこの作品のすぐれて論争的、多声的な特質を充分に感じとることができるのだが、増補版ではさらに「裁判」という実際の論争がそこに重なり、しかもそれが今度は「作品」の一部をなしているのだ。

アレクシエーヴィチが『セカンドハンドの時代』で描きだしたように、ソ連の崩壊は混乱を極め、その過程でドサクサまぎれに私腹をこやした特権階級もいれば、すべてを失った庶民たちもいた。

ついに自由を手にしたと感じる人も、社会主義の理想を喪失して傷ついた人もいた。この前後に発表された『亜鉛の少年たち』の背景には、相互に相いれないイデオロギーが対立しあう騒然とした論争空間があったと思われる。その中で社会主義時代の守旧派によるクーデタがおこったのが一九九三年であり、裁判が起きたのはこの年である。

「裁判の記録」によれば、それが一部の勢力によってけしかけられた裁判だという見方が少なくない。アレクシエーヴィチはアフガン戦争の恐ろしい真実を書いたが、それがこの戦争を「神聖な国際友好の義務」の遂行だったとしてなおも英雄視しようとする人々の気に入らなかったのだという見方、あるいはこの裁判の中に民主的傾向の作家に向けられた制裁という意味をみる見方である。実際に訴えた戦没兵士の母親や帰還兵たちの背後には別の一団が透けてみえるというのだが、おそらくその通りなのだと思う。とはいえ、増補された「裁判の記録」はこの裁判の実態暴露にとどまるものではない。けしかけられて作家を訴えた人々が、そのようにけしかけられなければならなかったことの真実を、この記録は映し出している。

アレクシエーヴィチのポリフォニックな書法にあっては、証言者たちの声がたとえ相互に対立するものであったとしても独自の声として作品に立ちあらわれる。一つ一つの声は最終的な真理のもと、すべてを統轄する作者のもとに回収されるということがない。ことに『亜鉛の少年たち』は、作者のもとに回収されないばかりか、その作者を早朝の電話でたたき起こし、「てめえは！」と罵倒する声で始まっている。

「あんたの書いた中傷記事を読んだ。もしこれ以上少しでも書きやがったら……」
「うるせえ！　俺はなあ、兄弟同然だった親友をポリ袋に入れて、奇襲の現場から運んで帰ったんだ……。バラバラになった頭や、腕や足を……猪みたいに皮膚を剥かれて……肉の塊になった胴体を……。あいつはバイオリンも弾けたし、詩だって書けた。あいつが書くんならいい、てめえじゃなく……。あいつの母親は、葬式の二日後には精神病院に入れられた。墓地で、あいつの墓で寝てたんだ。冬だってのに、雪の上で……。それをてめえは、てめえは……手を出すんじゃねえ！（略）」

親友の肉片を集めなければならなかった兵士、息子の墓から離れようとしない母親。言語になった戦争には解消しようのないズレが生まれてしまうということだろうか。罵倒しながらなおいいよどむ口調の中に、その苛立ちと混乱を感じないではいられない。そして、こうした声をも除外することなく、この証言集は成立している。登場人物が作者を罵倒する世界とは、それはどのような世界なのだろう。

「裁判の記録」の資料の中には文学研究の専門家による「作品鑑定結果」がある。ドキュメンタリー作品において、話者の言葉を一語一句そのまま再現するのは不可能であり、当然ながら作者による編集という問題がそこに発生する。そして証言者が、私はこんなことは言っていない、と言い出したのがこの裁判だ。しかしながら、はたして証言を行った本人は、聞き書きの作品の中におかれた自分の言葉に「客観的判断」を下すことができるのだろうか？　この問題に対し、「鑑定結果」

はそうではない、と言う。録音された自分の声を初めて聞く人がそれに違和感を感じるように、証言者は聞き書きの中に置かれた自分の声が自分のものではないような感覚を覚えることがあるのだと鑑定者は述べている。

「さらに、自分の話が本のなかではほかの証言者の話と並んで連なっており、同じような証言と呼応していたりあるいはそのなかで異彩を放っていたり、ましてや意見を違えていたり、ほかの証言者と討論をしている状態になっていたりすることにより、また意外な印象が生じます。それにより、自分の言葉に対する印象がまるきり変わってくるのです」。

証言集の中に置かれた自分の声は、自分の内的な声を聞くのとまるきり違う……。裁判の行方とはまた別に、これは聞き書きの言葉について考えようとするとき、とても興味深い論点である。

証言しているときの証言者は「自分が語るのを聞く」というモノローグ的な構造のもとで、自分の声を自分自身の内的な真実を語る声として聞いていることだろう。そこに自分に対する違和感は生じないだろう。しかし、聞き書きの中に置きなおされた自分の言葉は、他者たちの間に置かれ、他者たちの声との間の対話的な関係においてある。自分の声が別の響きを帯びはじめるのはそのときだ。違和の感覚が昂じれば、自分はこんなことは言っていない、捏造だ、ということになるかもしれない。ただそのように言う証言者は自分が語るのを聞くというモノローグの世界を前提とし、そこに固執しているのかもしれないし、自己完結をもとめて対話の関係を拒否し、閉鎖的な世界に住まうことを願ってしまっているのかもしれない。戦争に傷んだ魂にとってはその世界こそが自らの真実であり、だから世界を閉ざすことを願うほかはないにしてもだ。

ポリフォニーの美学の意味はここにあるのではないか。ミハイル・バフチンは『作者と主人公』でこう書いている。「自らにとって自分自身のままの私は、美的に意義をもつ稠密な空間と時間の中では能動的でありえない。そこでは私は自分自身にとって価値的に存在しない。そこでは私は実現されず、形式を付与されず、限定されえない」。「あらゆる美的形式において組織する力となるのは他者という価値カテゴリー、他者への関係であり、それは外在的な完結のための見る眼の価値的余裕でもって豊かにされている」。バフチンの「ポリフォニー」や「対話原理」とは、単に便利な批評用語などではなく、それは別の仕方で世界をみることを可能にするのである。自己を他者たちの間におくことで、そこに対話的存在としての自己を新しく見出し、そこから世界についての新しいヴィジョンがもたらされる。ただ、それは息子の死に意味を与えたいと思う母親や傷ついた帰還兵にとって、つらいことではあるだろう。

ある母親は、最後まで祖国への義務を果たしたあの子たちは英雄なのだとアレクシエーヴィチに怒りをぶつける。あなたの言うおそろしい真実などは知りたくない。母親は、「祖国」「英雄」という愛国主義的な語りによる安定を求め、意味的な完結を求めてしまう。死んだ息子の死を無意味化するような語りを、母親は到底受け入れることはできない。英雄化は切実な希求であるに違いない。人は無意味に堪えられず、行きつくべき意味を求めずにいられない。単一の意味によって統轄されたモノローギッシュな世界を求めてしまう。

ある帰還兵はアイデンティティの解体という危機にさらされている。自分は「国際友好の任務」

を果たしにいったはずなのだが、戻ってきたら「あれは政治的過失」だったと言われる。自分は「英雄」なのか「馬鹿」なのか「犯罪者」なのか。戦場から「日常」に戻ったら自分は異物となっていた。そして「自分がどういう人間なのか」が自分でわからなくなってしまった。

そう語った帰還兵もやがて原告の一人となり、裁判においては一転して人として兵士として男としての名誉を主張した。自分がどういう人間なのか、英雄なのか、バカなのかわからないという混乱状態とくらべれば、名誉ある兵士、名誉ある男として自分を理解するほうがずっとよいだろう。兵士らを「英雄」と呼び、「祖国のための死」という意味が与えられれば、その生も死も落ち着きを得るだろう。手足を失っても、そこには意味があったことになる。

帰還兵や戦没兵士の母は、学校で戦争の話をするよう依頼されたらしい。次の母親も息子の死は祖国の誇りだという話をしたのだろう。それが息子のためであり、生きる意味を失った自分が息子と共に生きるためでもある。ところがこの母親は別の声を突きつけられる。

「工科大学で講演したとき、ある女子学生が私のところへ来て、「そんな愛国心さえ植えつけなければ、お子さんはいまでも生きていたんじゃないですか」って言ったんです。そう言われたら急に具合が悪くなって、その場に倒れてしまいました。／サーシャのためにと思って話をしにいったんです。あの子を偲ぶために。私はあの子を誇りに思っていました……。でもいまでは、あれは致命的な間違いだった、私たちのためにも、アフガンの人々のためにも、誰のためにもならないことだったと言われています。以前はあの子を殺した人を恨んでいました。でもいまは、あの子を現地に送り込んだ国が憎い。（略）」

女子学生は、あなたの愛国心があなたのお子さんを殺した、と言っているのだ。あまりにむごい言葉である。だが、別の地平でそれは正しい言葉である。そのとき何が起こるのか。この母親はその場に倒れた。非言語的な、身体そのものの反応である。

それまで愛国主義の物語に依拠してきた母親は、他者の視線のプリズムを通してその自分をみることになる。自己の視点と他者の視点と、視線のその差異において、まるで違った自分の姿が現れる。そこで物語はいったん中断し、凍り付き、自らを支えられずに倒壊する。そこに、一種の意味の真空が生まれる。物語のプロットにも、ひとつの真理にも見放された空白の状態。だがこの空白を経て、母親は異なる地平で語り出すことになる。「以前はあの子を殺した人を恨んでいました。でもいまは、あの子を現地に送り込んだ国が憎い」。

愛国主義の単一中心的な物語から、「アフガンの人々」をも含んだ認識の地平へ。残酷な他者の声、意味の空白、そして新たな次元での覚醒。この母親の語りには劇的な回心の軌跡が刻まれている。しかし、次のようにこの母親も後日アレクシエーヴィチを訴えた原告の一人となるのだ。回心から再びの転向へ。

「あなたは、私が国家や党を憎むべきだとおっしゃる……。でも私は息子を誇りに思っているんです！　あの子は隊長として死んでいった。仲間たちみんなに愛されていた。私は、以前私たちが暮らしていたソ連という国を愛しています。あの子はそのために死んだからです。でもあなたのことは恨んでいます。あなたの語る恐ろしい真実なんていりません。いらないです！　聞いてますか?!」

息子はアフガニスタンで戦死した、しかしそれは祖国のために戦った英雄の死である。喪失と回復の物語を語ることによってしか息子の死を受け入れて生き延びることはできないというように、母親は再び国に対する愛を語るのだ。すべての「物語」は慰撫の機能を果すのだろうか。ただ、この母親もいったんは、あれは致命的な間違いだった、アフガンの人々のためにも、という視野に立つ瞬間をもったのである。それは大義なき戦争だった。ソ連の母親だけでなく、アフガニスタンにもやはり息子を亡くした母親がいる。恐ろしい真実などいらないと耳をふさぐ母親の言葉はそれでも完結できず、最終的な意味を獲得していない。

アレクシエーヴィチの聞き書きは、自身を叱責する声をも含めたたがいに異なる声をあつめる。それによって一つの真理のもとに完結するということのない対話的世界をなんとしてでも確保しようと闘っている。最終的な真理を知らない声。歴史の途上で発せられ、安定した意味を保証されることのない声。他者の言葉との関係において自分の言葉があり、しかもそれが融合することなくともにある。そうした声を集めたのがこの証言集であり、それ自体がひとつの世界の解釈法である。それは最後の言葉に向かって進むモノローグ小説が完結するように完結するということはない。ただ、その完結せざる世界によりそうようにしてそこに美的な完結を与える次元があるといえるのかもしれない。「裁判の記録」にはそのことを示唆する声も交っている。次に引くのは、当初は訴えを起こした帰還兵を擁護するつもりでいたという別の帰還兵の言葉である。

「俺は自問自答してみた――アレクシエーヴィチは戦争の恐ろしさを書くべきだったのだろうか。

そうだ、書くべきだった。じゃあ、母親は息子を守るために声をあげるべきだったか。これもそうだ。じゃあアフガン帰還兵は仲間を守るために声をあげるべきだったか。これもまた、そうだ」。「この騒動の法的な結論は裁判所が下すだろう。でも人としての結論も必要だと思う――息子を愛する母親はいつだって正しいし、真実を語る作家も正しいし、死んだ兵士を守ろうとする生き残った兵士も正しいと。／この民事裁判で争われた問題は、そういうことだった」。「神の御心はすべてを受け容れるだろう――愛も、真実も、名誉も。でも俺たちは神さまじゃないし、この裁判にいいところがあるとしたらただ、人々に生きているという実感をもたせるということに尽きるだろう」。

戦争のつらい真実を受け入れられない母親の愛と、どんなに愛があろうとも語られなければならない作家の真実と、愛でも真実でも計れない兵士の名誉。価値は多元的であり、真実は多数ある。「神の御心」はそのすべてを受け入れるだろうが、神ならざる私たちには、こうした世界が喜ばしいものなのか、それとも耐えるべきものなのかさえわからない。それでも複数の真実が決して和解も融合もしないまま存在している私たちの平面に対し、そのこと自体をただ受け入れる次元がありうるのではないかと考えることはできる。多数の声たちのかたわらに立ち、それを統轄しようとも最終的な真理を与えようともしないまま、ただそれを聞き、書き、ポリフォニー世界を成り立たしめている次元。「生きているという実感」をもたらす契機。それが聞き書き作者の位置であり、いわば不在の「神」の位置を指し示しているのではないだろうか。たがいに相いれない立場にたつ人々の声は際限なく存在するだろう。だがその無限の声を別の次元で受けとめる神の無限を考えることなら神ならざる私たちにもできる。そして、その視点から捉えられた「完成」が、作品には与えられるのではないか。

証言者たちが作者を訴えた。この事件にあっては作者と証言者とは同じ平面にいる。母親の愛、兵士の名誉、作家の真実。それぞれがそれぞれの価値に基づいた固有の真実を主張している。すると聞き書き作者とは、二重の存在なのではないか。一方には早朝の電話で罵倒され、証言者に訴えられる作者がいる。訴えられた以上、彼女は応戦しなければならないだろう。しかし一方には、その声さえも組み込んで証言集を編む作者、一つの声を他者たちの間におく「作曲者」としての作者がいる。実際にはどちらも同じ一人格として現れるが、後者はポリフォニー空間を可能にする、ある次元のことである。だとすればそれは裁判ではなく倫理に関わっており、そのことが作品に文学性をもたらしているのではないのだろうか。

私たちは互いに和解できないかもしれない。それ以上に、未来志向などと言いつつ和解を目的化するあまりすべてを水に流して忘却するような振る舞いはこの人間の地平において倫理にもとる。たがいの声の間の緊張と衝突、結合と抗争に満ちた対話に終わりはなく、また終える必要もない。ただ、私たちは自分が話すのを自分の内側で聞くのではなく、他者との間に置かれた自分の声を聞こうと思う。いまだ声になっていない新しい声の到来を待って、それを可能にするために世界を開いておきたいとも思う。そこに融合することのない声のポリフォニーが生まれる。交わることのない平行線が予想のほかのどこか遠い地点で交わるような、不在の神の恩寵を待つことができる。

附記

＊「追記——二重の聞き書き作者」は、二〇二二年三月一二日に名古屋大学で行われた日本近代文学会東海支部シンポジウム「〈声〉の近代」での報告を基にしている。シンポジウムをご準備くださった奥村華子さんはじめ日本近代文学会東海支部のみなさん、登壇者の細川光洋さん、康潤伊さん、髙畑早希さんに感謝を申し上げたい。

註

（1）スヴェトラーナ・アレクシエーヴィチ『戦争は女の顔をしていない』三浦みどり訳、岩波現代文庫、二〇一六年。

（2）森崎和江『まっくら——女坑夫からの聞き書き』岩波文庫、二〇二一年。

（3）ウルワシー・ブターリア『沈黙の向こう側——インド・パキスタン分離独立と引き裂かれた人々の声』藤岡恵美子訳、明石書店、二〇〇二年。

（4）藤本和子『塩を食う女たち——聞書・北米の黒人女性』岩波現代文庫、二〇一八年。

（5）藤本和子『ブルースたってただの唄——黒人女性の仕事と生活』ちくま文庫、二〇二〇年。

（6）スヴェトラーナ・アレクシエーヴィッチ『アフガン帰還兵の証言——封印された真実』三浦みどり訳、日本経済新聞社、一九九五年。

（7）スヴェトラーナ・アレクシエーヴィチ『セカンドハンドの時代——「赤い国」を生きた人びと』松本妙子訳、岩波書店、二〇一六年。

（8）岡本恵徳「悲劇と論理の区別」『「沖縄」に生きる思想——岡本恵徳批評集』未來社、二〇〇七年。

（9）逢坂冬馬『同志少女よ、敵を撃て』早川書房、二〇二一年。

12　記録・フィクション・文学性

「聞き書き」の言葉について

「聞き書き」は文学か

森崎和江の『まっくら――女坑夫からの聞き書き』を手近な大学図書館で探したところ請求番号五六七に配架されていた。日本十進分類法の五〇〇番台は「技術・工学・工業」で、その下位区分五六〇は「金属工学・鉱山工学」となっている。同じく森崎和江の『からゆきさん』の場合、二つあるキャンパスのうち一方の図書館では三六八、すなわち社会科学類の棚、別のキャンパスの図書館では九一六で文学類日本文学の棚にある。からゆきさんが国境をこえたように、この本も分類項目を越境し知の体系性を密かに混乱させているのだが、それは特にめずらしいことではない。アレクシエーヴィチの『チェルノブイリの祈り――未来の物語』の場合、単行本は九八六で「ロシア・

ソヴィエト文学」、岩波現代文庫版は五四三「電気工学・電子工学」に配架されている（五三〇「機械工学・原子力工学」でないのはなぜだろう）。アレクシエーヴィチの作品は、『戦争は女の顔をしていない』『ボタン穴から見た戦争』『セカンドハンドの時代』などどれも「二三八」で歴史類の「ヨーロッパ史・西洋史」の棚にある。

石牟礼道子の場合、全集については文学の九〇〇番台に収まっているが、『西南役伝説』は二一〇で「日本史」、『最後の人――詩人高群逸枝』は二八九で「伝記」に分類されている。石牟礼の編集による『天の病む――実録水俣病闘争』は五一九で建築工学・土木工学。『食べごしらえおままごと』は五九六で「家政学・生活科学」。ちなみに、村上春樹『アンダーグラウンド』は九〇〇番台にあった。

二〇一五年、ベラルーシの作家、スヴェトラーナ・アレクシエーヴィチにこの年のノーベル文学賞が授与されたのは「文学」にとって画期的な出来事だった。選考団体スウェーデンアカデミーのダニウス事務局長は「彼女は四〇年にわたり新しい文学のジャンルを築いてきた。チェルノブイリ原発事故やアフガン戦争を単なる歴史的出来事ではなく人々の内面の歴史ととらえ、何千色のインタビューをまるで音楽を作曲するように構成して、我々に人間の感情と魂の歴史を認識させた」と評価した(1)。“for her polyphonic writings, a monument to suffering and courage in our time.” この授賞理由からは、何より彼女の作品の多声性、その固有の言葉の質が賞賛されていることがわかる。

アレクシエーヴィチが築いてきた「聞き書き」というジャンルの、そのポリフォニックな言葉の響きが高い評価を獲得し、文学として公式に認知されたのである。この「快挙」に先立って、日本では二〇一一年、池澤夏樹個人編集による『世界文学全集』（全三〇巻、河出書房新社）のうちの一巻に石牟礼道子の聞き書き、『苦海浄土』が収録されていた。必ずしも図書館の九〇〇番台に分類されてこなかった作品、あるいは「小説」「詩」「評論」の項目で整理された文学年表のいずれにも登録されてこなかった作品が「文学」の中に安定した場所を獲得したのだが、このことは事件と呼ぶに価する。なぜなら、こうした評価をもって文学の幅が広がったばかりではなく、広がった文学の方から改めて「文学性」なる価値が問い直されることになるからだ。文学性の保証となるのは必ずしもフィクションではない――歴史叙述と文学の内的な関係を論じたイヴァン・ジャブロンカはこう述べたあとに「ハーレクインシリーズを見よ」と付け加えている。(2)

アレクシエーヴィチは、必ずしも「教養人」に分類されるわけでない人々が自分の内から取り出した言葉を通して歴史を理解するということに関心を寄せ、聞き書きを重ねていった。民衆の思い出話などというものは、一方では「歴史」ではないといわれ、他方では「文学」ではないと言われる。双方から排除されながら、その場所なき場に新しいジャンルを探り出した彼女は、「それを文学にしたい」と言っている。(3) この「文学」とは歴史と文学との対立における文学ではなく、その二分法に先立つ文学性を指しているものと理解しなければならないだろう。

文学賞の受賞によって何かが変わったと考えるなら、それは権威主義のそしりを免れないばかりか、聞き書きの言葉の中に時おり閃くように立ち現れる替えがたい言葉の質を再び狭義の「文学」の枠内に切り縮めてしまうおそれすらある。これは私見だが、今後も聞き書きや記録を、今おかれている歴史類、社会科学類、技術工学類の棚から文学類の棚に移動させる必要など全くないと思う。その棚に配架されたまま、以前とかわらずこれからも、その言葉はポリフォニックな響きを響かせ、独自の文学性を主張することだろう。むしろそれが九〇〇番台に配架されていないことを誇るようにして、場合によっては九〇〇番台に収納されることを拒否しながらである。聞き書き、記録の作品は、ある場合には文学類に配架され、別の場合には歴史の棚、技術工学の棚に置かれるが、分類じたいを揺るがすものとは私たちをほかなる思考へと誘いだすはずである。場所なき場を住処とするこれらの本たちは、その不安定、不確定、同一化不可能な位置そのものによって「文学性」という謎めいた価値を常に論争の場に差し戻す力を秘めている。そして、こうした作品のうち、もっとも力ある言葉は、文学でしかないならば文学にさえなれないという、この真実を無言のうちに告げることだろう。

歴史の文学不信、文学の記録不信

歴史書ならぬ歴史関連書に対して、しばしばこれは実証的ではない、「文学」に過ぎないという批判が向けられることがあるように、少なくとも近代的な歴史研究において歴史と文学とはなんらかの点で決定的に対立しあうものとみなされてきた。歴史と文学とは、もしそれらを混同したなら双方の価値をともにおとしめることになるとされ、あるいは一方が増えると他方が減るような関係にあるとされてきた。実証主義的な歴史学にとって、文学とは「フィクション」や「饒舌」や「空想」を意味しており、だから歴史は文学に近づいたらダメになるのである。[4]

ヘイドン・ホワイトによれば、歴史と文学のこうした対立関係が成立するのは一九世紀初頭のことだという。この時期歴史学は自らを「科学的」なディシプリンとして構築するのだが、その際の梃となったのは何よりも歴史叙述をレトリックから切り離すことだった。美文、想像力、情念、さらに偏見さえもが許されるような創造的で詩的な叙述を排除することで、歴史学のアイデンティティが確定されたのである。つまり、「歴史」は自らの反対側に立つ他者として「文学」を想起することなしには自らの「科学性」を表明することができなかったのだ。[5] この説明には、歴史の言語論的転回を推し進め、「歴史的事実」をめぐる論争を引き起こすことになったホワイト自身の立場が折り込まれているが、それについては後に考えることとしよう。ともかく、歴史のある時点で、互いを他者としながら歴史と文学が互いに対して分離し、そしておそらくはその時、記録性と文学性の二つの極をもった連続体である聞き書きが分類上の場所を失うことになったのだろう。逆にいうなら私たちが聞き書きの言葉に耳を澄ます時、記録と文学の境界、あるいはそれぞれの輪郭がそれまでの堅固な自明性を失うことになるのである。

以上のような「歴史の文学不信」とシンメトリーの関係にあるのが「文学の記録不信」である。一例として、『苦海浄土——わが水俣病』が講談社文庫に収録された際の解説、渡辺京二「石牟礼道子の世界」を取り上げよう（一九七二年一二月）。渡辺は、『苦海浄土』は石牟礼道子の「私小説」であると鮮烈に言い放った。以後この作品は迂闊な読者がそう受け取ったような聞き書きではなく、まぎれもない文学なのだという理解の地平が形成されることになる。事実、『苦海浄土』は第一級の文学であって、そのことを疑う余地なく認知させた解説者の功績はきわめて大きい。ただ、そのために文学がそこから自らを切り離すべき他者の姿を描き出していたことに注意を払っておいてもよいだろう。渡辺京二はこう書いている。

「磯田光一氏はある対談の中で、『苦海浄土』を一応いい作品だと認めた上で、自分がもし患者だったら、変な女が聞き書などをとりに来たら家に入れずに追い出すだろうという趣旨の発言をしていた。私もまったく同感なのだが、『苦海浄土』がそういうプロセスでできあがった聞き書ではないことは、磯田氏の能力をもってすれば読みとることは困難ではないはずである」。

中央文壇の文芸評論家の脳内にある聞き書きとは、頼まれもしないのに人の家に土足で踏み込む無神経な行為、あらゆる繊細さを欠くがゆえに非文学的な行為である。文学の他者構築とひいては自己定義がこうしたものである以上、『苦海浄土』を文学として登録するという重責を担った解説者は、この作品は断じて聞き書きなどではない、と抗弁するほかなかったことだろう。さらにこの解説は、石牟礼は患者の家を頻繁に訪ねることなどしていない、訪ねたとしてもノートやテープレコーダーなどは持っていくはずはないと非・非文学たるゆえんを証明し、重ねて驚愕すべき事実を告げるのである。「瞬間的にひらめいた疑惑は私をほとんど驚愕させた。「じゃあ、」あなたは『苦海浄土』でも……。するとと彼女はいたずらを見つけられた女の子みたいな顔になった。しかし、すぐこう言った。「だって、あの人が心の中で言っていることを文字にすると、ああなるんだもの」」。聞き書きのようにみえる言葉も石牟礼道子の想像の産物だというのである。これは証言の信憑性を重視する実証主義の立場からすれば、やってはならない類のことだ。やってしまえば記録としての価値はゼロになる。しかし、解説者は「いたずらを見つけられた女の子」のような無邪気な言語道断ぶりをむしろ前面に打ち出し、逆にそのことを通して作品の非記録性＝文学性を証明しているのである。文学は記録に対し要求される一切の規格となんの関係もない。記録として失格であればあるほど、それだけ文学なのである。解説者は、この作品が水俣病の惨状を伝える社会的役割を担うことで、純粋な文学作品として認められなくなることに対する危惧を抱いていたらしい。そこで文学と記録との間に広がる灰色地帯を除去しつつ、両者を一刀両断に切り離したのだ。だがこの象徴闘争は文壇側の文学の観念、および非文学の観念を前提として、その土俵の上で展開されており、それゆえいわゆる「文学」の輪郭を揺るがせることはついになかった。いうまでもなくこの「文学」は文学との対立において自らを定義した客観的歴史学の正確な裏返しとなっている。「文学の記録不信」と「歴史の文学不信」とは逆方向からともに文学と記録の境界、その間にいかなる曖昧な領域もない二分法を前提として、お互いの同一性を強化する関係にあった。

　水俣病が確認されてからも長らく未処理の工場排水が海に排出され、わずかばかりの見舞金で患者たちは沈黙を強いられた。学用患者とされた親がベッドに縛り付けられ一刻ごとに悶死していく様を子どもはみつめなければならなかった。胎児性患者の子どもを生んだ母親は、崩れてしまった小さい娘を数年の間世話した後に最期を看取らなければならなかった。水俣病の苛烈な実態は日本社会を揺さぶった。経済成長の背後に隠蔽された事実の記録、報告には、告発の意味があり、社会的効用があり、それを書くのは「女の子のいたずら」ではない。しかしながら、文学がその無償性、純粋性を追求するなら、まさしくその効用性から自らを切り離さねばならず、石牟礼道子は記録作家ではなく、一個の幻想的詩人であると言わなければならない。渡辺の解説は名解説だが、この矛盾に向き合うことはなかったように感じる。

記録と文学のこの対立は「政治と文学」をめぐって交わされた幾度の論争の変奏とみなすことができる。戦前マルクス主義以来の伝統である「政治と文学」論争において、政治という語がまず第一に意味するのは社会主義革命を課題とする変革の政治である。個人を抑圧して顧みない政治──冷戦の西側陣営の一角に身をおく日本において「政治」はもっぱらこのように表象されてきた──から自らを断ち切ることによって戦後日本の「文学」概念が成立し、その文学はほかのいかなる目的にも従属しない、なかんずく政治に従属しない純粋な価値として表象された。その間の分離が深化した結果、社会的であること、政治的であることがすなわち文学的鈍感さを意味するものとみなされるようにさえなるのだが、こうした日本的文化冷戦の思考は、「政治の話はしない」というマナーの中に形を変えてその名残をとどめ、日本社会を現在もなお奇妙な抑圧にさらしている。

『苦海浄土』そのものは、「私小説」的な単声性へと回収される作品ではない。医師による報告書、患者カルテ、医学会雑誌掲載論文、古文書、新聞記事、チッソ従業員大会のビラ、水俣市議会議事録、現地調査報告書、熊本大研究班による研究報告、チッソの「事業大観」、患者互助会の請願書、そのほかの膨大な記録、様々な書き手、様々なレベルの言語構成体を編み上げるように作られている。第二部以降の時期からは、土本典昭らによるドキュメンタリー撮影隊とともに録音機材が持ちこまれるほか、会社側との交渉を記録する必要からも録音がなされ、機材によって「客観的」に記録された声＝文字が作品の言葉に組み入れられるようになる。

　何より、後に『苦海浄土』にまとめられることになるその最初の文章は、谷川雁や上野英信、森崎和江らによって創刊された雑誌『サークル村』に「奇病」と題して掲載されたものだった。「文化を個人の創造物とみなす観点をうちやぶり、新しい集団的な荷い手を」作り出そうという「サークル村」の文化運動は、聞き書きをはじめとする集団創造の文化をあらゆる可能性の広がりにおいて思い描くものだった。[6]記録と文学との間に拡がる幅の中に響く声の交錯、共鳴は、私たちの安定した認識論の土台にある二分法の彼方を照らし出し、その内側から文学性それ自体を変貌させる契機を作り出していた。だとすると、『苦海浄土』は「聞き書き」ではなく純粋な「文学」だという代わりに、「聞き書き」そのままで「文学」だというべきだったのではないか。それによって、冷戦的二分法にも重なる特殊日本的な「政治と文学」の地平を揺さぶることもできたはずであり、さらには近代的な私的所有の観念から解き放たれた文学言語を思い描くことができたかもしれない。

　彼方へと視線を向け、既存の二分法を逃れて文学性を思考すること。これは現在、形をかえつつなお生きた課題である。今や政治と文学の双方から豊かさを削り取ってきた旧来の二分割さえもがすでに自明ではない。なるほど、純粋な価値としての文学を境界画定するためにその他者を構築するという二分法の形じたいは維持されているが、今や文学の他者となるのは歴史でもなく政治でもない。「歴史と文学」「政治と文学」といった従来の二分法は「実用と文学」の分割に姿を変え、たとえば高校国語の新科目「論理国語」「文学国語」という形で教育の場に再登場しようとしている。文学言語の「純粋さ」という観念は、今や資本蓄積の観点から何一つ役に立たないという一点によって定義されることになりつつあるらしいのだ。二分法上の文学はますます分が悪いではないか。

歴史学の言語論的・記憶論的転回

二〇世紀が終わりに差し掛かる頃、歴史学においてもいわゆる言語論的転回をめぐる議論が活性化してきた。たとえばヘイドン・ホワイトは既に七〇年代から『メタヒストリー』をはじめとする一連の論考を通して、過去の事実に関わるはずの歴史叙述であってもそれが言語によってなされる以上、ある歴史解釈がほかの解釈よりも真であるということを決定するための外的基準はないと述べていた。(7) 言語による構築物は常に多義的かつ自己言及的であり、それゆえ安定した現実、真実を同定することはできない。こうした相対主義的な見方が影響力を持つにいたったのである。

一連の議論の中で、歴史学は歴史の物語性や集合的記憶についての認識を深めていったのだが、同時にこうした問題意識が共有されるにつれて、歴史認識についてまわる政治問題としての位相が表面化し、熾烈な論争を引き起こすことになった。歴史的な事実さえ言語構築の所産として相対化してしまうなら、ホロコースト否認論者の妄言を批判する足場を手放すことになるのではないか、という懸念がそこに生まれたのである。『記憶の暗殺者たち』のピエール・ヴィダル゠ナケは以下のように言う。「(略) いっさいが言述を通過せざるを得ないのだということはわかりました。しかし、これをこえたところに、あるいはこれ以前のところに、これには還元しえない何ものか、よかれあしかれ、わたしがなおも現実と呼びつづけたいものがあるのでした。この現実がなくては、どのようにしてフィクションと歴史の区別はつけられるのでしょうか」[8]。

日本においても九〇年代に入った頃から歴史修正主義の問題が表面化し、南京虐殺はなかった、あの戦争はアジア解放の闘いだったと主張する書籍が書店に並ぶようになった。ここで思い出しておきたいのは、日本の歴史修正主義が本格的に歴史教育に介入する運動を始めた時点で、「歴史は物語である」という理論を従来の歴史叙述を相対化するために流用していたことである。既存の歴史叙述を自虐史観と呼び、それに代えて「自分の国を誇りに思える歴史」を再興しようという勢力もまた、歴史叙述の物語性という理論を彼らなりに歓迎したのである。

歴史叙述の相対化とは「なんでもあり」という意味だったわけではない。その頃よく言われた「相対化」「転回」という言葉については、すでに語られ支配的になった歴史を「相対化」するという共通理解があった。それは大文字の歴史によっては掬い取られることのなかった記憶、歴史の屑籠に放り込まれていた記憶に声を与え、これまで権利を剥奪されてきた人々の声を拾い上げるという批判的な動機が含まれていたのだ。相対化というならそのようになされてしかるべきだった。しかしもう一方の相対主義が目指していたのは、既に書かれた歴史の中でかき消されていた声を復権するためにもう一つの歴史の書法を探ることではなく、従来の大文字の歴史にかえて、自分たちの欲望する別の物語を大文字化することであり、それはそもそものはじめから「歴史」の問題でなどなかったといえる。ホワイトは、「ホロコースト否定論者への正しい対応は「それは真実か」ではなくて、「その否定論を突き動かす欲望の根底にあるのは何か」と問い質すことなのだ」と言っている。[9] また、ある時期から保守系メディアに登場するようになった「歴史戦」という言葉に着目した山崎雅弘は、日本に対して突きつけられた戦争責任、植民地支配責任を不当な攻撃と捉えて反撃に出ようとする勢力は、歴史を「事実」や「学びの対象」でなく「戦場」とみなす思考形態によって特徴付けられる、としている。[10] そこで問題になっているのはやはり「歴史的真実」ではない。ただ、歴史修正主義が実際には何を行っているのかを理解したからといって、ホワイトの投げかけた言語論的な問いもヴィダル＝ナケの反問も、それで消えてなくなるわけでもない。

九〇年代のはじめにナチズムと「最終解決」という限界に位置する事件を表象することをめぐるシンポジウムが行われた。[11] 発言者の一人だったホワイトは、過去の歴史を理解可能な対象として描き出すために言語が使用される以上、歴史についてのあらゆる表象は相対的であらざるを得ないという持論を確認した上で、だからといってそれはホロコーストのリアリスティックな表象を断念することを意味するのではなく、また「表象不可能」という閉ざされた概念に帰着するものではないのだと述べた。そうではなくて自分が言いたいのは、一九世紀の歴史家や作家が依拠してきた旧来の表象様式では適切に表象することができない出来事が出現した、ということなのだ、と。[12] 一九世紀の著述家たちが現実を表象するという場合、その事実に対して距離を置き、外部の視点から客観的に書く、ということを意味していた。それが「客観的事実」という観念の謂いであり、起こった事件の全貌をみることのできる安定した視点が、この書き方にあっては自明視されている。しかしながら、こうした古いリアリズムの表象様式そのものがもはや適切でなくなるような歴史的現実がその後出現した。その一つがホロコーストである。

ホワイトは、ホロコーストの現実とその体験を別の仕方で表象する可能性として、ロラン・バルトの「自動詞的記述」の概念、あるいは古代ギリシャ語の「中動態」において表現されていたような何ものか、そしてヴァージニア・ウルフの『燈台へ』がその一例となるような「モダニズム文学」のスタイルにそれぞれ言及しながら、次のように述べている。「モダニズムが直面している歴史は、もはや十九世紀リアリズムによって予想されていたような歴史ではない。それというのも、この歴史の主体をなしている社会秩序が根本的な変容をとげてしまったからである。そして、この変化の結果生じたものこそ、西欧社会が二十世紀になってとることとなった全体主義的形式にほかならないのである」。

モダニズムの表象様式とは、この新しい現実の反映であるとともに応答であり、だからそれは、リアリズムあるいは歴史の否定を目的としているわけではない。ただそれは「あるひとつの新しい形態の歴史的現実、その想像を絶し、思考を絶し、言語を絶したものと想定されている諸側面のなかにヒトラー主義、〈最終解決〉、総力戦、核汚染、大量飢餓、生態学的自殺行為などをふくんでいる現実についての予感であり、わたしたちの諸科学にはこれらを制御したり抑制したりすることはおろか説明する能力すらないということについての透徹した意識であり、わたしたちの伝統的な表象様式にはそれらを適切に描写する能力すらないということについての高まりゆく自覚であるようにおもわれる」。

ホワイトがロラン・バルトの「自動詞的記述」の概念を援用するのは、それによって古典的リアリズムとモダニズム的な記述のスタイルとを区別し、それぞれが依拠する歴史経験の根本的な相違を際立たせるためである。伝統的なリアリズムにおいて、書き手は対象を眺め、その全体を眺め終わったのちにそれを記述の中で再現するものと考えられていた。書き手は対象の外にいる。しかし自動詞的記述においては、書き手は書き手である自分から切り離された何ものかを書くのではなく、書くことそれ自体がひとつの行為であり、対象と自分自身とへの関与となるのだ。これをロラン・バルトは「中動態」という現在では消えてしまった態に関連させた。私たちになじみ深い能動態と受動態というペアは、行う行為と受ける行為の対称と考えてよいが、これに対し今では忘れられた能動態と中動態のペアにおいては、主語が動詞によって示される行為の外にあるか、内にあるかの違いが軸となっている。能動態的な記述の中では、書き手は書くという行為に先立って存在しているのだし、自らとは区別された客体を書いている。これに対し中動態で表現されるような「書く」とは、主体・主語は書くというその行為に内在的に関連し、つねに書く行為の内部にあってその影響下におかれている。[13]

歴史を表象することをめぐる議論において、なぜこのように自動詞や動詞の態といった文法範疇が持ち込まれなければならないのか。それはホロコーストのような出来事を表象するには古典的リアリズムに依存した言述観そのものがもはや適切ではないということ、ある種の言語ではうまく表象できないという問題に直面しているということを示すのだ。もちろん、自動詞的記述あるいは動詞の中動態を使いさえすればこの問題が解決するというわけではない。それを使用すれば、表象の限界に位置する出来事さえも表象可能になるのだとも、ならないのだとも言うことはできないだろう。ただ、ホワイトの問題提起から汲み取ることができるのは、言葉にすることも想像することさえも困難な出来事に直面した時、私たちは言葉と世界の結びつく原初の場に立ち戻り、なんらかの別の言語を探究せざるを得なくなる、ということだ。

証言を「聞き」「書く」

戦後五〇年が過ぎた頃から前述のように歴史修正主義の問題が浮上したが、同時にそれと拮抗する形で、かつて起こった戦争と植民地主義の中で凄惨な暴力を経験し、そこから生き延びた証人による「証言」が現れ、日本社会に衝撃をもたらした。言語を絶し、思考を絶した体験を、それでもなお言語化すること。支配的な歴史学の語りからこぼれ落ちる「歴史の他者」の声を聞こうとすること。「証言」のこうした問題系は、前節で考察した言語、言述そのものに対する問いに最も深く関わってくる。

九〇年代になって日本軍「慰安婦」被害者の口述史が現れた。被害を受けた女性たちは解放の後もなお社会の性規範のもとで半世紀にわたって沈黙を守って生きるほかなかったが、その彼女らが名乗り出たことにより、文献資料に現れることのなかった具体的な被害のありようが明らかになった。金富子はそれが従来の歴史学の「史料」概念を揺るがすものだったことに重要な意味を見出している。(14)

植民地権力が残した公文書・統計類や民族史などには、「慰安婦」被害者の記録はもとより、彼女らをふくむ植民地支配下の女性に関する記録がほとんどといってよいくらい存在しない。そして、植民地朝鮮には義務教育制が施行されなかったため、女性のほとんどが就学や識字教育の機会を得られず、自ら文字を残すことができなかった。「史料」の存在／非存在そのものが権力によって条件付けられるなかで、彼女らの痕跡は失われてきたのである。そのために、口述史の方法論は彼女たちの「記憶」を歴史資料化する第一義的な方法論となった。史料と呼ぶに足るのは公文書であり文字資料だとする旧来の「史料」概念と、彼女らの声、口述との間のこうした緊張関係は、先の一九世紀的リアリズムのスタイルと自動詞的記述の間の関係と、どれほど位相が異なっていようともやはりぴったりと重なってみえてくる。ある種の様式において存在を与えられなくなる体験というものがあり、逆に消えかけていた声が立ち現れる時にはそれまで自明とされてきた既存の様式が揺さぶられるのだ。

記憶は常に選択的記憶であり、そこには思い違いもあれば揺らぎもある。「公文書」に代表される文献資料にのみ史料的価値を認める立場であれば、女性の思い出話に信憑性はない、そんなものは史料と認められないと言うかもしれない。けれど、そうした門前払いの身ぶりはむしろ文献史料もまた常に選別的だったことをはからずも示しているのではないか。公式の史料に依拠して歴史が編まれる時、そのこと自体が文字資料を残す立場にいなかった人々の経験を排除しサバルタン化しつづけた。それゆえ、彼女らの声を聞き、それを通して歴史的知識を拡張することは、従来の自分たちのアイデンティティを支えてきた歴史を問い直すことに繋がっていくことだろう。

韓国では、一九九一年に金学順さんが名乗り出たことをきっかけに、その翌年から韓国挺身隊問題対策協議会、挺身隊研究会による日本軍「慰安婦」への聞き取り調査が始まった。その成果は『証言――強制連行された朝鮮人軍慰安婦たち』（全六冊）、『中国に連行された朝鮮人「慰安婦」たち』（全二冊）にまとめられている。これらの証言集は長期間にわたった調査の所産であり、そのため必ずしも一貫した編集意図や方法論に基いていたわけではない。山下英愛によれば、興味深いことに、証言聞き取りの方法について当初から激しい議論がなされたという。(15)

第一証言集では、あらかじめ「強制連行か、金銭的買収か、詐欺的方法か」「どのような名目だったか（挺身隊、処女供出、慰安婦）」「買収されたなら、代金はいくらだったか」「個人的か、集団的か」「連行者や買収者は警察官、行政職員、職業紹介所員、あるいは仲介屋のどれか」といった「調査事項」を定め、それをもとに調査がなされた。被害者の証言内容は調査項目に即して整理され、一人称の書き言葉で統一し、方言や独特の言い回しなどは文字に反映しなかった。聞き取り調査が「真相究明」という社会の要請に応えるものである以上、最も重要なのは事実かどうかの検証ということになる。当事者の証言を日本軍の責任を示す証拠としてつきつける時に、その根拠となるのは調査の信頼性であり事実性である。この認識にたって、先のような調査方法が採用されたのである。

しかしながら調査を進めるうち、あらかじめ定められた「調査指針」「執筆原則」の枠内でなされる作業の限界が、様々な角度から指摘されるようになった。「慰安婦」たちの証言が「真相究明」を第一義的目的とする研究者たちの意図に沿って様式化されてしまうのではないか、という批判である。「指針」「原則」の枠内で証言を整理した時に、証言者が憤りと恨を表現するためにどの言葉を選んだのか、恨の根源となる経験が正確に何だったのかがわからなくなってしまう。こうした指摘を織り込みながら聞き取りの経験が蓄積され、第二集から第六集にかけて徐々にその方法が修正されていった。第一に、証言者自身が選んだ言葉、証言者に固有の語り方によって真実を表わすことができるという考えに転換し、方言や語尾などもふくめてそのまま表記する方法へと移行した。第二に、聞き取るべき内容の範囲を広げ、全人生を含めてとらえるようになっていった。慰安婦の被害は、慰安婦だった期間に限定されるのではなかった。帰国後の彼女たちを待っていたのはそれ以上ともいえるほどに過酷な生活だったのだから。さらに、被害当事者が自らの経験をどのように解釈し、どのような言葉でもってそれを語るかに重要な意味が認められるようになった。こうして第六集のタイトルは「歴史を作る物語」とされている。

当事者の語りを尊重するために、調査は「ask – 尋ねる」ことから「listen – 聞く」ことへと移行していくが、それと同時に――一見すると逆のベクトルのようにみえるが――聞き取りを行う調査者の位置を可視化することが重視されるようになっている。それまで調査者は背後に控えて証言者の話を浮きあがらせるよう努めてきたのだが、調査者が話を聞くうちに抱いた印象も書きのこすようになり、さらに調査者の質問を証言者の口述に加えるように変わっていった。被害者たちの経験には最終的に汲み尽くせない奥行があり、それゆえどのように問うか、どのような相手に向って話すのかによって証言のありようは変わり得る。証言は聞き手と証言者との間に生まれるのであり、証言集は複数の人々による共働の所産だった。被害者たちは社会の家父長制的な性規範の下で長い間自らの過去を「恥」とのみ受け取り、永い沈黙の時を過ごしてきた。その彼女らが自らの経験を語ることができるようになるためには、その声に真摯に耳を傾ける聞き手が現れること、そして時間をかけて築かれた信頼関係が成立していることが不可欠である。

「尋ねる」から「聞く」への転換。それと同時になされた聞き手の可視化。証言集活動から浮かび上がってくるのは聞き手という存在の両義性である。聞き手は聞きたいことだけを聞くという過ちを回避できないかもしれない。証言を自分の関心の形にそって切り落とすかもしれないし、方向付けをほどこすかもしれない。要するに声を収奪するかもしれない。にもかかわらず、聞き手がそこにいるということは、証言を可能にする条件であり、それは証言そのものの内的成分でさえある。証言を聞く行為とは、単に受動的な行為でも、また語ることに付随する二次的な行為でもない。聞き手は、被害者の内側で凍りついた記憶を解かすように呼びかけ、自分自身の理解を凌駕する他者との間に関係を創設し、証言の空間をそこに創り出す。それは、語るということが必ずしも能動的でなく、聞くということが必ずしも受動的ではあり得ないような空間ではなかっただろうか。証言の場、証言が可能になる場に固有のこの共同性の内側から、聞き取りの方法は少しずつ変わっていった。

　同時に山下は、被害者の証言の中に深く入りこんで内的な経験に触れるのは極めて困難だったこと、また証言集活動が「未完成の物語」だったことを示唆している。まだまだ続けるべき活動だったという意味に止まらず、おそらくはより本質的な意味における未完の位相がここには認められる。証言者は始まりと終わりを確定できるような「過去の客観的事実」を語ったのではない。二〇〇〇年に開催された女性国際戦犯法廷では、自らのトラウマ的な体験を証言したある女性が、暴行を受けた時のことを涙ぐんで語るうちに、崩れ落ちるようにそこに倒れるという場面があった。証言は証言するその身体から切り離すことのできる言語内容の問題などでは全くない。過去の現在は今現在の語る身体になまなましく回帰する。その場面は強い衝撃をもって私たちにそのことを知らせた。先程の自動詞的記述、あるいは中動態の場合のように、語る主体・主語は語るという自身の行為の内側にいて、その身体は自らの言語行為の文字通りの影響下に置かれていたのだ。

耐え難いほどにつらい過去を語ることは、それを語る現在の自分自身を間違いなく揺さぶり傷つける。ただし、傷つけるだけではない。聞き取りを行う調査者はその作業の中で被害者のトラウマの深さに気づいていくが、その一方で、語ることのできなかった記憶を言語化するということが証言者自身を触発し、棄損され続けた自尊心の回復へと繋がっていくことにもまた気づいていった。証言の活動は第一義的には歴史回復のための作業である。だがそれは同時に証言者自身の生の回復に関わる自己生成の過程でもあった。それは過ぎ去った過去の「事実」を客観的に対象化するという作業をつねに越え出て、現在の生に変容をもたらす作業となっている。

ここで前節の枠組みを援用すると、第一証言集は方法のレベルで客観的に検証可能な真相を目指すものであり、いわば伝統的リアリズムの文体とその構えを共有するものだったと考えられる（それが日本の歴史修正主義者に対応する必要上、慎重に選ばれた方法だったことを忘れるわけにはいかない）。そして、その後の証言活動は「自動詞的記述」の質を帯びるものへと少しずつ変わっていった。証言する言葉は過去の出来事から距離を置き、外部の視点に立って全体を語るような言葉ではあり得ず、これに応じた表象様式が模索されたのである。

ここで歴史は物語であるという、ある意味であやういテーゼに再び立ち戻ることにしよう。もはやそれは、歴史家は文学作品にも通じるいくつかの選択可能な修辞法を採用せざるを得ないというヘイドン・ホワイト的、ないしポスト・モダン的なテーゼを繰返すことにつきるのではない。証言者の言葉について考えることは、改めて歴史の言葉が文学言語に結びつく地点を再考し、そこからあらゆる含意を汲み上げることへと繋がっていく。二〇一六年、韓国現代文学の作家キム・スムが日本軍慰安婦だった「彼女」を主人公とする小説を書いている。『ひとり』という題で、二〇一八年秋に日本語訳も刊行された[16]。この物語は、歳月が流れ、生存している慰安婦被害者がただひとりになった近未来のある日から始まる。「彼女」は自分の過去を家族に対してさえ語ることができず、慰安婦登録の申請も行っていない。だから生存する慰安婦が最後のひとりになったという公式のニュースを聞きながら、年老いた彼女は心の中で「ここにもうひとり生き残っている」とつぶやくのだ。この小説は、旧日本軍慰安婦被害者の証言を基に、それを引用しフィクションとして再構成したものであり、引用された証言の出典と証言者の名前は巻末に付された三〇〇を超える注で示されている。韓国では数多くの証言集やドキュメンタリーが作成されており、作者はこうした資料を手に入る限りあつめて、被害者の記憶が細やかに織り込まれたひとつの作品を作り出した。作者には「自分の小説的想像力が、被害者の方々が実際に経験したことを歪曲したり誇張したりするのではないか」という戸惑いがあり、それゆえ自らの文章として解釈し再構成した声はゴシック体で表記してほかの文章と区別されている。だが、同時に「その声に込められた切迫した訴えは詩的な響きを生みだし、小説を最後まで進ませて」くれたのだという。

キム・スムがそこに詩的な響きを認めた言葉とは、いったい何だったのだろうか。作家にその文学化を躊躇させつつもなお文学の営為を断念させることなく、そこに力を与え続ける言葉でもあったというそれは。すでにみたように、証言の場にあっては、自らの苦痛の経験を語るためにどの言葉を掴むのかにギリギリの重要な意味が現れる局面がある。聞き取る側で要約することのできないその言葉を発する時、証言者は、自分が経験したその出来事の唯一固有の名を呼ぶように言葉を発しているのではないか。名づけることによって、歴史の中にその出来事を事実として生み出すように。

市村弘正は「名づけるとは、物事を創造または生成させる行為であり、そのようにして誕生した物事の認識そのもの」だと書いている。[17]こうした「名づけ」とは、文法上の名詞でなくとも、その出来事を語るための替えがたい言葉を探り出すことだととらえてよいだろう。すでに支配的になった歴史の中に場所を持つことのできなかった経験を語り出そうとする者、いまだ言語にならないために自分自身にとってさえ理解し難い経験をそれでも声にしようとする者は、出来事に新しい名前を与える命名者に似ている。一般的な意味を表示する言葉によるのでなく、その出来事を唯一の新しい名前で呼ぶようになされる発話。それはまるで起点となる言語のない翻訳のように、それによって確かな実在を歴史の中に新たに生み出しているのである。その時証言する声は従来の歴史の論理を揺さぶらずにはおかないだろう。

ベンヤミンの思想を跡付け、その言語哲学と歴史哲学との内的連関を見出した柿木伸之は、「従来の歴史の論理の崩壊を潜り抜けて初めて、歴史を語る言葉に詩的な強度が漲ってくる」はずだと言い、「名」と詩的言語とが一つになる瞬間をとらえている。[18] 語り得なかった出来事に名を与え、それによって一つの真実を認識し、その出来事を世界の中にもたらす。その時、言葉ははじめて何事かを語り出す時に到来する澄み渡った言葉となり、弛緩した表現でも既存の情報を伝達する手段でもない詩的な強度を帯びる。柿木によれば、こうしたベンヤミンの試みの背後には、彼と同時代の文学者たちが鋭敏に感知していた二〇世紀初頭における言語の危機があった。言葉は人々の生の経験から乖離して、もはや世界に応えることができなくなってしまっているのではないか、という危機感である。言語がシニフィアンとシニフィエの結びつきとして規定され、一般的な意味を表象する記号として機能するようになると、その時言語は人間の話す行為からさえ離れ、既存の事実を単に写して伝達するための手段、道具でしかなくなってしまう。さらにジャーナリズムが日常生活に浸透してきたこの時代、あらかじめ加工された情報を伝える言葉を通してみられた世界が、世界そのものにすりかわりつつあった。言葉は一人ひとりの人間の生の経験から乖離したまま流通する記号となり、情報となった――この延長上に、その真偽さえ気に留められることのない虚偽情報が世界を覆う時代がやってくるのだろう。その時私たちは世界を失い、自分自身の経験を失う。世界に応える言葉を持ち得ない時、世界自体も色褪せてしまう。[19] ベンヤミンは、こうした危機感の中から、出来事と名が原初の場面で結び付く言語の根源的次元を開こうとしたのである。

空疎な記号の行き交う場、情報に覆われた世界の喧噪の中で、それを断ち切るように証言の空間が開かれ、出来事を表現する一つの言葉が生まれる。すべての生の悲惨、生の輝きさえもほかのものと交換可能な一般的等価物＝言語におきかえられてしまうことに抗し、言語の生成する現場に言語そのものを立ちかえらせようとすること、そこに聞き書きの言葉を位置付けることができるのではないか。その時、言葉が詩的言語の響きを湛え始める。たとえば『苦海浄土』の言葉は、汚染された海、失われた命を見舞金、賠償金と交換可能とみなす世界をまのあたりにした者が、身を震わせるようにして発する言葉である。言語と貨幣、この二つの一般的等価物の体系が世界を覆い、私たちが世界にその手ざわりをもって触れることができなくなっていく時、その崩壊を押しとどめるのは、交換できない言葉、ほかではあり得ない言葉で出来事を語ろうとする行為である。言葉が響き得る場が開かれ、聞き届けられなければならない現実がその時世界の中に生み出されるのだ。

アレクシエーヴィチの聞き書きは、時として一日中かけてたった一つの文章を聞くものでもあった。お茶を飲んで長いおしゃべりで時をすごし、そして「突然、ふっと、待ちかねていた瞬間が訪れる」。かつて従軍した女性は、たとえばこんなふうに語る。「わたしは、戦線に行った時まだ小さかったの。だから戦争中に背が伸びたくらい[20]」。

森崎和江は、戦後「女性保護」の名目によって坑内労働が禁止された後に、かつて地の底に降りて石炭運搬に従事した色と女坑夫の言葉を集め、『まっくら』という端的な題名でそれをまとめた[21]。地面の上の感覚では理解が追いつかないほどの過酷な労働であるが、しかし彼女らは暗闇の中で自分たち独自の世界を作り出していた。「「まあだ働きたいですのう」と、夜露がぽとりとおちるようにいいます。働く、ということがどのように非人間的なものであっても、そのことでつながってきた人びとの世界を持っていました」。森崎は、地上の言葉の体系との緊張した関係において女坑夫の言葉を聞いていた。彼女は互いに命をあずけ合って地下に降りていく中で育まれた坑夫独自の連帯感を語ろうとする。けれど、それが地上の言葉に翻訳されると「下町のヒューマニティと通じあうような形になって」しまうのである。語ろうとする彼女の中には言いよどんでいるものが残っており、語ってもなお満たされないことを痛覚とともに知るのである。

地上で流通する交換可能の言葉ではなく、支配的な価値と馴れ合い、出来事に触れることのできなくなった言葉ではなく、ある場合には伝達の道具となった言葉にかき消され、ある場合にはそれを凌駕する聞き書きの言葉、聞き＝書く言葉、受動ともいえず、能動ともまた言えない言葉の共鳴の中に、言語の詩的な次元がふと立ち現れる。それは言葉をその生成の場に立ちかえらせ、言葉を通して世界を再び回復させるのだ。こうした言葉の稀少な質を、記録とフィクションの二分法に先立つ「文学性」と呼んでよいかと思う。

註

（1）「ノーベル文学賞にベラルーシ人作家　フクシマを積極発言」『朝日新聞』二〇一五年一〇月八日。

（2）イヴァン・ジャブロンカ『歴史は現代文学である——社会科学のためのマニフェスト』真野倫平訳、名古屋大学出版会、二〇一八年。

（3）スヴェトラーナ・アレクシエーヴィチ『戦争は女の顔をしていない』三浦みどり訳、岩波現代文庫、二〇一六年。

（4）前掲『歴史は現代文学である』。

（5）ヘイドン・ホワイト『実用的な過去』上村忠男監訳、岩波書店、二〇一七年。
（6）『サークル村』と集団の思想については佐藤泉「第3章　谷川雁」『一九五〇年代、批評の政治学』（中公叢書、二〇一八年）。また『サークル村』には、森崎和江「スラを引く女たち」をはじめとして「方言」を駆使して強烈な印象を与える作品が掲載されていた。井上洋子は石牟礼の「奇病」が書かれる場としてこのことを重要視している（「『苦海浄土』の円環構造――「ゆき女きき書」はいかにして語りだされたか」『現代思想』二〇一八年五月臨時増刊号）。
（7）ヘイドン・ホワイト『メタヒストリー――一九世紀ヨーロッパにおける歴史的想像力』岩崎稔監訳、作品社、二〇一七年。
（8）ソール・フリードランダー編『アウシュヴィッツと表象の限界』（上村忠男、小沢弘明、岩崎稔訳、未來社、一九九四年）より再引用。
（9）前掲『実用的な過去』。
（10）山崎雅弘『歴史戦と思想戦――歴史問題の読み解き方』集英社新書、二〇一九年。
（11）前掲『アウシュヴィッツと表象の限界』。
（12）ヘイドン・ホワイト「歴史のプロット化と真実の問題」前掲『アウシュヴィッツと表象の限界』。
（13）中動態をめぐる考察で近年注目された國分功一郎は、ホワイトによる中動態の神秘化について註の中で批判的に言及している（『中動態の世界――意志と責任の考古学』医学書院、二〇一七年）。
（14）金富子「「韓国併合」１００年と韓国の女性史・ジェンダー史研究の新潮流」『ジェンダー史学』六号、二〇一〇年。
（15）山下英愛「韓国の「慰安婦」証言聞き取り作業の歴史――記憶と再現をめぐる取り組み」上野千鶴子・蘭信

三・平井和子編『戦争と性暴力の比較史へ向けて』岩波書店、二〇一八年。また本章註(14)の金富子も証言集の方法的な変容について述べている。
(16)キム・スム『ひとり』岡裕美訳、三一書房、二〇一八年。
(17)市村正弘『増補「名づけ」の精神史』平凡社ライブラリー、一九九六年。
(18)柿木伸之『パット剝ギトッテシマッタ後の世界へ――ヒロシマを想起する思考』インパクト出版会、二〇一五年。
(19)柿木伸之『ベンヤミンの言語哲学――翻訳としての言語、想起からの歴史』平凡社、二〇一四年。
(20)前掲『戦争は女の顔をしていない』。
(21)森崎和江『まっくら――女坑夫からの聞き書き』理論社、一九六一年。

第Ⅲ部

生政治／死政治

13 「犠牲地域」のオリンピック

柳美里『JR上野駅公園口』

山手線ホームのアナウンス

「まもなく2番線に池袋・新宿方面行きの電車が参ります、危ないですから黄色い線の内側までお下がりください」。

ＪＲ山手線のホームでは、始発から終電までの間、駅名だけ変えて同じアナウンスが絶え間なく流れている。以前は駅ごとに異なる人間の声だったと思うが、今はみな同じ機械音声に変わっている。いつからなのかは記憶にない。注意して聞いたことなどないからだ。柳美里の「山手線シリーズ」にはこうした駅のアナウンスのほか、横断歩道で流れる「ピヨッ、ピヨピヨッ」という視覚障害者用の信号音、携帯電話の中から聴こえる「おかけになった電話は、電波の届かない場所におられるか、電源が入っていないため、かかりません」など、誰でもすぐ脳内で再現できてしまうほど日々繰り返し聞いてきた音・声が無数に書き留められている。毎日のように聞いてはいるがついぞ耳を傾けて聞いたことのないその音・声は、私の内のどこかにも滞留しているのだろう。私の一番どうでもよく、かつ一番深いところに。一時期は毎日のように「人身事故」で電車が止まった。死んでしまったたくさんの人たちが生の最後の時に聞いたのは、「危ないですから黄色い線の内側までお下がりください」という声だったかもしれない。やめて、と必死で叫びたくなる。引き込まれそうで恐ろしくもある。

街の音

柳美里の「山手線シリーズ」には、駅のアナウンスのほか、街路にあふれる宣伝、広告、道行く人々の話し声、公園や団地の禁止事項の注意書きが書きとめられており、どの作品も様々な雑音、雑情報のカタログの様相を呈している。たとえば、『JR高田馬場駅戸山口』(新装版:河出文庫、二〇二一年)の主人公、夫と別居し一人で幼稚園児を育てる母親の耳には、高田馬場駅の発メロに使われている鉄腕アトムの主題歌が流れ込んでくる。女の耳には幼稚園のママ友や街を行く人々の声も入ってくるが、会話の断片からでは何の話をしているのかわからない。雑音のカタログはこの世界を覆っている無意味のカタログである。それは都市で生活する主人公たちの内側の風景でもある。

柳美里は、自らの初期の「私小説」的な作品について、そのころ書いていた「私」は家族や学校の教師やクラスメートという他人から構成されていたと語っている。父母の離婚や学校での激しいいじめ、暴力をも含めて「私」に「他人が流入し」、「私」がかなりひび割れたかたちでできていた。[1]「私」が他人の流れ込む場であり、他人によって構成されるひび割れだとしたら、そうした「私」は一個の他者である。必ずしも「私小説」的であるわけではない「山手線シリーズ」の主人公たちにとっても、「私」の内に津波のように流入してくる街の雑音は「私」を構成する「他」であるのだ。彼ら彼女らはこの世の恐ろしい無意味の津波に追い詰められるようにして孤絶を深め、そして「黄色い線」の上に立ってしまう。

歩きながらおしゃべりする人はみな二人組で、信号が変わると各組がいっせいに横断歩道を渡る。「二人組はわたくし一人でございますッ、わたくしッ主人も息子もございますが、歩きながらおしゃべりをする相手は一人もございませんッ、一人ッ、たった一人で横断歩道を渡りますッ」。「高田馬場駅戸山口」の女は自分の内に流れ込む町の音の中で、おどけた口調で絶え間なく、時おり「忍者ハットリくん」の口真似を交えながら、自分一人を相手に対話を続ける。幼稚園の送り迎えのママたちとのおしゃべりは、それはそれでささいなミスも許さない過酷な緊張を強いるものであり、女の神経をすり減らすものであるからだ。「話すべき話は口にしない。口にするのは、ほかに考え事をしていても相槌を打てるようなとりとめのない話だけだ。そんな話でも、いつも相手の出方を窺って、用心と警戒を怠らず、笑う時さえ、ほかの母親が笑い出すまで待機して、誰かが笑ったら、遅れまいと慌てて笑う」。

話すべき話は避けること、相槌、笑いのタイミングを決して外さないこと。不文律に触れないこと。世界はこうした掟の下に「調和」を保ち、そして女はそこから追放されている。「動いている全てのもの、動いていない全てのものが、それぞれの持ち場を護って調和を保っている。そして、持ち場を放棄し、調和を乱した私が、いま、ここに、在ることに、異を唱えている。家も、道も、木も、草も、空も、雲も、太陽も、満場一致で、追放せよ！と叫んでいる」。そして、彼女も「黄色い線」の上に立つことになる。

自殺と天皇制

作者によれば「山手線シリーズ」のテーマの一つは毎年二万人以上の人々の命を奪っている自殺、そしてもう一つは天皇制によって幾重にも生み出された圏域だという。[2] 時計回りに外側を走る外回りと、逆回りに内側を走る内回りと、山手線の二重になった円の中心に位置しているのが天皇の暮らす皇居であり、その周囲は塀に囲まれて中をのぞくことのできない構造になっている。知られる通り『表徴の帝国』のロラン・バルトは「いかにもこの都市は中心を持っている。だがその中心は空虚である」と書いた。[3] 中心が空虚である以上、外縁もあいまいであり、不在であるがゆえにいたるところに偏在する。不在によって中心化された掟の空間においては、会話のルールというものが明確に定められているわけではなく、だからこそ不可視の規則に外れないためには極度の緊張が要求される。『JR品川駅高輪口』の少女は、校則より厳しい仲良しグループの掟の何かしらに触れてしまい、「イツモイッショデナケレバイケナイメンバー」略して「イツメン」から排除されることになる。いや、排除の理由など本当は存在せず、ただ定期的に誰かを排除することがグループの結束を維持するためには効果的なのかもしれない。

かつて家永三郎は、「天皇の権威はもちろん、天皇の存在自体といえども、必ずしも天皇制の本質ではないのであって、天皇制的な人間の結びつき方、そこに天皇制の本質があるのであろう」と書いた[(4)]。天皇の存在すら天皇制の本質ではなく、それはいわゆる「一木一草」に宿っている。それが今ではしばしば「空気」と呼ばれる不可解で陰湿な同調圧力に通じているのだとすれば、こうした「日本文化」は根深く深刻だが、一方で「山手線シリーズ」における「天皇制」はそうした無形の空気にとどまっていない。「高田馬場駅戸山口」の女は、自分の日常の生活圏内に国立予防衛生研究所（現・国立感染症研究所、陸軍軍医学校跡地）の建設現場で発見された大量の人骨が保管されている施設があることを知り、そしてそのさらに奥には昭和四年に昭和天皇が陸軍軍医学校に立ち寄ったことを記念した行幸記念碑があることを知る。「大量の人骨」については、戦争中に生体実験を行った七三一部隊の犠牲者で、当時は日本の植民地だった朝鮮、満州の人々の骨である可能性が高いという指摘がなされている。天皇は、骨のこと、骨になった人々のことを知っていただろうか。

「聞き書き」としての「山手線シリーズ」

『JR上野駅公園口』は、天皇（平成期）と同じ一九三三年生まれの男が主人公である。福島に生まれ、東京オリンピック前年の一九六三年、東京に出稼ぎに出た男は、それ以来、各地で都市建設等の仕事を続けるが、やがて帰り着く場所を失って上野公園で路上生活に入る。そしてやはり「黄色い線」の上に立つのである。

本書の刊行が二〇一四年。そしてその英訳 *Tokyo Ueno Station*（モーガン・ジャイルズ訳）が全米図書賞の翻訳部門受賞作となって、世界的な評価を獲得したのが二〇二〇年である。この間に天皇自身の意志による異例の生前退位と平成から令和への改元が行われた。本作における「天皇」は上皇となり、「皇太子」は天皇にスライドしている。

二〇一一年の東日本大震災、東京電力福島第一原発過酷事故の後、原発周辺地域に通いはじめた柳美里は、翌年の三月一六日から南相馬市役所内の臨時災害放送局「南相馬ひばりエフエム」で毎週金曜日「ふたりとひとり」という三〇分番組のパーソナリティをつとめた。この番組は、南相馬在住や出身の「ふたり」と話をするという内容で、放送局が二〇一八年三月二五日に閉局するまで柳美里は六〇〇人ほどの人々の話に耳を傾けたという。また、放送とは別に、南相馬市内の仮設住宅の集会所を訪ね、お年寄りの話を聞きに行ったところ、ある年齢から上の男性の話を聞くと、必ずと言っていいほど出稼ぎの話になることに気付いた。「上野駅公園口」のもとになったのは、そうした話の一つ、ちょうど天皇と同じ年に生まれたという男性がオリンピックの前の年に体育施設や基盤整備、交通や宿泊施設をつくりに行ったという話だった。もう一つ、こちらは震災以前のことだが、柳美里は上野のホームレスの人々への聞き取りを行っており、話を聞くうちに上野公園の路上生活者には集団就職や出稼ぎで上京してきた東北出身者が多い、ということがわかってきたという。彼らが東北本線や常磐線に乗って東京に来て、最初に降り立つのが上野駅である。それぞれの事情で帰る場所をなくした人々には、それでも改札をくぐって電車に乗れば郷里に帰れるという思いがある。上野公園は東京の中で一番郷里に近い場所なのだ。「上野駅公園口」の主人公の男はひとりの男であるとともに、柳美里がその声を聞いたたくさんの人々の生がその背後に重なっている。

こうしてみると「山手線シリーズ」をシリーズとして成立させているのは、いくつかのレベルで他人たちの声を「聞く」身体、他人たちが流れ込む身体であることがわかる。「高田馬場駅戸山口」であれば、登場人物である「わたし」が押し寄せる「街の音」のただ中で孤絶へと追いつめられてゆき、他方の「上野駅公園口」は作者である柳美里が南相馬の人々の話、上野公園の路上生活者たちの話を聞くことで可能になった物語である。おびただしい人々の声、街の声を「聞く」身体と一口にいってもかたや作中人物、かたや作者と、その位相は大きく異なっているのだが、それでも柳美里は「私」というそれまでの枠が崩れて、他者が流入してくる感覚を味わった」「そこで自分というのをほどいて、編み直していった」と言い、だから初期の私小説的な作品と、聞くことに徹した末にできあがった『JR上野駅公園口』にはあまり差異がないのだと述べている。聞くというのは一般的には受動的な行為のように思われている。けれども、そうではなく身体と身体の接触であり、交流なのだと柳美里は言う。

石牟礼道子は水俣の患者たち、家族たちの声を聞くことを通して『苦海浄土』を書くことになり、筑豊で暮らした森崎和江は炭坑で働いた人々の、それじたい言語化の難しい体験を聞き歩くことによって『まっくら——女坑夫からの聞き書き』や『奈落の神々——炭坑労働精神史』の独特の精神世界を書くことになった。こうした一連の「聞き書き」の作品の系譜に、『JR上野駅公園口』を位置付けることができないだろうか。あるいは、他者の言葉が自分の内に流入し、自分をほどき編み直すという柳美里の言葉を手掛かりにして、石牟礼や森崎の「聞き書き」の言葉を理解することはできないか。「聞き書き」が文学の言葉であるためには、録音機の機能ならざる要素、つまり書き手の想像力や個性としばしば誤って呼ばれもする何かがそこに働いているのだが、しかしその個性と呼ばれ、想像力と呼ばれもする力とは、個に根ざしをもつのではなく、むしろ逆に自らの身体に他者の声をくぐらせ、「私」が無数の他者たちの生の堆積であり、関係におけるひび割れでもあることに気付いた時、はじめてそこに立ちあらわれる言葉の響きのことではないだろうか。その他者は自分とは異なる歴史をくぐってきた他者であり、またその他者たちも別の他者、死者をもふくむ他者たちの記憶を身体のどこか深いところに溜め込んできたような他者ではないのだろうか。

『ＪＲ上野駅公園口』の主人公は、天皇と同じ一九三三年に生まれた。敗戦時には一二歳、七人の弟妹がいて、何より食べていくこと、食べさせていくことを考えなければならず、男は国民学校を卒業するとすぐに出稼ぎにいった。長男の浩一は皇太子と同日の一九六〇年二月二三日に生まれている。ラジオから皇太子誕生を祝う喜びの声が流れてくる中で、男は産婆を呼ぶためのわずかな金さえないことに打ちのめされ、立ち尽くしていた。私事ながら私の母も一九三三年生まれ、姉が一九六〇年生まれなので、天皇家のサイクルと重なる感覚がわからないわけではない。だがそれはどういう関係なのだろう。貧しさも底を打った時に生まれた男の長男は皇太子から一字をもらって浩一と名付けられる。それは単純な同一化なのか、あるいは皇室と貧しい男の家と、運命の皮肉な対比、並行を描くための小説的な仕掛けなのだろうか。ただ、一方の祝賀、他方の貧困の残酷なコントラストを平板な明暗対比のようにとらえるわけにはいかない。

弟や妹に加えて二人の子どもを食べさせ、学校にやらねばならない男は、長男の浩一が三歳になった一九六三年にオリンピック直前の東京に出稼ぎに行き、そして高度成長期の建設ラッシュを背景としてさらに各地の現場を転々と移動し続ける。家族の顔をみるのは年に数日しかない。出稼ぎは家族を食べさせるための出稼ぎなのだが、そのために男は妻とも子どもとも離れ離れで生きなければならない。その浩一は、二〇歳でレントゲン技師の国家試験に合格し、流浪と離散ですごした男の長い年月がようやく報われるかと思われたその時に、突然、東京のアパートでひとり死んでしまう。深い逆説というほかない。息子が死んだ後に細部に満ちたたくさんの思い出が残されるのではない。貧困の悲しみ以外に息子との小さな思い出の一つさえ残されることなく、それまでの努力のすべてが徒労に終わったのだ。男の深い疲労は、疲労というより世界から一切の意味が失われるような消尽の感覚を帯びる。

「夢」の収奪

ところで、この作品には不思議な時間が流れている。男は山手線ホームの「黄色い線」を越えるのだが、そのあとにも死後の時となった小説の時は流れ続け、どこまでが生の時の記述なのか、どこからが死後に流れる時なのか、その境界はいつも頼りなく揺れている。男が「黄色い線」の上に立ったのは、天皇皇后の行幸啓にそなえて上野公園のホームレスの「山狩り」が行われた日であり、それは二〇〇六年の一二月二一日であるが、線を超えるその瞬間、男の目には生まれ育った福島の、遠近感を失ったような景色が鮮明にみえており、そして、地面が揺れ、津波が押し寄せ、黒い波が孫娘の麻里の車を呑み込む光景がその目に映じる。この作品に流れているのは、死後の生、終わりのその後に流れる時間であり、主人公は震災前の二〇〇六年に死んでいるにもかかわらず、この作品は二〇一一年の震災後文学となっているのだ。

この現在が死者の時であり、終わりの後の時であるなら、六〇年代「当時」の男がなぜ家族を置いて出稼ぎに出たのかを次のように淡々と書いた一節は、底知れない逆説となるだろう。「当時の浜通りには、東京電力の原子力発電所や東北電力の火力発電所なんてものはなかったし、日立電気やデルモンテの工場もなかった」。発電所があれば、日立やデルモンテがあれば、家族を残して出稼ぎに行く必要はなかったかもしれない。けれども、何もなかったから出稼ぎに出た。その後に、発電所と工場とができた。もっと早く発電所ができていればよかった、家族と離れ離れにならずに済んだといえるだろうか。後に発電所の事故が起こることを知っている者は、もっと早ければ、と言うことはできない。「当時の浜通り」のことを回想する文は適切な時を得ることができないのである。死後の時を過ごす死者と、そして震災後文学としてこれを読む読者とは、読むことでその不思議な時制を経験する。

貧しさのために多くの出稼ぎ者を出した地域の人々は、ある時点で、地元に原発が来れば故郷を離れずに家族と一緒の幸福な生活ができるという「夢」を抱いたかもしれない。東京電力福島第一原発一号機は、一九七一年三月に運転が開始された。それで立地地域住民の生活は保証され、家族を置いて出稼ぎに行かなくても済むようになったのかもしれない。しかしながら、二〇一一年の東京電力福島原発の事故の後、人々は原発誘致が地域に「幸福な生活」をもたらすものではなかったこと、かつてみた「夢」が残酷にも覆っていったことを知らされる。

もとより、それは手放しの「夢」などではなかった。事故による放射能汚染の恐怖は原子力開発研究の当初から重要視されていた。リスクが想定され、反対運動が起こるからこそ、東京から距離のある地域が候補地となったのだが、当然ながら都市は危険で地方であれば安全などということはない。それでも大都市周辺に原発が建設されることはなかった。中嶋久人が福島に原発が建設された経緯について次のように書いている。[5]立地候補自治体側にも原発誘致を望む声があったが、その一方で住民の間には原発建設反対運動が起きていた。発電所建設のリスクに対する見返りを可視化すべく、つまり札束を提示すべく、いわゆる電源三法が作られ、交付金や固定資産税増収などが地域の経済構造を規定していく流れが作られたのはそのためだった。電源三法は大都市には適用されない。不安や納得できない思いを胸の内に呑み下しながらリターンを「自ら選ぶ」という形を強いられるのは、電力を消費する都市ではなく、都市から遠く離れた地方である。西川長夫が「現代のエネルギーの中心をなす原発の問題は、新植民地主義の典型例である」と書き、高橋哲哉が「戦後日本国家は、一つには米軍基地の沖縄への押し付けというかたちで、もう一つには原発の地方への集中立地というかたちで、中心と周縁とのあいだに植民地的支配・被支配の関係を構築してきたのではないか」と書いたように、原発の問題に植民地的な従属関係を見出す見解は少なくない。[6]その「植民地的」な支配と被支配の構図においてもっとも残酷なのは、支配される側の「合意」を取り付けるところ、あるいは「合意」の構図を作り出しつつ支配するところにあった。それが地域の傷跡を「以後」の時間にいたるまで継続させるのだ。福島においても家族バラバラの暮らしから抜け出せるという切ない住民の夢は、植民地主義の養分として吸い上げられ、利用されてきたのではなかったか。破壊の暴力は遅れてやってくる。非常事態の国家は末端の民の生を意に介さないが、介さなくてよい末端としてあらかじめ包摂するというのが支配の構造なのである。

男の場合は、子どもらを食べさせ学校に行かせるために故郷を離れ、オリンピック会場をはじめ高度成長期の建設現場に動員された。そのために働いてきたはずの長男の急死という出来事は、夢の破局ともいえる原発事故と象徴的に等価である。かつてみた夢が覆り、すべてが徒労に終わり、終わりの後にも時は続き、恢復しようのない疲れが男を捉える。灰のように、生きるのだ。「これまでも働く努力はしてきたけれど、今している努力は、生きる努力だ。／死にたいというよりも、努力することに、疲れた」。

息子の浩一が突然死んだ時、男の母親が言ったのは「おめえはつくづく運がねぇどなあ……」という言葉だった。長男がようやく一人前になって、これからようやく楽ができるはずだったのに、ということだ。男はたしかに「運がなかった」、そして「不運なことが堪え難かった」。彼の内に積み重なった疲労は、年に数日ほどしか家族に会えないまま働いてきたその努力のすべてが徒労に終わったという、いわば私的な「不運」のせいである。同時に、この作品には「運」という言葉の背後にどれだけの歴史構造が積み重なっているのかを、ひそかに、しかし克明に描いている。それを聞き落としてはならないと思う。

五輪とジェントリフィケーション

本作の出発点にあったのは、南相馬の被災地には出稼ぎ経験者が多いということ、そして上野公園の路上生活者には東北出身者が多いということ、この二つの気付きである。そして、上野公園＝

上野恩賜公園では、皇族の行幸啓があるたびごとに、路上生活者の間で「山狩り」と呼ばれる「特別清掃」、つまりホームレス排除が行われる。ホームレスとそのコヤは、皇族の目に触れてはならないものであるかのようである。

死者となった男の目から語られるこの作品は、男の死んだあとの上野公園の変化をみつめている。「自分がここで暮らしていた頃は、ここまで隅に追いやられてはいなかった」。これも「JR山手線シリーズ」の基調音となる「街の雑音」の一つなのだろう、国立西洋美術館本館の世界遺産登録の看板とともに**「今、ニッポンにはこの夢の力が必要だ。2020年オリンピック・パラリンピックを日本に！」**という言葉が作中には太字で書き込まれている。東京2020オリンピック・パラリンピック招致委員会の設立は、震災の同年の二〇一一年。この作品にはそれ以降の時も流れていることになる。死者は公園の変化を目にして、「世界遺産登録とオリンピック誘致を審査する外国の委員に、ホームレスたちのコヤが目に触れたら、減点対象になるのだろうか」と考える。ホームレス排除は男の死後、オリンピック招致以後、しだいに強化されていった。「(略) 行幸啓の機会を利用して、上野公園で暮らす五百人ものホームレスを公園から追い出そう、とオリンピックを誘致しようとしている東京都が目論んでいるからだろう。その証拠に、天皇家の方々が皇居や赤坂御用地にお帰りになられた後も数時間はコヤを建てられないし、夜になって元の場所に戻ると、立入禁止の看板や柵や花壇が設置されていて、ホームレスは公園から締め出しを食らって路頭に迷う」。

二〇〇八年の北京五輪では一五〇万人、一六年のリオ五輪では七万七〇〇〇人と、オリンピックのたびに会場周辺住民は大規模な強制退去を強いられてきた。東京2020の際には新国立競技場の建設や関連工事により、近隣に三〇〇戸ある公営住宅・霞ヶ丘アパートの住民の追い出しが行われた。この霞ヶ丘アパートは第二次世界大戦直後の一九四六年に木造長屋の都営住宅として作られ、戦災者や中国からの引揚者たちが多く住んだといわれる。一九六四年東京五輪の時に、国立競技場周辺で家屋の立ち退きが行われ、明治公園が作られるとともに霞ヶ丘アパートも鉄筋コンクリート五階建ての都営団地に建て替えられた。六四年東京五輪は敗戦からの「復興」を国際社会に示すことを国家的目的としたため、戦争の被害や戦後の貧しさを感じさせるものは取り除かれていったのだ。この時、家屋の立ち退きは都が整備した道路建設だけで七〇〇〇軒近い数に及ぶ。霞ヶ丘アパートでは一九六四年、二〇二〇年と、二度にわたる東京五輪のために重ねて立ち退きを強いられた住人もいたという。

五輪は歴史的にジェントリフィケーション＝貧しい人々の立ち退きを強行しながら開催されてきた。明治公園など各地で野宿者が立ち退きにさらされ、再開発に邁進する渋谷でも彼らの姿がかき消されていった（国連大学と青山学院大をつなぐ歩道橋のたもとで地下鉄通風孔からの風で暖をとっていた男性は、あれからどこに行ったのだろう）。そして、死者の目に新たなオリンピック誘致の看板と、「自分がここで暮らしていた頃は、ここまで隅に追いやられてはいなかった」という公園の変容が映し出される。隅に追いやられた上野公園の路上生活者には、繰り返しになるが、東北出身者が多いのである。その中には、男がそうだったように、一九六四年東京五輪のために体育施設建設の土木工事を行った出稼ぎ者がいなかっただろうか。かつて中央の祝賀を準備しながら家族を失い、原発事故によって故郷を失い、またふたたびの祝賀によって居場所を失い、消尽していく人々が。男は、経済成長と祝賀を支えながらその裏側に生み出された「難民」ともいえる。

東京２０２０オリンピックは新型コロナウイルス感染症の拡大により一年延期となった。二〇二一年開催直前の世論調査では九割近くの人々が五輪による感染拡大、医療逼迫に不安を持つと答えたが、六月末の時点で政府はなお開催を強行しようとしている。オリンピック開催費用は当初計画を遥かにこえて膨れ上がったが[7]、その一方、感染症下の度重なる「緊急事態宣言」の下で多くの人々が解雇、雇い止めにあい、住まいを失った。これに対する支援は薄く、民間の支援団体が必死の救援作業を続けている。医療従事者、医療資源、財源は祝賀の場へと振り向けられ、あらたな路上生活者たち、難民たちは絶望するほかないのだろうか。祝賀の「空気」を強いられてはいるが、その私たちは自分たちが構造的に「犠牲」の側にあることを理解しておくべきなのだろう。二〇二〇年のはじめに感染症拡大の影響で仕事を失い、渋谷で路上生活をしていた女性が、一一月、近隣の男に撲殺された。祝賀の「街の音」の中では、こんな倒錯も起こってしまうのだから。

犠牲の構造

「復興五輪」という言葉に触れないわけにはいかない。二〇二〇年東京五輪招致は、ねじれたやり方で福島との結びつくことを前提にして始まった。当時の安倍首相は、汚染水は完全にコントロールされています、と世界に向けて断言し、オリンピック東京招致を成功させた。その後も二〇一三年九月七日に招致が決定した瞬間に歓声をあげて跳ね上がる関係者の映像がＴＶなどで繰り返し繰り返し、さらに繰り返し流れた。あの歓声もまた「街の音」の一つである。それは何かをかき消し、誰かを追い詰める。招致決定六日後の九月一三日に、福島原発事故の被災者による次のようなコメントが発表されていた。鵜飼哲の文から再引用する[8]。

「原発事故の真実を知ってか知らずしてか、東京での開催を求めたみなさんの声が、福島の子どもたちの未来を更に奪うことに繋がったという罪深さを、私たちは重大なものとして受け止めています」。

「福島の問題を封じ込めようとする動きに、あなたが加担していることを自覚してください。／私たちの子どもは未だに救済されないまま、あなた方の幸せの犠牲になっているという事実に向き合ってください。／たとえどんなに声が小さくても、私たちは福島から叫び続けます」。

「七年後に東京で開催されるオリンピックは、私たちの問題を揉み消すための、最悪のオリンピックだということを、十分に理解して頂きたいと思います」。

「いわきの初期被曝を追求するママの会」による五輪招致批判の一部である。オリンピックは原発事故を闇に葬るための国を挙げての芝居であり、その背後で被災地の子どもが「犠牲」になっている、その事実を自覚するよう、血を吐くように要請した告発の文章である。

鵜飼哲によると、大会組織委員会は日本の五輪開催はつねに「復興五輪」だったと説明しているという。四〇年大会は関東大震災からの復興、六四年大会は戦災からの復興、だから二〇二〇年大会は東日本大震災からの復興なのだと。だが、福島は現在に至るまで原発事故を含む震災の被害から復興などしていない。逆に五輪は財源、労働者、資材を、福島のそれが本当に必要な人から奪い、復興の妨げとなっている。「復興五輪」という言葉は復興という表象によって現実を隠蔽し、福島は五輪の「犠牲地区」にされたのだ。いまだに線量は高く、多くの人々は故郷を奪われたままである。

柳美里という作家は、オリンピックを機に国家が露出し「犠牲」を生み出す時の複雑な構造を透徹した目でみていたはずである。代表作の一つ、『8月の果て』（上・下、新潮文庫、二〇〇七年）では、朝鮮人の孫基禎が「日本代表」としてベルリンオリンピックに出場し金メダルを獲得したこと、朝鮮紙「東亜日報」が孫の胸の日の丸を塗りつぶした表彰式の写真を掲載し発行停止処分を受けたこと、柳美里自身の祖父が陸上競技でオリンピック出場を目指していたこと、戦争のために東京オリンピックが幻と化し、祖父の「夢」を押し流していったことを書いている。そしてこの作家は今、「山手線シリーズ」の番外編として『JR常磐線夜ノ森駅』を構想している。きっかけは、二〇一五年以来、南相馬で暮らすようになった柳が、この地域でホームレスが増えている、という話を聞いたことだったという。関東・東北圏の労働者は賃金の高い東京オリンピック関連作業にとられて、その分だけ、福島の復興、除染作業、家屋解体、原発の収束作業にあたるべき労働者が不足する。結局、最低賃金の低い沖縄や大阪市西成区から労働者が集められるのだが、西成の労働者の中には保険証を持っていない上に、病を抱えているため雇い止めになってしまう者もいる。帰る場所がない彼らは、そのまま南相馬でホームレスになるのだという。同市原町区にある寺は、受け取り手のない遺骨を預っている。除染作業員が亡くなった時、身元がわからないことがあるという。

　こうした構想によれば、「番外編」は公園のホームレスを主人公とする『ＪＲ上野駅公園口』に接続しており、また、新宿の建設現場に現れた身元不明の古い「人骨」の存在に主人公が気づく『ＪＲ高田馬場駅戸山口』にもやはりつながっている。身元不明とは、どういうことなのか。「山手線シリーズ」の、自殺という形で命を落とす人々は、黄色い線の上に立つまえに、身元を消し、自分の生きた痕跡を消そうとするのだ。「高田馬場駅戸山口」の女は改札をくぐる直前に髪を短く切り、所持品を郵便ポストの闇の中に落とす。集団自殺のために集まった「品川駅高輪口」の少女の「仲間」も自動車のナンバープレートを取り外し、携帯を叩き壊す。「上野駅公園口」の男は妻と娘が選んでくれた腕時計以外に身元のわかるものを持たない。男に上野公園の由来を話してくれたインテリのホームレス、シゲちゃんも、同様に自らの生きてきた痕跡の一切を消している[9]。誰にもみつけられないように、消えたい。ここに自殺者たちの孤絶の相が現れる。

　「身元不明」とは何か。『ＪＲ高田馬場駅戸山口』の陸軍軍医学校跡地で発見された身元不明の「大量の人骨」は、植民地朝鮮や満州、その頃の「八紘一宇」に包摂されつつ「犠牲」になった人々の遺骨だといわれている。残された人骨のそばには昭和天皇の行幸碑がある。家永三郎が天皇制の本質をそこに見出した「天皇制的な人間関係」に包摂され、包摂されつつはじき出された人々が身元不明の骨となるのだろうか。

　柳美里が「山手線シリーズ」のテーマの一つとした天皇制と、この作品の身元不明者たちとは何の関わりもないという点において関わっているのかもしれない。「上野駅公園口」の男は終わりの後の時の中で消尽し、「高田馬場駅戸山口」の女は「街の音」の洪水の中で自分一人の身を消したいと考える。この自殺者たちは自殺というういわば自由意志において死んでいくのだ。誰も彼らを殺していない。だから人々は自殺者のことを知らないし、その意味で誰一人、彼らの死について罪を負うものはいない。けれども、「山手線シリーズ」の自殺者たちは、周囲のこの完璧なまでの罪のなさに打ちのめされるようにして死を選んでいるらしくみえるのだ。その点に、誰にも気付かれないまま消えたい、という「身元不明」の構造を読み取ることができる。いつもと同じように上野近辺を通勤通学で通り抜ける人々は、公園で「山狩り」が進行していることに気付かないだろう。「ベンチにホームレスが座っていないこと、ブルーシートや段ボールのコヤが撤去されていることにはおそらく気付かないだろう。「特別清掃」で清掃されるのは彼らの家ではないし、「山狩り」で狩られるのは彼らではないからだ」。

一方には、罪なき人々の無垢の日常の時が流れ、他方にはその外側へとはじきだされてしまう人々、犠牲化された上で不可視化される人々がいる。この構図はある意味で普遍的だ。たとえば電力消費地に原発が建設されることはなく、都市住民はそのことを意識に昇らせることのないまま日々の暮らしを享受してきた。おそらくそれが「山手線シリーズ」から浮かび上がってくる構図である。オリンピックが「犠牲」の構造の上に立って開催されるという事実を直視してほしいと訴えた「いわきの初期被曝を追求するママの会」の声明は、こうした不可視と可視の構図を可視化しようとするものだった。

行幸啓中、公園から追われ、凍りつく雨に打たれた男は、御料車の後部座席でしずかに微笑み人々に手を振る天皇皇后がゆきすぎるところに居合わせる。

目と鼻の先に天皇皇后両陛下がいらっしゃる。お二人は柔和としか言いようのない眼差しをこちらに向け、罪にも恥にも無縁な唇で微笑まれている。微笑みから、お二人の心は透けては見えない。けれども、政治家や芸能人のように心を隠すような微笑みではなかった。挑んだり貪ったり彷徨ったりすることを一度も経験したことのない人生――、自分が生きた歳月と同じ七十三年間――、同じ昭和八年生まれだから間違えようがない、天皇陛下はもうすぐ七十三歳になられる。

天皇は同じだけの年月を過ごしてきた男の七三年を知らないし、皇太子と同日生まれの長男のことも知らない。それは何のたくらみもなく、ただ単に知らないのだ。その無垢を前にした時、男はこれから自分がしようとしていることを悟り、そして「黄色い線」の上に立つのである。男は、自分の七三年を耐え難い「不運」とのみ理解して、誰かを責めるということはない。そもそも罪もない誰に何を告発するというのか。彼は誰にも気付かれることなくただ姿を消し、おそらくは「身元不明者」として処理されたことだろう。誰も男を殺していない。けれど、この作品には男の「不運」のその歴史構造が無言のうちに、なおかつ克明に描かれている。東北の貧困、出稼ぎ、原発誘致、五輪の祝賀、野宿者の孤絶と排除。柳美里は、六四年の五輪名誉総裁として開会を宣言した天皇、パラリンピック名誉総裁となった（主人公の男と同年生まれの）天皇、二〇二一年の開会宣言をすることになる（男の長男と同年生まれの）天皇の時代を、その祝賀の連鎖の裏側に追いやられた人々の側から描きだした。それは犠牲者の、犠牲地域の孤絶の側から書かれた歴史であり、『8月の果て』に続く、層々と積み重なった歴史の文学である。男は「いつも、未来に後去りながら、過去だけを見て生きていた」。眼を見開いた歴史の天使がみている過去のように、それはなすすべもなく膨れ上がるばかりの巨大な瓦礫の歴史だっただろうか。「罪なき」者の目にはついに映ることのない瓦礫だろうか。

註

（1）柳美里による日本記者クラブ主催会見、二〇二〇年一二月二三日。
（2）本章註（1）参照。
（3）ロラン・バルト『表徴の帝国』宗左近訳、新潮社、一九七四年。
（4）家永三郎「天皇制批判の伝統」『歴史家のみた日本文化』文藝春秋新社、一九六五年。
（5）中嶋久人「地域からの戦後史再考——福島を中心に」『立命館言語文化研究』二八巻三号、二〇一七年。
（6）西川長夫『植民地主義の時代を生きて』平凡社、二〇一三年。高橋哲哉『犠牲のシステム 福島・沖縄』集英社新書、二〇一二年。
（7）二〇一三年に招致委員会が「コンパクト五輪」を掲げて見積もった開催経費は七三四〇億円だったが、会計検査院が二〇二二年一二月に国会に提出した調査結果では、総額一兆六九八九億円となっている。これは大会組織委員会が六月に最終報告として公表した総額より二七五一億円上回っている。東京五輪では広告最大手「電通」出身の組織委元理事が汚職事件で逮捕され、多くの広告会社も談合疑惑により捜査を受けている。

（8）鵜飼哲「オリンピックを考える――スポーツと天皇制」『越境広場』八号、二〇二〇年。

（9）シゲちゃんの説明は、上野公園が上野恩賜公園であること、ここには彰義隊の墓や西郷の銅像など「逆賊」の記念とともに福島に関わる桜や銅像も多いことなど、話は会津戦争、奥羽越列藩同盟に及ぶ。これも男の「不運」の歴史構造を、そして「犠牲地域」を歴史的に構成する重要な構造を示唆するものとして読むべきだろう。

14　権力関係を「使用」する　吉田修一『湖の女たち』

権力関係を「使用」すること

吉田修一『湖の女たち』（新潮社、二〇二〇年）は、琵琶湖のほとりの介護施設で起きた殺人事件を軸とするミステリー仕立ての趣向の中に、支配と服従の心的メカニズムを浮かび上がらせるという野心的な構想をそなえた作品である。

この作品は二つの物語が絡み合うように進行する。まず第一のストーリーは、介護施設で起きた殺人事件を捜査する刑事と、事件が起きた施設で働く介護士とがサド・マゾヒズム的な関係を深めてゆくというもの、そして第二のストーリーは、二〇年前の薬害事件を取材する雑誌記者がやがて戦時中の「七三一部隊」関係者の人脈に行き当たるというもので、その過去の事件が介護施設での殺人事件とからみ合う。この二つの物語の線は必ずしもうまく結び目を作れずに終わってしまい、その点で成功した作品とはいえないのだが、いくつかの細部も含めて支配と服従をめぐる現代的権力の構図をとらえようとする企図がこの作品からはうかがえる。

作者も認める通り、第一の物語は滋賀県で起こった元看護助手の女性をめぐる冤罪事件に着想を得たものである。二〇〇三年、東近江市の湖東記念病院で入院中の男性患者が死亡し、呼吸器を外して殺害したという自白に基づいて当時二四歳だった女性の看護助手が逮捕された。彼女は公判で無罪を主張したのだが、懲役一二年の判決が確定し、服役した。ところが満期出所後の二〇一七年に再審請求が認められ、二〇二〇年に無罪の判決が出るにいたってこれが冤罪だったことが判明する。逮捕拘留を含めて一三年もの間、無辜の女性が自由を奪われるという深刻な冤罪だが、この事件が関心を集めたのはそのためだけではない。新聞や週刊誌の報道は、彼女が「刑事に恋して自白した」経緯に焦点をあてていたのである。[1]

取り調べを受ける過程で彼女は担当刑事のことを優しい男性と思って好意を抱き、彼の誘導に迎合して供述したということらしいが、その後に彼女を待ちうけていたのは有罪判決と取り戻しようのない一二年の懲役刑だった。報道は興味本位に傾きがちではあったが、それを差し引いたとしてもやはり奇妙な印象を残す事件である。一方は警察と司法の領域、そして他方は恋の領域、通常は決して交わるはずのない二つの異なる領域が彼女の運命の中で無媒介に接続されていた。象徴的なものと想像的なもの、まったく異なる界が不意に接続してしまったのだが、いったいそこでは何が起こっていたのだろうか。「優しい男性」という魅惑的な心像の取り入れによって形成された自我においては、恋という内部と法という外部の境界が見失われ、両者は連続性のうちに直接結びついていた。幻想の支配する内的世界に閉じこめられた彼女の自我は、外的な法の世界に手ひどく裏切られたのだが、しかし彼女の幻想世界を巧みに利用していたはずの法権力の世界の方は、その時無傷でいられただろうか。

『湖の女たち』という作品は、この事件を構成する二つの界を分節するように、事件の捜査にあたった一人の若い刑事に対し二人の女を配している。この部分に関わる梗概を以下に挙げておこう。

……琵琶湖近くの介護療養施設で一〇〇歳になる入所者、「市島民男」という老人が殺された。先輩刑事の「伊佐美」とともに事件を担当することになった「濱中圭介」は、施設関係者への事情聴取を進めるが有力な情報は得られない。捜査に行き詰まった警察は、施設で働く介護士の一人、「松本郁子」を犯人とするシナリオをでっちあげ、その過程で圭介は次第に強圧的な取り調べの主役を演じることになっていく。一方、ある豪雨の日、圭介が運転する車に不注意運転の乗用車が衝突した。運転していたのは同じ施設で働く介護士の「豊田佳代」。この事件をきっかけに二人は嗜虐と被虐の絡まり合う奇妙な関係に陥り、捜査が難航するのと並行して異様な深みにおぼれていく。圭介は取調室においてある戸惑いを覚えながらも松本郁子を恫喝し、台本通りの誘導尋問を繰り返すうちに自分が演じるその虚構のシナリオを信じようとしてゆく。これに並行し、彼は佳代を呼び出しＳＭめいた支配と被支配の関係を深めてゆく。

このように、実際の事件において一人の女性が演じていた役割が、作品では松本郁子と豊田佳代という二人の女に振り分けられ、それによって法の領域と性愛の領域が切り分けられている。幻想の恋がＳＭの関係に置きかわっているが、それは関係を単純に誇張してみせたばかりではない。警察権力と性愛における権力と、互いに異なるこの二つの領域で演じられているのは、ともに支配と被支配の構図なのである。暴力的な取り調べと誘導尋問によって松本郁子は憔悴し、「彼女の目はすでに死んでしまっている」が、先輩刑事の伊佐美はそんな目をみると「ゾクゾクする」と口にしており、つまり法権力の領域にもある種の快楽が浸透してしまっているのだ。誘導尋問における支配・服従の権力関係が性愛という場違いの場に移動し、エロス化され、現実の権力の姿が二重化されるのだが、それによって作品は支配・服従というテーマをどのような方向に向けかえるだろうか。以下では作品世界をたどってみることにしよう。

琵琶湖の湖畔の人々は、豊富な湧き水の水路を家々の台所に引き込み、美しい水に恵まれた静かな暮らしを続けている。……物語は主人公の佳代が石甕の湧き水で冷やした野菜で父親のサラダを作るところから始まっている。どこまでも清潔な水をたたえた美しい風景の中で、サド・マゾヒズムめいた性愛の関係が展開する。

「会いたかったって言えよ」を手始めに、圭介は佳代に対し終始命令形の言葉で呼びかける。偶然始まった佳代との間での性愛の過程と並行して、刑事としての圭介は取調室で松本郁子に対し「私が殺したって言えよ」という命令形の誘導尋問を行っているわけだ――。圭介の命令に応じて佳代は服従する主体となり、両者は相互構築的に嗜虐と被虐の関係を作り出していく。服を脱ぎ、裸の姿と顔を動画で撮影され、自分の名前と住所を言うように命じられる彼女は、こうした動画が相手のもとに残ることの意味を理解しており、これまでの人生を終わりにするのだという墜落感の中で何かから解放されたように感じつつ、それが自分の願望だったことを理解していく。服従を通した自己実現。いったいこのプロセスは何なのだろう。知られる通りアルチュセールは、「おい、そこのお前」という警官の呼びかけと、その呼び掛けに振り向く個人という象徴的な場面の中に、個の主体化＝服従化の瞬間を描き出していたが、『湖の女たち』では、あたかもこの場面を再演するかのように、佳代が圭介の呼びかけに振り向き、つまりアルチュセールの事例そのまま、まぎれもない刑事の呼びかけに振り向いているのである。ただし、ＳＭゲームの快楽として。アルチュセール、およびフーコーの権力論の難題は、主体化がつねに他者への服従、従属となって現れるという点にあった。難題というのは、そのように形成される主体に抵抗の契機を見出すのが困難であるからだ。ここにＳＭの実践が更に介在する時、この難題はどのように変形されるのだろう。

ミシェル・フーコーは晩年の一九八四年に行われたインタビューの中で「サブカルチャーとしてのＳＭ」について語った[2]。ＳＭの実践はしばしば私たちの無意識の深奥に潜む暴力的傾向を解放し攻撃性を自由に表現する手段として捉えられもするが、フーコーはこれを明確に拒否している。それは現実の権力関係の模倣ではないし、抑えつけられていた欲望の表出でもない。支配と被支配の関係を演じることで、権力をあからさまにエロス化するＳＭは、快楽の源泉として権力関係を「使用」しているというのである。それは現実の権力関係において働くメカニズムを二重化し、「正常」で「生産的」なセクシュアリティに対するズレを作り出すテクノロジーなのだ。これは単純なＳＭ礼賛というわけではない。ＳＭのゲームは権力関係を二重化し、それによって快楽をアイデンティティやセクシュアリティによる規定から切り離す。すなわち、自分自身からの離脱を可能にする契機となり得るのである。

『湖の女たち』を読むについてもこれは示唆にとんだ捉え方である。とはいうものの、二〇二〇年来の新型コロナウィルス感染症拡大を受けて人々が外出を控える中、家庭内暴力が深刻化し、女性に対する暴力的支配の事例が数多く報告されるようになっている。こうした現実の暴力関係と、二重化され上演される支配関係とは紙一重であるかもしれず、『湖の女たち』にあってもそのあやうさが漂っている。権力関係の二重化とそこに現れるズレとはいつでも明晰に確保されているわけではないのだ。そもそも刑事である圭介には自分自身に対する距離というものが決定的に欠けている。彼は、作品冒頭の場面からSM動画の対の演技に騙される主体として登場するのだ。佳代との間の支配・被支配の関係において支配する側、S側にいるはずの圭介は、にもかかわらずその関係性そのものを自ら「使用」するほどまでに関係を支配できているわけではない。彼は会いたかったと言えと女に命じる。だが、「女は何を言われているのか分かっているくせに、分からないふりをしているようだった。逆に圭介は自分が何を言っているのか分からないくせに分かっているようなふりをした」。

ある意味で生真面目なこの刑事のひそかな趣味が漫才を見に行くことであり、また彼が学生時代から友人に「おもしろくないやつ」と言われ続けてきたことが物語の中で明かされている。彼は笑いの上演を観客席でみるだけであり、自ら笑いを演じるために必要な距離を自分自身の内に持っていないらしいのだ。彼は佳代との間の性愛の領域でサディズム化していくのと並行して、法の領域においては誘導尋問と強圧的な取り調べを加える刑事の役割に同一化してしまう。自分たちがでっちあげたシナリオに対する距離を失い、自分が演じるべき役割を自ら信じるようになるにつれて、彼は上演という二重性の感覚を失っていく。そして警察という公権力の場、現実の権力関係の場におけるアイデンティティの内に自らを閉ざしていくのである。

一対の男女は同型の夢をみているわけではない。圭介とは対照的に、佳代の内にはこの関係性をつねに離れた場所から眺める自分がいる。男に懇願する自分の声は、本気で懇願しているのに嘘をついているように感じられ、嘘をついているのに自分の本心としか思えない。刑事のいいなりなのに、すべてが自分の思い通りのようであり、自分には何の選択権もなかったはずなのに、すべてを自分が選んでいたような気がする。こうした乖離の内に生まれるズレという非・場は支配服従の構造を考えるためのパラダイムとなってゆく。彼女はＳＭめいた関係に進んでひたり、そのただ中に身を置きながら、同時にその状況を対象化することで関係性を二重化し、強制されたのでなく自ら服従の快楽を追求していることを認識し、自分自身の内の秘められた強さを発見するのである。この強さとはどこまでも逸脱せんとする強さであり、ＳＭにおける服従者である彼女が、その支配・服従関係を自らの快楽のために使用し得るほどに支配していることに根差している。

だから、一組の男女は出会っているようでいて実は出会っていない。女は、自らの快楽のために支配服従の力関係を演じ、二重化することで「まとも」とされるセクシュアリティの規範を超えていく。彼女が関わっているのはフーコーがＳＭについて述べていたような戦略的ゲームだが、逆に男は警察の取調室という公権力の場で支配服従の関係を演じつつ、演技性に含まれる距離の意識を次第に見失っていくことで、刑事という自分の公的なアイデンティティを強化していくかのようだ。とはいえ、彼が行っているのは違法な誘導尋問であり、でっち上げられた犯人である松本郁子は追いつめられ憔悴しながらも最終的には服従を受け入れない。偽の「自供」を拒否した彼女は、やがて捜査の違法性を暴くことになるだろう。

佳代は夜勤の仮眠室で、自分が刑務所の中で自らの自由を決定的に奪われているという夢をみる。夢の中の佳代は自分が「公の場所」にいることに深甚な恐れを感じ、なおかつそれを極限の快楽として受け止める。この想像の中の圭介は「なんか俺まで清々してくるわ。こんな取調室で、ドM相手に自分が変態プレイしてると思ったら、世の中のもん全部バカにしてやってるみたいで、心から清々してくる」と述べ、このゲームの意味を示唆しているように、佳代のこの夢は二人の関係が「世の中」の規範の侵犯を意味するものであることを物語っている。

佳代はやがて自分の想像を現実の中に持ちこむように圭介の勤務する警察に「出頭」し、自分が呼吸器を外して殺害したのだと彼に「自供」する。想像的な支配服従関係の内に自らを閉ざしたまま警察という現実の法の場、象徴界に足を踏み入れる佳代は、内的世界と外的世界の境界を取り去って、ついに自らの快楽のために法の領域を使用し、奉仕させようとするのである。現実的に考えるなら彼女は「犯人」にされかねないところだが、この時脅かされているのは彼女ではなくむしろ象徴界の方であり、圭介は「お前、やっぱり頭おかしいわ！　ここ、警察やで」と佳代を追い返さなければならない。領域侵犯の危険をも省みず、むしろそれによって快楽を追求する佳代が愚という美徳を発揮している一方で、圭介はというと自分が身を置く公的な場におけるアイデンティティを揺さぶられ脅かされているのだ。女は自分の想像によって現実の法秩序を占拠しようとし、逆に男は取調室の中でそれが想像されたものであることを見失っていく。

最後に佳代は「天狗」に連れさられた昔話の少女に自らを重ねながら、もはや「村」には戻れないと唐突な言葉で圭介に訴える。彼女にとって一連のゲームはそれまで自分を拘束していた規範からの脱出という限界の体験でもあった。SMゲームにおける服従は、規範への服従の拒絶として現れており、こうしてヒロインは、服従の内にそれを覆すプロセスを作動させ、服従の全含意を裏返してしまうのだ。

『湖の女たち』は一種の逃亡劇の構造を具えている。ただしそれは移動することのない逃亡だ。佳代はある場所にいられなくなってそこから逃げるのでない。彼女の逃亡は、規範そのものからの脱出であり、それが律する世界からの逃亡となっていく。そして自らの快楽を創出することで、「正常」とされるアイデンティティとセクシュアリティからどこまでも逸脱していくのである。これまでも吉田修一は、『悪人』(朝日新聞社、二〇〇七年)、『逃亡小説集』(角川書店、二〇一九年)などで男女の逃避行の物語を繰り返し書いてきた。それは逃亡したところでその先に安住の地があるわけでもない逃亡劇であり、法に対する想像的なものの抵抗を描く物語でもあった。これらの作品では、抵抗を描くと同時にそれが際限のない敗北を運命づけられていることが前提となっており、だから読者の側でもつかのまの逃走劇のはかない美しさを消費し、しかるのち、しょせん無力な者の抵抗に真の脱出口などないのだということを再確認することになっている。『湖の女たち』も『悪人』と同様、しばしの逃避行ののち、男は女を無事に普通の生活の場へと送り返し、全責任を負って制裁を受けるというどこか家父長的な純愛仕立てになっており、その点で同型の消費文化の構造を具えているのだが、ただしこの作品は権力関係を現実に生きてしまった男と、それを二重化し「使用」していた女との間の決定的なズレを顕在化させており、その点で一対の男女の鏡像的関係に回収される物語型を回避している。よって、市場の言葉を使うなら間違いなく「失敗作」であるのだが、結果的に権力それ自体の内に縫い合わせがたい亀裂を走らせることによって安易な消費に抵抗しており、その点で失敗は評価すべき失敗となっているのだ。

二重化する緊急事態宣言

権力関係の内にありながら、それを演技的に二重化すること。『湖の女たち』のこのモチーフは、感染症下におかれた私たちの経験との関連において、遠いようにもまた近いようにも思われる共鳴音を響かせていたように感じる。新型感染症の拡大を受けて二〇二〇年四月以降、複数回にわたって「緊急事態宣言」が発令されたが、これをどうとらえるかについてあるねじれが露呈したからである。

安倍政権の下ではかねてから同首相が強い意欲を示したことで憲法改正をめぐる論議が動きをみせていたが、その中で注目されたのが自民党の「日本国憲法改正草案」に書き込まれた「緊急事態条項」である。この草案によると、内閣は緊急事態宣言中「法律と同一の効力を有する政令を制定」でき、つまり国会での議論なしで国民の権利を制限し、統治に関わる法律内容を変更することができることになる。これはナチスドイツが悪用したのと同種の緊急事態条項とみられ、つまり憲法内にこの条項が一つ置かれていたために、最も民主的といわれたワイマール憲法の諸規定はどれひとつ廃止されていないにもかかわらず実際上はむなしく無効化されたという歴史を想起させるものとなっている。かつては政府が決してなし得なかった自由と権利の制限さえ、これをもって可能になるということだ。

今回の感染症拡大の下に発令された一連の緊急事態宣言は、あくまで新型インフルエンザ等対策特別措置法を根拠とするものであり、上記のような憲法内の緊急事態条項とは位階が異なる。しかしそれでもかねてから改憲を公約に掲げて来た政権による「緊急事態宣言」であったため、これは予行演習ではないのか、そうやすやすと受け入れてよいのかという懸念の声があがった。事実、感染症下の「宣言」を憲法改正の実験だと述べた与党議員の発言があり、また自民党副総理は改めて憲法に緊急事態に対応するための必要事項を盛り込むべきとの考えを示している。[3]

命を守るのは当然ながら重要であり、そうであれば行動の制限もやむを得ない。しかし、いったん自由の制限を受け入れてしまった時に、私たちは何かとり返しのつかないような曲り角を曲がることになるのではないかという恐れもまた禁じ得ない。私たちは安全のためならば自由を犠牲にしてよいと、本当にそう思っているのだろうか。特措法による緊急事態宣言と、改憲草案の緊急事態条項と、法的位置付けの異なる二つの緊急事態に向き合うことになった私たちは、パンデミックの当初からジョルジョ・アガンベンが一貫して訴えていた問いにゆくりなくも直面したのである。[4]

この思想家は、移動の自由が制限され、大学や学校がこれを限りと閉鎖され、授業がオンラインで行われ、政治的・文化的な話をする集会が中止され、そしてなかんずく死者の葬儀を執り行う権利、死者の弔われる権利さえ奪われるという危機的な事態を目の当りにしながら、次のような強い憤りを表明していた。「じつのところ、経験によって示されたのは、ひとたび健康への脅威が問題になれば、人間たちは自由の制限を受け容れる用意があるらしいということである。そのような自由の制限が容認されうるものだとは、両大戦間期にも、全体主義的独裁下でも一度として想像されなかった」。[5]

アガンベンのみるところでは、人々は緊急事態の生に慣れてしまったかのようなのだ。自分の生が生存という純然たる生物学的なありかたへと縮減され、社会的・政治的次元のみならず、人間的・情感的な生の次元のすべてを失った――死者との別れさえ失った――ということに気づいていないのではないかと思えるほどまでに。

私たちは健康のために大事なものを捨てようとしているのではないか、その倫理的かつ政治的な帰結を考えることもないままに？　こうしたアガンベンの議論に対してはジャン゠リュック・ナンシーをはじめとする思想家たちからの批判もあり、また感染症拡大がいよいよ深刻化する状況のもとで非難の「炎上」を引き起こしたという。もっともなことである。しかし同時にこれまで『ホモ・サケル』や『例外状態』において提示されたアガンベンの問題意識を考えるなら、この思想家が感染症の押さえ込みを重要視する人々からの不評も顧みることなくこうした議論を展開した強い動機はよく理解できる。

例外状態、緊急事態の特徴とは、通常の状態においては分散・分権されているはずの権力、行政権・立法権・司法権の区別が取り払われ、一時的に政府に立法権が付与されてしまう点にあり、そしてそれは一時性をこえて統治の継続的な実践へと転化する傾向にあるのだと、アガンベンは述べる。これは私たちの危惧の形に重なるものであり、つまり特措法による一時的な緊急事態宣言を受け容れ、そしてそれも安全安心な生存のために必要な措置として慣れていくのだが、しかしその傾向の内には何がはらまれているのか、という懸念の形式である。新型コロナウイルスが猛威を振う中、命は何より大切だという意識がいやましに上昇する。だが、その中にあっても議論すべきこと、考えておかなければならないことがある。私たちはただ生きているというだけの生に甘んじてよいというのか。

アガンベンの問いは私たちの問いであり、だからよく理解できるのだが、ただ、それでも疑問が残る——アガンベンは政治的文化的な生こそが真の生であり、ただ生きているという生物学的生命になどなんの意味もない、といっているのだろうか? それはある尺度において「ただ生きているだけ」「生きるに価しない」とみなされがちな生を脅かす考えではないのか?

この疑問に対して予想される返答として、次のようなアガンベンの発言を参照しておこう——「身体的な生の経験と精神的な生の経験はつねに、互いに分離できないしかたで一つにまとまっていましたが、それが、一方の純粋に生物学的な実体と、他方の社会的・文化的・政治的な実存とに分割されてしまった。この分割は当然のことながら抽象ですが、強力な抽象です」。ただ生きているという生物学的な生と、よく生きようとする文化的政治的な生——こうした生の二重性を現代社会に再提示したのは誰よりアガンベンだったが――、そうした「生の分割」こそが生政治を支える抽象だというのである。そして、パンデミックとともに起こったのは、社会的な生から抽象的に分離された生物学的生命をいかなる対価を払っても維持しなければならないという事態だった。抽象的であるはずのこの分割が、緊急事態宣言とともに一挙に現実のものとなったのである。

……ところが更に、私たちの社会にあって、実際の推移はねじれて進んだ。感染症拡大を抑えること以上に経済システムの維持を優先する財界の要望を受けて、政府はむしろ緊急事態宣言の発令に二の足を踏む様子をみせ、逆に生命を優先する立場、自治体や野党の側から「宣言」のすみやかな発動を求める声があがったのである。一見すると政府の側が「自由」――その自由というのは政治的自由でなく経済的自由だったのだが――を擁護しているかのような構図が立ちあらわれた。国家による行動制限の是非が議論となった欧州とは異なった状況である。世界では米国のトランプ大統領、ブラジルのボルソナロ大統領ら、権威主義的ポピュリズムの傾向を持つ政治的リーダーが過激なコロナ否定論を展開する例も目立っていた。この頃のブラジル大統領はコロナを「単なる風邪」と呼び、国民は企業活動を優先すべきであり自主隔離などすべきでないと強硬に主張していた。連邦政府のコロナ感染対策の欠如に対し、むしろ州や市町村レベルで独自に対策を協議し生命の優先を決定すると、多くの人々が積極的に従ったという。

かといって、日本においては自由の制限をめぐる危惧など杞憂だったといって胸をなでおろすわけにはいかない。わが政府も権力行使に関心をもっていなかったわけでは全くなく、入院を拒む感染者、時間短縮に応じない飲食店に対しては「自粛」をお願いするだけでは足りない、厳罰をもって応じようではないか、という姿勢を示していたのである。またその一方で、生命を守るための施策を捨ておいて、政府は旅行に出ること、食事に出ることを推奨するキャンペーンを行った。強権的というべきか、倒錯的というべきか、呆気にとられるような構図である。何より二〇二一年の東京オリンピック・パラリンピックが、四月の発令以後たび重なる期間延長のすえに九月末まで続いた第三回の緊急事態宣言のただ中で開催された。一方では華やいだ祝祭が続き、一方では医療態勢の逼迫により重症化した人々が自宅待機のままで亡くなっていった。私たちがさらされていたのは単なる倒錯でも、単なる強権でもない。この複雑骨折的な権力体制のもとにおかれた私たちの社会は、アガンベンの哲学的考察など参照する立場にはいないということなのか。

それでも感染症の拡大と医療危機の中で緊急事態宣言の発令と解除が繰り返され、私たちは私権の制限をも含む権力の発動をどう捉えたらよいのかを問われていた。[6]「宣言」をめぐる上述のねじれを思うなら、とうてい一方向的な捉え方で間に合うものではない。私たちは政府の「緊急事態宣言」を権力の行使としてとらえ、同時にそれを二重化し、思考の場を広げる必要がある。一方でナチスが緊急事態条項をどう使い、または明治憲法の「緊急勅令」の規定がどう使われたか、それがどのように歴史の破局を導いたのかを教訓としてふり返ること、他方で生命維持より経済維持を優先するのがどれほど深い倒錯であるのかを感知すること。法権力の支配を単純に受け入れるのではなく、法権力を「使用」しなければならない現在の私たちは、つねに二重の問いを自分たちの中で維持しておく必要がある。緊急事態宣言は一方で政令に従わず感染を振りまく非国民の形象を創出し、他方では法に過剰に同一化する自粛警察なる現象を生み出した。だが、法の付与するそうしたアイデンティティに埋没するのではなく、逆に硬直したアイデンティティから離脱し、共同の生の次元を守るために法を自らに奉仕させるべきではないか。そして、こうした法のダブルバインドをどの時点かで脱出しなければならない。私たちが人との間の距離をとるのは、国家が剣を振りかざして「私権の制限」や「罰則」を課してくるからではなく、また、感染の疑いがある者としてあらゆる隣人への猜疑心を深めたからでもなく、そして剥き出しの生という抽象的分割を受け容れ自由の生を手放そうとしているからではなく、私たちが共に生きる人の命を守りたいからなのである。共同性の地平はその先にようやく開けるのだと思う。

「今の時代」を二重化する

『湖の女たち』に話を戻そう。この作品は様々なレベルで現実の「今の時代」を虚構の作品に取り込み、二重に映し出している。まず、松本郁子を犯人とするシナリオを作った先輩刑事・伊佐美は「今の時代」を代表する名としてトランプ米大統領（当時）の就任に言及しつつ、世の中は狂っており、みなもう真実など求めていないのだと述べ、そこに自分たちの悪＝違法捜査を位置付けている。誰もがみなもう頭のどこかで仕方ないと思っているのだ、誘導尋問でも冤罪でもなんでもいいからちょっとでも疑わしい人間は刑務所に入れてくれた方が「安心」なのだ、と伊佐美はいう。

犯人をでっちあげようとしている自分たちの行動もまた狂っている、知っていてやっているというシニカルな自己認識を、是非はともかくとしてこの人物の中にうかがいみることができる。犯人でっち上げのシナリオを書くのはこの男だが、そのシナリオにそって実際の違法捜査に手を付けるのは圭介であり、やはり是非はともかく彼に欠落しているのは二重意識ということになる。

この作品は当初二〇一八年八月三〇日から一年間『週刊新潮』に連載された。連載が始まるちょうどその頃、発行元を同じくする『新潮45』八月号でのLGBTのカップルは子供を作らない、「つまり、「生産性」がない」という与党議員の寄稿が問題となり、新潮社に対する批判の意思を示すために執筆を拒否する書き手が相次いだ。吉田修一もまた同社の雑誌に書くことの意味を意識せざるを得ない状況におかれていたはずである。だが吉田は連載拒否を選ぶことなく、この事件を作品に取り込んで、つまり二重化した。作中には与党議員の「生産性」発言への言及がみられるほか、同様に人の「生産性」を値踏みし、何も生み出さない存在、すなわち殺害可能の存在なるものを作りだした事件、相模原市の障害者施設で起こった殺傷事件を最終的な謎の部分に組み入れようと試みている。

何より、権力者は決して罪に問われない、という「今の時代」の腐臭が、第二のストーリーのモチーフとなっている。以下ではこちらの物語を追いたい。

九〇年代に起こった薬害事件の取材に乗り出した記者の「池田」は、関係者の過去をたどるうちに過去の七三一部隊の関係者に行きついた。さらに偶然、介護施設で殺害された老人、「市島民男」が七三一人脈の内の重要人物の一人であったことに気づく……。こちらのストーリーも実際の事件である「薬害エイズ事件」が下敷きになっているのはあきらかだ。厚生省が承認した非加熱血液製剤にHIVウイルスが混入していたことにより、血友病患者約二〇〇〇人が感染、被害者は差別を受けた上に二次・三次感染の悲劇を引き起こした重大事件だったが、さらに一部のマスコミはこの事件で提訴されたミドリ十字社と、戦争中に中国人捕虜などに対し人体実験を行ったことで知られる七三一部隊との歴史的な関係に注目していた。ミドリ十字社の創業者は元七三一部隊の中枢にいた陸軍軍医学校教官であり、多くの部隊員を社に就職させていたのである。九〇年代の薬害事件の背後に戦時下で進められていた人体実験が重なる。

作品は、施設で死んだ老人、市島民男の妻・「松江」のハルビン時代の美しい記憶の中に七三一の影を浮かび上がらせている。松江は夫の所属する部隊の広大な敷地内に立つ家族宿舎で送った新婚生活の時代を思い出す。彼女の記憶の核にあるのは安心して頼りきることのできる夫との永遠に続けばよいと感じられる日々、そしてハルビンの美しい人工湖だった。ある時、湖畔に立つボート小屋で男女二人の中学生の凍死体がみつかった。その日、松江は湖のほとりに立ち、冬日を浴びた湖面の完璧なまでの美しさに心打たれるとともに、その小屋で何が行われていたのかを目撃していた。

松江が小屋の窓越しにみたのは、「宮森勲」を始めとする中学生のグループが大人用のダブダブの白衣を身につけて——ということは七三一部隊が塀の向こうでやっていることを模倣するようにして——二人に「実験」を加えている様子だった。勲は松江が窓からみていることに気づいており、松江もまた勲が自分に気づいたことに気づいていた。目まいのするようなまなざしの交錯の中で、結局、松江は自分の目撃した出来事を語らない。それを現実と認めてしまえば、夫らの部隊が塀の向こうでやっていることも現実になってしまうように思ったからだ。――松江は夫の部隊がどんな研究をしているのか誰からも一切聞いていないが、部隊に隣接する宿舎区で暮らす人々は誰もが塀の向こうで何が行われているのかを知っていた。すべてを知っていて、同時にそれを現実と認めないこと。そしてハルビンでのこの満ち足りた生活が永遠に続くようにと彼女は願うのだ。

満州そのものが虚構の国であり、ハルビンも部隊のために急きょ人工的に作られた生活のない街である。松江の幸福はこうした歴史的虚構の上に成り立っており、丹頂鶴の声が響く完璧なまでに美しい人工湖の光景が、その虚構性を象徴的に表現している。日本の敗戦とともに虚構の国家は幻と化し、そして幾重にも隠蔽された。七三一部隊の実態もまた魔法をかけたように消去された。まず敗戦直後、七三一部隊で進められた研究成果を欲しがっていた米軍との取引により部隊員は戦犯指定を免れた。九〇年代の薬害事件の際には、十分な証拠がそろっていたにもかかわらずなぜか立件されなかった。薬害事件で隠蔽されたのは血液製剤がもたらす副作用だけでなく、関係者が七三一部隊の生き残りだった事実である。松江の記憶の中で湖のほとりでの「実験」を主導していた中学生の宮森勲は、長じて医師となり、薬害事件に関わることになるが、その宮森が次期医師協会会長に選出されるという。記者の池田が取材を始めたのはそれを知ったことがきっかけだったのだが、彼は「上から」の通達によって取材から手を引くよう命じられる。

「事件や犯罪というものが、まるで金や権力で売り買いできる商品のような気がした。罪を償わなければならないのは、事件や犯罪を犯したからではない。金や権力を自分が持たなかったからなのだ」という池田の感懐は、この作品の連載当時、政権担当者に関わる事件がどれも不起訴に終わった事実に対する感懐としてフィクションの域をはみ出して響かずにはいない。池田は何もかもが目のまえで立ち消えになってしまったような絶望感を覚えると同時に、これまでもずっとその絶望感の中で暮らしており、それにすっかり慣れてしまっていたことに気づく……。連載当時の政治状況を思わせるこのコメントのナマな感触に反発する読者と、「この悔しさに慣れてもいいのだろうか」という池田の声に共感する読者とに、反応は分かれるのかもしれない。私は共感する立場だが、それでもより小説的な離陸ないしは掘り下げが必要ではないのかという思いが残らないでもない。ハルビンの湖畔の殺人と、琵琶湖の湖畔の殺人とを接続するのは時空を超えて現れる「白衣の子供」のイメージであり、更にこのイメージは与党議員の「生産性」発言や「津久井やまゆり園」での障害者殺傷事件に対する作者自身の問題意識の表出となっているのだが、作品はその関連性をうまく描けているわけではない。ただ、「白衣の子供」を追うのは、取材を禁じられた休職中の池田であり、そして違法捜査により訴えられて処分を受けて謹慎中の刑事、圭介である。休職中であり謹慎中である二人が、いずれも自らのアイデンティティをいったん宙吊りにした状態で、夜が明ける前の暗闇の中にうずくまり、「白衣の子供」が現れるのを待っている。この設定には目を配っておいてもよいだろう。松江の語るハルビンの湖は美しく、それは何かを知っていて語らないことによって維持されている虚構の美しさである。そこには決して語られることのない血だまりが隠され、中国人捕虜が殺され、そして「生産性」のないもの、「害虫」が殺されているのだが、現状の法によってその風景は美しいまま守られている。その球体を破ることができるのは、法と社会関係によって守られたアイデンティティの境界上に立つことによってである、という小声のメッセージを、作品の最後に受け取ることができるのである。

註

（1）「刑事に恋して殺人犯になった女性が語る「刑務所暮らし12年」と「彼への想い」」『週刊女性PRIME』二〇一八年一月二四日。

（2）ミシェル・フーコー「性、権力、同一性の政治」『ミシェル・フーコー思考集成X――倫理・道徳・啓蒙』蓮實重彥・渡辺守章監修、小林康夫・石田英敬・松浦寿輝編、筑摩書房、二〇〇二年。

（3）「自民・麻生副総理 憲法に〝緊急事態条項〟」『日テレNEWS24』、二〇二〇年七月一七日。

（4）ジョルジョ・アガンベン『私たちはどこにいるのか？――政治としてのエピデミック』高桑和巳訳、青土社、二〇二一年。

（5）死んだ肉体が「哀悼不可能」となるとはどういうことか。スベトラーナ・アレクシエーヴィチの聞き書き『チェルノブイリの祈り――未来の物語』（松本妙子訳、岩波文庫、二〇一一年）の冒頭には、チェルノブイリ原発事故によって消防士だった夫を亡くした女性の語りが置かれている。彼女の夫は消火作業に出て被曝し、この事故の最初の死者たちの一人となった。看護婦たちは「私」が夫に近づこうとすると、こういって制止したという。「忘れないでください。あなたの前にいるのはご主人でも愛する人でもありません。高濃度に汚染された放射性物体なんですよ。」「ご主人は人間じゃないのよ、原子炉なのよ」。彼女の夫は弔われる権利をもった死者でなく、「放射性物体」だった。愛する人と汚染された物体との分割はアガンベンのいう「抽象」であるが、それはこれほどまでの残酷さをたたえた抽象である。

（6） ドイツでは新型コロナウイルス感染症対策として、イベントの中止、学校、大学等の閉鎖、移動の制限など日常生活を厳しく制約することを決定した。この措置に関してメルケル首相（当時）が行ったテレビ演説は例外状態、緊急事態に関する二重の姿勢を分節しつつ明瞭な言葉で伝えている（ドイツ連邦共和国大使館・総領事館ＨＰ、二〇二〇年三月一八日）。メルケルは連邦と各州が合意した休業措置が、侵されてはならぬはずの自由に対するいかに重大な介入であるかを承知していると述べ、以下のように語った。「次の点はしかしぜひお伝えしたい。こうした制約は、渡航や移動の自由が苦難の末に勝ち取られた権利であるという経験をしてきた私のような人間にとり、絶対的な必要性がなければ正当化し得ないものなのです。民主主義においては、決して安易に決めてはならず、決めるのであればあくまでも一時的なものにとどめるべきです。しかし今は、命を救うためには避けられないことなのです」。東ドイツ出身である彼女は移動の自由がどれほど重要な価値であるかを知っており、私権制約の措置は市民の生活に打撃を与えるだけでなく、何より民主主義に関する認識そのものに対する打撃であることを自覚していると述べたのだ。その上で「しかし今は」避けられない。ここに政治判断の二重化の例が認められる。長期にわたったメルケル政権の期間中にはユーロ危機の際の対応はじめ疑問を感じざるを得ない点も当然ある。だがこの時、彼女が事態の二重性を分節する言葉を持っていること、そして言葉を持つ政治家が日本ではない別の国には存在しているのだということに、私は複雑な感動を覚えた。

15　曖昧な肉

武田泰淳『富士』

詩人の小野十三郎には富士を書いた作品が少なくない。この詩人は、自らの感性の網の目にからみついた短歌的な要素からの脱却なくして現代詩は生まれないと考えていた。そうであればこそ、特権的な歌枕である富士と繰り返し格闘しなければならなかったということだろうか。次に引くのは戦争中に書かれた「山」という作品である。

山がある／それはやや富士に似ている／あるいは富士そのものかもしれぬ／含銅硫化鉄の大コニーデ／夏日天を仰げば全山の岩肌黒光り／はげしく水墨に抗して／靄を吐かず

のちに批評家の花田清輝は、戦時下の修辞法を示す例としてこの詩をとりあげた。花田はこの詩を、日本精神のアイコンとしてもてはやされていた富士山を「唯物論的」にとらえなおし、短歌的な情緒を逆用して自らの思想を表現した作品だと解説している。詩語の真意をいちいち説明するなど花田らしからぬことのようにも思えるが、「日本精神」がまさしくそうであるように支配的言説と結託しやすい「精神」の前でとぼけてみせ、もっぱら身もふたもない物質的基盤から思考を進めようとしたのは小野十三郎であるとともに花田清輝自身でもあった。花田といえば「すでに魂は関係それ自身になり、肉体は物それ自身になり、心臓は犬にくれてやった私ではないか」と、まさしくこの論点において見得をきってみせた批評家である（「群論――ガロア」『復興期の精神』）。魂とか精神とか個人心理とか、それからことのほか「私」と言われる何かを前提とする思考を一切退け、その物質的質料的位相との対決から、あるいはその平面で結ばれる「関係」からスタートすること。要するに、花田の批評は「自己」「私」という基点を分散させることで、別の通路からの思考の道筋を切り開くものだった。集団創造を軸とした戦後の文化運動論や「私」と「私的所有」の枠内でのみ文化生産を思い描いてきた冷戦期の言説に対抗する論戦展開もこうした動機と無関係ではない。霊峰富士を含銅硫化鉄の位相においてとらえようとする小野や花田らの構えは、当時の精神総動員の時代に対する応戦だったと理解してよいのだが、ただ戦時下で書き進められた花田の『復興期の精神』はどの文章をとっても時代状況という一点に還元しつくせるものではない。

たとえば「鏡のなかの言葉」のレオナルド。精巧な機械仕掛けの獅子を作ってフランチェスコ一世に献じたというダ・ヴィンチは、人体の構造を解明しようとする解剖学の研究は物体に働く力と運動を扱う力学の研究と密接不可分だと考えた。花田はこのルネサンスの万能人の奇妙な情熱を、デカルトの動物機械論、「諸々の獣は、魂のない、どのような自発性も欠如せる機構メカニズム以外のなにものでもない」という言葉を引き寄せながら論じ進め、精巧な機械人形は人間といったいどう違うのかと、生気論の前提を一切奪い去る思考を示してみせる。花田は機械論的世界像を肯定し、人間を「物」だと言っているのかというと、まずいったんはそうである。「復興期」を主題としながらも、一般に流布する人間的な、あまりにも人間的なルネッサンスのイメージなど信用できない、「それは生ぬるい牛乳のような感じがする」と書く花田は、「死にたいする理由のない愛」さえ語っていた。ただ、この批評家はことさら露悪的に振舞っているのでも機械論者としてそこに居直っているのでもない。花田はいつでもこの現在を移行期ととらえ、形成、変成の運動を意識的に生きようとしている。「転形期」とは無慈悲であって、人は大なり小なり、それがどん詰まりの時代であることを理解している。『復興期の精神』の花田が描きなおしたルネサンス人の仕事の膨大な堆積は、すでに生きることを止めた人間、人間であると同時に非・人間的な彼らの、やむにやまれぬ死からの反撃なのであり、この場合に問題になるのは、静止した極としての生あるいは死ではなく、白か黒かの間で微細なグラデーションを刻む灰色の、その曖昧な幅を一歩ずつ踏査していく移行過程なのである。一切か無かではなく、微細な変化の一瞬間ごとが異なる思考へと開かれており、そこにはいつでも介入可能の抵抗点を見出すことができ、一点に静止した状態の中にさえ変成への傾向を認めることができるのだ。死という一点のうちに凝縮する生への傾向、ポーの描いた収縮し膨張する宇宙、非情なうつくしさにかがやく厳密な法則、それが花田の主要な関心事である。たとえば、いったんはすっかり死んで「胚子的状態」の動かぬかたまりになってしまった「クラヴェリナ」――ホヤの一種であるらしいがよくわからない――は、死から生へのすさまじい逆行の過程においてその正体をついにあらわすのだという。「注目すべき点は、死が――小さな、白い、不透明な球状をした死が、自らのうちに、生を展開するに足る組織的な力を、黙々とひそめていたということだ」(「球面三角――ポー」)。コツンと固まったその一点の内に生のあらゆる展開の可能性を凝縮させながら、ひっそりと静まりかえった死。生と死、魂と物質といったあらゆる二項対立の基礎をなすような対立とは別の場所で、いったん死んで動かなくなったクラヴェリナの小さな球は、そこから逆行の契機をじっと狙っているのである。

生や精神性の位相からどのような形容詞をも拒む物質の位相へと下降する。それは、別の生、別の世界の他性へと脱出する運動を組織するための思考の始まりと捉えられているのだ。花田清輝が、富士というナショナルシンボルを「唯物論的」位相において書きかえた小野の詩を取り上げてことさらな解説など加えたのも、それがほかならぬ自身の批評の要諦に触れる部分であったためだと考えられる。

＊

前置きが長くなったが、ナショナルシンボルでもありただの山でもある「富士」の曖昧さを検討しよう。富士は当初「自然遺産」として名乗りを上げ、その後「文化遺産」へと言語論的転回を果し、二〇一三年に世界遺産に登録された。この場合もまた富士は「自然」と「文化」、「物質」と「精神」とがそこでせめぎあうという自らの宿命を再演しているかのようにみえなくもない。そして、だれよりこの宿命をくまなく分け持った作家というと、富士山麓の山小屋に引っ越し、そのあたりを舞台に怪作『富士』を書いた武田泰淳である。

『富士』の舞台となるのは戦争末期の精神病院であり、作中では「桃園病院」という名を与えられている。富士のふもとのこの病院には、一九四一年一二月八日の対米英開戦の翌日から大量の患者が流入した。可能なかぎりすみやかに患者を収容せよとの軍命令が、警察を通して通達されたためである。

その経緯について病院側スタッフとして働く医学生である語り手の「私」は、「開戦直後に、日本の大都会がすぐさま空襲されるという予想は、軍部にも国民にも充分すぎるほどあったのだから、それは当然な処置と言うべきである」と、説明している。それはいかなる法的根拠によるのか、拘留ではないのか等々という疑問を持つことのない「私」は、つまり統治の側、あるいは「正常人」側の秩序を擁護する立場にあるのだが、やがてその「私」も敗戦のカタストロフを目ざして加速する『富士』の物語を通して、徐々に「狂気」の側へと接近していくことになるだろう。この作品は、ひとりの生真面目な医学生が、正常人男女と異常人男女、狂気と理性の区別を越えた様々な人々との出会いと幾多の試練を通して成長し、ついに異常人としての自己を確立するにいたるまでの軌跡を描いたビルドゥングスロマンという側面をそなえている。この時点での「私」はいまだ半人前だが、それでも次のような目覚ましい自己発見は根本的なものだといえる。

「いやなんだ。いやだったんだ。ぼくこそ、これらすべて、病院、病気、医師、医学。あらゆる患者にはやさしくしなければならぬという、この絶対の定理。つまりぼく自身が苦心して守りつづけてきたすべてが、いやでたまらなかったんだ。精神だって。精神病だって。セイシンを治療するんだって。アッハ。プフィ」。「私は私が、患者に、なりうる、患者になりつつあることの快感と恍惚を味わった。味わおうとした。患者であり得なかったことの不自由、屈辱、まわりくどさをすべて突破して、何かしらあからさまな自然そのものの光線の下で裸の手足をのさばらせることの歓喜が、私を襲い、私をつつみこみ、私を持ちあげようとしていた」。

肉体の物質性が重力から解き放たれようとする魂を閉じこめていたのではなく、逆に優秀な医学生の魂が彼の肉体を閉じ込める監獄だったのだ。「私」の名は「大島」で、これは武田泰淳が父の師である武田家に養子に行く前の実家の姓である。

*

この作品は一九七〇年を挟んで文芸誌上に連載されたが、[1]ちょうどこの時期、日本の精神医学界では精神医学の権威主義的体制に対する異議申し立ての運動が起こっていた。[2]一九六四年に精神科治療歴のある青年による駐日米大使ライシャワー刺傷事件が起こり、これに対応すべく精神医療の警察化ともいうべき動きが着々と進行するのだが、こうした動向に対抗するかのように一九六九年の日本精神神経学会の大会で大学医学部内部の医局講座制が「患者」を社会のヒエラルキーの底辺とする権力構造のシンボルとして糾弾される事件が起こった。この紛糾がひとつの合図となって精神医療改革運動の火ぶたがきられ、刑法改正による「保安処分」、ロボトミー手術、閉鎖病棟の「鍵」など、それまで容認されてきた人権侵害が問題化されたのである。一連の批判は「精神医学」を包括するところの「社会」そのものをも射程に収めた上でなされており、日本におけるこうした動向は同じ時期のクーパーやレインら、イギリスを中心に欧米で拡がっていた「反精神医学」と遭遇し、思想的にこれと結びつくことで伝統的精神医学の「狂気観」そのものに対する異議をもふくめた「精神」の問いを深化させていった。おそらく『富士』もまたこの時代との共鳴において成立可能となった作品だと言ってよいだろう。

たとえば『富士』に登場する美貌の嘘言症患者・一条実見は、「精神病」の概念じたいがインチキであり、患者がいるから病院が存在するのではなく、「病院がある限り、患者が存在しなくちゃならない」のだと、理路整然と主張する。それによって理性ある人間の姿が定義される「正常」な思考秩序とは、それ自体が正常人による恣意的な構築物であり、「異常」の形象と「狂気」の概念を必要としているのは理性の側ではないのか。なかんずく、正常と異常を分かつ境界線を管理せんとする精神医学こそが、その境界によって構築される正常秩序の守り手なのだ。このように、一条の精神医学批判は華やかにして辛辣である。彼は、戦争＝狂気の常態化によって世界がさかさまになったことを「私」に認めさせ、これまでずっと優等生であり正常であり続けて来た「私」の自己認識を問い詰める。「君は、狂気で充満しているこの病院の秩序を正常人として守ろうとなさる。

狂気でない社会の正常と正義によって、この病院を狂気の混乱から防ぎ守ろうとする。だが、その君の大切にし頼りにする社会、世界が現在あきらかに狂気におち入っていることは、君だってみとめるだろう。人類は平和人から戦争人へと転化した。これこそ、みんなそろって正常人から異常人に変身してしまったことじゃないのか」。

一条はまるで「一九六八年」の学生たちのように病院の管理責任者たる甘野病院長を「秩序の親蜘蛛」と呼んで糾弾するのだが、批判される側の当の病院長自身もまた精神医学の根拠のあやうさを常日頃から感じないではいられない。こうした論調は作品発表の時期の「今」を背景としたものとみていい。と、ともに次のような一条の精神医学に対する根本的な疑念の言葉は、ゆくりなくも武田泰淳固有の主題と交差するのである。

人間が人間の精神の病気をなおせるという自信にとりつかれた時から、とてつもなくばかばかしいことが始まったのだ。いったいだれの脳が異常な脳と正常な脳とを判別するというのか。外科の執刀医であれば身体の病んだ部分を除去すればあとには健康が残ると考えるかもしれない。だが、身体ではなく魂を治すとは何であるのか。治すというなら外科医のように、より即物的に「注射なら注射で、ブスッと。電気ショックなら電気ショックで、ガンと脳天を」やればよい。つまり一条は、一九世紀以来の身体医学モデルを借用することによって成立した精神医学の存立根拠に辛辣な反語を突きつけているのである。メスで患部を切り取るようにして精神を扱うことがはたしてできるのか、そうしている時、あるいはしない時、医者は自分が何であるかを考えてそうしているのか。

一方、作者である武田泰淳が関心を向けるのは魂や霊魂や自我や精神というより「肉」である。

この作家は『ひかりごけ』(3)で難破船の船員が飢餓の限界でついに仲間を食らうに到る極限状況を書いた。飢えた船長の目前にいる／あるのは人間であって同時に肉である。仲間の肉を食べるという行為は「非人間」的だと言えるとして、しかし、この時食べられている肉とは何だろう。牛肉や豚肉と同様に、そうしようと思えば食べることのできる肉。人間であるがもはや人間ではない何か、しかしそう言おうとする時にさえ「人間」を否定形でふくめなければならない非・人間の曖昧さ。武田泰淳が見出すのは私たち人間が肉であることの奇妙な目まいの感覚なのである。この作家の想像力が踏査するのは生と肉との間の中間地帯、そのどこかに明瞭な境界線など引くべくもない非・人間の幅であり、そしてこの地帯を凝視していた想像力がこの時「精神病院」という場に遭遇したのである。おりからの精神医療改革、反精神医学の言葉は武田泰淳固有のこの主題についてすぐれた触媒となったことだろう。

＊

『富士』の病院には、開戦このかた、「軍民一体の精神的秩序から脱落している」集団が大量に「保護」されている。国家は彼ら彼女らの精神を自らのもとに引きつけることができず、その身体を資源化できない。だが、それでも彼らは一応国民である。保護すべき弱者であり、同時にひとところに集めて監視すべき危険物であり、この場合、非・人間、亜・人間はすなわち非・国民、亜・

国民ということになる。彼らを一か所にあつめた病院は、非転向の非国民が拘留されていた「監獄」と似て、国民と国民化されざる者との間の曖昧なある幅が先鋭化する場となっている。

入所者の脱走を阻む壁、あるいは保護室の鉄柵の存在によって、精神病院は監獄と似ている。「保護室が、監獄的であることは、私もみとめる。だが、それは病院の秩序を守るためには、どうしたってなくてはならぬ施設なのである」と、これを必要悪として認める優等生の「私」の中にさえ、いくらかの後ろ暗さは残存しているようなのだ。一九〇〇年に施行された「精神病者監護法」は、患者の入院手続きなどをすべて警察の管轄の下に置いた。「医学的な意味での疾病が、医療によってではなく、治安によって管理され[4]」ていたという事実によって病院はまさしく監獄的ではあるのだが、ただし次の一点において監獄とは決定的に異なっていることも思い起こそう。戦争の時代を背景とするこの作品では、緊急事態下の通達によって患者たちが病院に収容されていた。つまり刑法上の罰すべき行為とは何ら関わりなくここに収容されており、そうであるならこの「病院」は監獄に似ているというよりも、「例外状態」との構成的連関を明白に示しているのだ。戦争や大災害などの緊急事態＝例外状態に際して通常の法が停止され、秩序が宙吊りにされる時、通常刑法の罰とは無関係に統合不可能とみなされる存在が保護拘留される。そうした構造である。

緊急事態下の病院は一応「保護」施設である。しかしその一方、桃園病院に出入りする火田軍曹の話によると、軍内部には患者抹殺論の強硬意見が出ているということだ。「健康体の兵士が前線でどんどん戦死して行かなきゃならんときに、役にも立たん患者たちに金をかけて、大切にしてやる必要がどこにあるかと言うわけですよ。この戦争に勝つためには、あらゆる物力、人力を一点に集中しなきゃならない。負けないためには、ムダをはぶかなきゃならない。（略）その一方、役に立たぬものはさっさと切り棄てる、思い切って存在させない」。

患者らの生は総力戦体制の超合理主義によってすでに脅かされているのだが、その上さらに病院長の耳には同盟国ドイツにおける精神病患者の取り扱いに関する政府方針が届いてきていた。「ドイツ民族は、世界無比の優れた民族だというのがたてまえ」であり、だから「患者すなわち異常劣等の血系は断つ」ということであるらしい。日本の病院長である甘野院長は、噂に聞いたドイツの場合のような非人間的方法を採用する決断を下すことなど自分にはとてもできないと感じている。彼はそれほどの確固たる「主体」ではありえず、つまり「自由なる主体とモノとの関係」（丸山眞男）のように患者を扱うことはできないのだ。だが、弱い主体である病院長の保護の下にある患者たちが安全かというとそんなことはない。積極的に死を与える方法によらずとも、すでに病院への食料配給は乏しくなっており、「衰弱による自然死」、あるいは自殺が、日々いかんともしがたく起こってしまっており、誠実で良心的な病院長、甘野は、患者の保護責任者としての自分に与えられている職務のどうすることもできない不可能さにほぼ絶望している。彼は、患者らを餓死するがまま、自殺するがままにまかせるほかになすすべもないのだ。ただしそれでも、引き続く患者の死について、この管理責任者が責任を問われることはない。この病院には、病院長であれ誰であれ、積極的に生死の境界線を定めるような者は存在せず、ここにあるのはむしろ行いの不在である。つまりここでは、生と死の線引きが誰かの恣意ですらないような非主体的な恣意に任されている。非常事態下の患者らは保護すべき国民の一人として包摂されることを通して拘留されており、なおかつ公民としての法権利からは排除され、餓死するがままにまかされている、誰の意志、誰の責任でもなくして。例外状態において決断を下す者、それが主権だと仮にいうとしても、この場合の主権は不在という姿をとっている。

非・人間、非・国民の、この曖昧な地位は私たちを戦慄させる。『ホモ・サケル』のジョルジョ・アガンベンは、「近代の生政治の本質的な性格」を「それが生において何が内にあり何が外にあるのかを明確に判断し分離する境界線を絶えず定義しなおさなければならない、という点」に見出している[5]。ある集団を存在させ、別の集団を存在させない。それを分かつ境界線は絶え間なく引き直される必要があるというのだ。平時であればよもや餓死に至りはしないであろう患者も、戦時にあっては「役にも立たぬ病人には「配給をへらせ」」という声に包囲され、「生」のあやうく揺れる境界線上に置かれることになるのであり、彼らは生政治の地平において死政治の囲いの中に追い立てられるのだ。戦時下、緊急事態下の精神病院という設定は特殊な設定ではあるだろう。しかしながら患者らの生は「保護」されたり、餓死するにまかせられたりという可能性にさらされており、その意味で生きさせられるとともに死へと打ち捨てられもする「収容者」としての生の完璧な象徴となっている。そこで起こっているのは生と死を定義する境界線の絶え間ない引き直しであり、神のように気まぐれな引き直しと言いたくなるところだが、しかし緊急事態とは政治の構造である。アガンベンの把握による「収容所」とは法律違反が横行する場ではない。そこは通常の法が停止され宙吊りにされた例外的な空間であり、だからこそそこでは違法行為をしのぐ一切の蛮行が可能になるのである[6]。収容者は、合法でも違法でもないこの曖昧な空間に立ちあらわれたホモ・サケルであり、その生殺与奪は主権権力の恣意のもとにある。[7]

『富士』の序章「神の餌」ではリスに対する生殺与奪権についての異様なトーンの省察が続く。[8]リスは自分の餌がどこからくるのか、自分が誰に生かされているのかを考えない。彼らにとって餌を与える存在は不可知の神に等しいが、しかし神は全能である以上、いつでも気ままにこの小さな生きものをひねりつぶすこともできるのだ。リスをめぐるこの奇妙な省察は何を語っているのだろう。近代の国民国家は国民の生を保証することをもって統治の正統性を主張してきた。近代の権力は暴虐な権力者のように民衆を殺すのではなく、逆に個々人を訓育し規律化し、つまり「正常人」として成型し、「殺す権力」ならざる「生かす権力」を発動してきた。しかし現在、この近代的な体制は顕著な形で解体されつつある。誰を生きるに値する生とし、誰を「死の中に廃棄する」[9]かの境界線を引くことに生権力の要諦があるのだとすれば、生政治とは同時に死政治としての権力行使とメビウスの輪のように連続しているのである。ことによったら私たちの生の条件は、餌を与えられたり、突然ひねりつぶされたりするリスないし「収容者」の寄る辺ない生のそれからそれほど遠いわけではないのかもしれない。

＊

肉への注視に話を戻そう。桃園病院の院長である甘野と、しばしば問題を起こしては保護室＝独房に放り込まれる患者大木戸は、一方は医師、一方は患者であり、病院内秩序において対極にあるのだが、にもかかわらず二人はともに「仏像に似た堂々たる風采」の持ち主であり、二つのソラマメのようによく似ている。「健全な肉体」の持ち主である大木戸は、三度の食事にのみ関心を払い、定期的に発作をおこし、ぞっとするような「繰り返し」に終始している。こんな男ははたして「生きるに値する」のだろうか？　ところがこの男は正常秩序の代表者である病院長と同じ「肉体」をもっているのだ。「私」はこのことに激しい当惑を感じないではいられない。一方は保護房の内、他方はその外にいるのだが、「この二人が、こうやって鉄柵をへだてて向いあっているのを眺めると、私は、「精神」とか「肉体」とかいう言葉が、ゆがんだ幻とか、つかまえどころのない塊のように思われてきて、この二人を並べて直視しているのが息ぐるしくなる」。

甘野医師が精神を代表し、患者大木戸が肉体を代表するとして、いったいどこまでが精神で、どこからが肉体なのだろう。前個人的な「肉」のレベルにおいて二人は全き連続体をなしており、そこに明瞭な分割線を引くことなどできそうにない。まずもって境界の名に値する境界など実在するのだろうか。二人の肉体は医師と患者という分割に先立つ無差異の根底をなしており、それは精神・肉体という抽象的な分割とは無縁の実在感をもって思考を圧倒する。「私」＝大島は保護房の鉄柵によって隔てられた両者の間に拡がる識別不可能な肉に触れ、心身二元論の粗雑さに圧迫されている。「アマノ氏は健全であり、オオキド氏は病んでいる。それは明確な事実であるのに、アマノ・プラス・オオキドと重ねあわせると、一種の目まいに似た不安を感じる」。甘野と大木戸。医師と患者。正反対だが別の目でみればよく似ているような奇妙な分身の関係。「私」は彼らを前にして、ある種のおそれと目まいを感じている。まっとうな医学生の精神をもつ「私」もまた平等に肉という条件を分け持っているのだ。『富士』という怪作の画期性はこの「目まい」の質を生み出した点に認められよう。

＊

武田泰淳は浄土宗の寺に生まれた。僧侶は死者の横たわる家に行き、そこで経を読む。死体は僧侶にとって近しいものだが、それでも死体はすでに人ではなくて物体なのだから、いくら近くに置いたところで生にとっては決定的に疎遠である。こうした経歴もあってのことか、武田泰淳は、人間の肉がふいに出現するある瞬間に視線を集中させてきた。もちろん人はいつでもそこにいて肉はいつでもそこにあるのだが、その自動化した状態から引き返す異化の眼がこの作家の特質となる。魂や精神や意味に捉えられている者にとって、私の内にありながらも私のものにできないズレ、意味に回収されず固有化できない残りもの、すなわち肉の露出する瞬間は認識論的な衝撃となる。

僧侶であるにもかかわらず、あるいは僧侶であればこそ、肉を無視できない武田は次のようなエピソードをあちこちで語っている。たとえ僧侶であっても魅力的な女性を前にすれば煩悩いかんとも抑え難く、若い武田は九相観図などみて修行につとめたという。あでやかな女も死ねば腐敗し、ハエにたかられ、風雨にさらされ、分解され、土になり、やがて風の中にはかなく散乱するのだと。

この修行は逆効果で、かえってあらぬ妄想が膨らんだというが、それはともかく、美しかったり高貴であったりする人間の生の基盤をなすのは身もふたもない肉であり、肉はそれを腐敗分解させる微生物、雨や風、土、荒涼とした、あるいは広大無辺の自然史的過程と連続している。その意味で、肉という閾は、はるかな時空のスケールを背景とする想像力をともなっていた。

もう一つ、異様なエピソードを武田のエッセイから引いておこう（『私の中の地獄』筑摩書房、一九七二年）。武田泰淳の伯父は自分が死んだら自らの遺骸を解剖用に献体すると言い残していたため、武田が遺族として伯父の解剖に立ち会うことになった。内臓を取り出し、頭の骨をノミで割り、大脳や小脳はとりだされて重さを測られた。そして、「脳髄を失ったあとの顔つき。ハラワタを除去されて詰め物をされた腹部、みんな、解剖前のかたちをしていた」。

自分の好きだった伯父の解剖をみているのは苦しかったが、すべてを見終って伯父の寺へ「死体（中みがカラッポになった）」を送りとどける時、武田は「一種の喜びを味わっていた」という。敬愛する伯父の死を悲しむ心をしのぐほどの「何かを発見したという喜び」、それは人が端的に物体であるということ、しかも中身を抜いた空っぽの人間は生前の姿と何ら変わるところがないということだった。死んでいようと生きていようと人間には物質的な限界がついてまわり、それが武田の前にこの上なく具象的な姿をもって横たわっている。とはいえ、これは突き放されるエピソードではある。私たちはここからいったいどんな意味、どんな教えを汲みとったらよいのかわからない。生きている人間の身体も、それ自体としては中身のない空っぽの死体だというのだろうか、生はすでに死体を含んでいるというのだろうか。死と死体が別の仕方で捉えなおされる必要があるのだろうか。戦時中の精神主義へのアンチといえる戦後の「肉体文学」、高度成長期の都市化やテクノロジーの専横へのカウンターとみられるプレモダン志向の「肉体性」、あるいは現実がサイバー空間に置き換わるにつれて希薄化する身体性を取り戻そうとする現代的な志向。こうした場面に現れる肉体はみなぎる生の表象だったのではなかったか。一方で武田泰淳の肉は物であり、その出現がもたらす目まいはある意味で認識論の領域に関わっており、それはたとえば山城知佳子《肉屋の女》(二〇一二年)や伊藤計劃『虐殺器官』(早川書房、二〇〇七年)の人工筋肉兵器がもたらす意味の破砕の感覚に似ている。日常的で人間的な意味とは別の場に、それ自体の重量をもって立ちあらわれた肉の前で私たちは動揺し、安定した了解などできそうにない生の限界に触れる瞬間を持つ。思えば不可視の放射性物質、不可視のウィルスに対して自分らがまったく無防備であることを知らされた時の無惨の感覚もまた目まいを伴うものだった。

*

武田は敗戦まもない時期に起こった帝銀事件について「無感覚なボタン」というタイトルのエッセイを書いている(『文芸時代』一九四八年五月号)。帝銀事件の犯人は、銀行にいあわせた人々に検査をいつわって青酸カリを飲ませ、無差別に殺害した。普通の意味で「非人間的」な犯罪だが、ここに武田は「新しいぶきみさ」を感じ取っている。犯人と被害者の間になにか非情な無関係さがあるというのだ。そこにいる誰でも全部を殺害する。その全部の内容も問わず、全部が何人であるかについても犯人は関心がない。ここには「殺人の人間らしさ」がなく、『罪と罰』の主人公が老婆を殺害する時の筋肉や骨身の緊張、脂汗や手のふるえ、殺人行為の全霊全力のせつなさというものがない。殺す者と殺される者との間の一対一の必死の関係に変えて、ここには無感覚、無意味、無関係の関係が出現している。この殺人は不思議に抽象的で、まるで肉体を消去したかのようなのだ。

　そして武田はこの新たなぶきみさを、核爆弾という歴史経験、さらには遠隔操作の無人機による爆撃をも含む最新兵器の想像力を引き寄せつつ考察するのである。ドローン兵器、などという言葉はまだない。「無線電波で操縦する航空機」である。殺害の現場に姿を現すこともなく、ただボタン一つを押すことで大量死を可能にする兵器。こうした現代兵器の経験のあとに、人間的リアリティは決定的な変容を遂げるのではないか。殺す者と殺される者との間の抽象的な隔たりによって消去され、だが消去されるがゆえに逆に突出してくるのはたがいの「肉」である。その新種のぶきみさに思いを巡らす武田の想像力は、軍事技術の進歩が新しい「人間」を構成していく歴史を考察した『戦争と映画――知覚の兵站術』（平凡社ライブラリー、一九九九年）のポール・ヴィリリオを先取りしていた感がある。殺す者と殺される者が一対一で向き合う白兵戦の時代には、兵士相互の間にある種の人間的交流さえ含む戦闘をイメージできたかもしれない。だが銃の導入により敵味方の間に二次元の距離が広がり、さらに大砲にはじまる一対多の殺傷兵器が登場し、係留気球や偵察機の三次元、戦闘機の速度の次元の加算によって視覚野が拡大し、戦争のリアリティが変容する。ヴィリリオは、上空からは人間がまるで顕微鏡の中の微生物のようにみえたという戦闘機パイロット、サン＝テグジュペリの言葉を引用している。飛行機という技術は飛行の手段であると同時にひとつの視覚様式でもあり、新しい高度はそれに応じた新しい人間表象を産出するのだ。大量殺戮を可能にするのはこうした知覚の変容であり、軍事技術はまず第一に知覚の技術でなければならない。地上にあって破砕され、焼け、くずれる身体をめぐる可視と不可視の操作は、戦争にとって二次的派生的問題ではないのだ。武田であれば、それを「肉」とその「生ぐささ」の消去ととらえるだろう。

「帝銀事件」のもたらしたぶきみさに触発された武田泰淳は、次元を更新していく軍事技術の中に技術的合理性の核を見出していた。はるか遠くの戦場ならざるオフィスのような軍事基地に出勤し、ディスプレイ上のレーダーイメージに照準し、スイッチを押すような戦争が可能だとすれば表象の水準から一切の「肉」を脱色脱臭できる。リアルな肉片がほかの地上に散乱していたとしても、そこにあった叫びも音も光も、起こりつつあるすべての悲惨にもふれることなく、それは簡単に終わる。そして武田は次のようにテクノロジーの進化の果ての無感覚を、それと対極をなすはずの原始以来の動物的無感覚から区別し、区別しつつなお重ねてとらえる。「しかもこの種の無感覚は、灼きつく熱砂を跣足で踏み、肌に受けた爪や牙や槍のきずをたちまち恢復する動物的無感覚ではない。むしろ、科学や、それによる文化のガラス張りの中で、天候や四季や自分以外の動物や、ついには人間そのものの存在までも忘れようとする、近代的無感覚である」。

技術によって次々に身体的限界を克服していく歴史のプロセスは、身体性の消去という目的に限りなく近づいていく。その果てで、ガラス張りの実験室の脱肉体性と動物の脱精神の肉体性と、対極にあるはずの二点が、別種でありながらともに荒涼とした無感覚という一点において環を閉じる。歴史の果ての人間の動物化という繰り返される言説のなかでも、これは奇妙な例であるかもしれない。動物の肉体と脱身体の人間とが無感覚という一点において奇妙に結びあう時、そこから逆に立ちあらわれるのは武田に固有の関心事である肉であり、人間と非人間とに拡がるその幅である。

*

僧侶である武田は人間の肉体性を「生老病死」「諸行無常」といった仏教の言葉で解読する。死ぬ時には死に、自己責任といわれようと病む時には病み、嫌だといっても老いていく。私は朽ちゆく肉であり、そこには疲れ、痛み、病など自分ではどうすることもできず、よって自己の内に固有化できない感覚が伴う。残存する肉という私たちの限界は、この絶対条件から誰も逃れることはできないという意味において「平等」の地平をなしているのだ。生の限界、その徹底的な受動性が人間に等しく付きまとっているというこの絶対平等観はまた、すべてものは変化するという「無常」と切り離すことはできない。そして武田はこうした宗教思想を独自のやり方で深化させるとともに、人間の認知能力を超え、個体の生死をも超える生をはてしなく拡張してやまない現代科学の動向を注視していた。「生物学は、人間の肉体がさまざまな細胞のかたまりにすぎないと教えてくれる。心理学者は、私たちの精神が性欲衝動そのほか無意識のやみにとりかこまれた、あやふやな存在であることを証明してくれる。医学や薬学は、人体のいとなみに、外部からメスや注射針を入れることによって、神か悪魔のごとく自由にはたらきかけようとしている。（略）物理学者は、細胞よりも、もっと微小なものの世界に、私たちをみちびいてくれる」（「限界状況における人間」岸本英夫・増谷文雄・北森嘉蔵編『毎日宗教講座 第1　われらはいかなる人間であるか』毎日新聞社、一九五八年）。

それから半世紀、現代の生命技術はこの延長上でさらに細胞や遺伝子といった分子生物学的な極小へと突き進んでいる。武田は日々更新される諸科学が「有機物と無機物、植物と鉱物、動物と岩石の区別さえつきかねるような、奇怪な絶対平等のすがたを私たちに見せつけてくれる」のを注視しつつ、「極微なものへの突入が、私たちの人間論をゆりうごかすばかりではない。天文学者や地球物理学者は、ますますはて知らぬかなたまで極大の宇宙を膨張させようとしている」ことを感知していた。極微の分子と極大の宇宙。その両極を延長しつつ限界は拡大し、人間的尺度を越えたその広がりの中に武田は「奇怪な絶対平等のすがた」という宗教思想を置き直そうとしているのだ。人間主義の前提を取り外し、底がぬけたかのように加速度をつけて下降し、人間、動物、機械、物質、細胞、分子と宇宙とがそこでは平たく隣り合うような広大な場へ。個人の生涯の区切りで感知される生にとってこうした思考のスケールはただ空虚であるかもしれない。だがまた一方でこうした空虚、この無限の俯瞰の視点を組み入れた時、有限な人間は広大な宇宙を背景にしてその有限性をついに見出すことになる。そして仏教者武田が「絶対的平等観」と呼んだ地平にようやくのことたどりつくのだ。それとして脱政治的なこの視野は、平等という政治理念をその前個体的な基底部で拡大し、そこから跳ね返って個々人の主体を何らかのかたちで確実に変容させていくだろう。

「生老病死」「無常」「衆生」といった武田の言葉やその宗教的哲理の論脈を私がくまなく理解できるとは思わない。だがそれは限界、滅亡、絶対平等、変容といった概念とともに、なにか別のやり方で思考する通路、場合によったら絶望含みで思考する通路であることはともかくわかる。

*

武田泰淳には「滅亡について」というエッセイがある（『花』一九四八年四月）。知られるようにこの作家の「滅亡」感覚の背後にあるのは敗戦という歴史的経験だった。武田は終戦時に滞在していた上海のフランス租界で四五年八月を迎えている。周囲は戦勝の歓喜の声であふれた。ひとり敗戦国の人間である武田は、その時剥き出しになった裸形の感覚をその皮膚に感じていた。「敗戦とともに、私たち居留民は、たちまち自分たちの特権を守る城壁を失ってしまい、生まれたままの赤ん坊同然に、世界の人々の注目をあびて、裸のままとり残されたのである。（略）上海にはそれまでも、ユダヤ人、インド人、朝鮮人、白系ロシア人、その他あらゆるヨーロッパとアジアの民族で、自国の保護をうけていない追放者や放浪者や亡命者、また商人が集まっていた。それらの守られざる人々、城壁をもたぬ民と同じ境遇に、在留日本人もおちいったのである」（「限界状況における人間」）。

戦争中の上海在住日本人は「帝国臣民」として、暗黙のうちにその権力の庇護のもとに置かれていた。しかし今や敗戦国民という「獣の徽章」だけを残してどんな形容も剥ぎ取られ、どのような保護も権利も失って、裸形でこの地に立ちすくむほかない。自らの裸形、自らの肉はいつもここにあるが、にもかかわらずそれが露呈するのは歴史の境目に立った時なのだ。剥き出しの生は、ある構造のもと、ある異化作用のもとでのみ立ちあらわれる瞬間を持つというように。それまで日本「精神」なり大和「魂」なり、あるいは「帝国臣民」なりという大文字の意味の背景に退いていた物質性が、その様々な意味付けのすべてを剥がし取られ、その残りものである肉が生の限界を示すように立ちあらわれる。最新兵器が「肉」を破砕しつつそれを消去する時、逆に消去される臭いや叫びとともに逆に「肉」が立ちあらわれるように、あるいはビオスの生が維持不可能になった時、その限界としてゾーエーの生が突然姿を現す瞬間を持つように。

どのような庇護もなく裸で立ちすくむ者の皮膚感覚をもって、この時上海の日本人である武田はみずからがそれまで自覚することのなかった他者の眼を感知し、その眼に映じていた帝国臣民の特権性、傲慢、専横を知ることになる。そしてようやく守られざる人、城壁をもたぬ民と同じ地平に立ち、すなわち身をもって「絶対平等」の地平に立ち、その時、武田は「滅亡」という人間の限界状況に思い至るのだ。その時、といっても、これは通常の時間性における時ではなく、歴史の瓦解の時、帝国の看板のもとに守られた人間から一挙に剥き出しの人間にまで降下した時の意味の空白を告げられた認識論的な瞬間のことである。滅亡はそれまで存在に付着していたすべての形容を焼き尽くし、その時、人は個々の個体には無縁のものだった巨大な時間と空間を瞬間的に取り戻すのだ。

「滅亡はそれが部分的滅亡であるかぎり、その個体の一部更新をうながすが、それが全的滅亡に近づくにつれ、ある種の全く未知なるもの、滅亡なくしては化合されなかった新しい原子価を持った輝ける結晶を生ずる場合がある。その個体は、その生じ来たるものの形式、それが生じ来たる時期を自ら指定することはできない。むしろ個体自身の不本意なるがままに、その意志とは無関係に、生れ出ずるが如くである」(「滅亡について」)。

滅亡は、それなくしては生まれることのなかったはずの全く未知なる文化を出現させる。むしろ滅亡したがために必要な救いを求めて、あらゆる文化は発生するとでもいうように。武田によれば、文化とは滅亡という深淵に深く関わっているのだ。滅亡のプロセスは個体史の幅をはるかに凌駕しており、だから個にとってその変容なつねに不本意である。個体はそれをあらかじめ予測することも制御することもできない。なにか未知のものの出現は、個にとっては断崖に立つような不安と目まいに耐えることである。それが滅亡の持つ深さであり、そこから生じる文化に未知と未来性の次元を与えるのだ。

武田の滅亡の思考にあっては、他の生、他の文化、他の思考への認識と滅亡の巨大な悲惨とが分かちがたい。つまり他性への希望と絶望とは二つの別のものではないのだ。たとえば武田は、もしクロポトキンを読まなかったら幸徳秋水は刑死せずにすんだであろうという。刑死せずとも、なぜ自分は今の自分になってしまったのだろうかと人はしばしば嘆くのだが、だがその嘆きの中で自分が一人でなかったことを理解するのだ(「百人一首」『婦人公論』一九六〇年一月号附録)。残酷な生の限界である刑死の中にさえ、自己ならざるすべてのものとの関係とそこからスタートするはずの変容の予感とが読み込まれるのだ。嘆きのただ中の、奇怪な希望である。

もう一つ、武田は葉山嘉樹の短編「セメント樽の中の手紙」に触れている。職工と女工の恋の物語を、武田は「諸行無常」の例に挙げている(「諸行無常のはなし」『浄土』一九五九年六月)。セメント工場で働く若い労働者がある時石を砕く破砕機に巻き込まれ、「骨も、肉も、魂も、粉々に」砕け、石とともにセメントになった。無慚である。彼の恋人だった女工はその悲しみを誰かに伝えようと手紙を書く。彼女は恋人であるこのセメントを劇場や大邸宅など贅沢な施設に使わないでくれと手紙に書くのだが、すぐ思い直して、いやそうではない、どんなところにでも使ってくれ、あの人は気象のしっかりした人だったのだからどんなところに使われようと相応の働きをするはずだ、と言い直すのである。自分のもっとも大切な人がセメントになってしまった。だが、女工はそれを「そうして焼かれて、立派にセメントとなりました」と書くのである。立派にセメントになりました――この上なく哀切なこの言葉には間違いなく力強い響きが重なっている。武田は作品を要約紹介するのみで本文を引用してはいないのだが、そうであっても「立派な」若い青年だった、だからきっとセメントになっても「立派に」人々の役に立つはずだというように、この言葉を言い落とすことはない。石とともに破砕される肉体は肉体の物質性を異様なまでに露呈させており、その物質はというと立派なセメントへと変容するのである。「あの人は西へも東へも、遠くにも近くにも葬られている」のだから、彼がブルジョアのための施設に変容するのか、それとも労働者のための施設に生成するのかを予測することはできない。しかし、物質は移動し、遍在し、変容し、なおもその働きを止めない。こうして武田は「諸行無常」を『平家物語』風の哀感から切り離し、そして、すべてのものは変化し得るし、そして変化は新たな関係を形成するという「喜び」をそこに与えているのだ。女工の手紙はその袋を開けるであろう誰とも知れない労働者に宛てた投げ瓶通信としてセメント袋に封入されている。その伝達手段そのものが、新たな関係と変容に開かれているのである。いずれにしても、奇怪な希望ではある。

*

武田の滅亡の思考が、直接には日本の敗戦、歴史の瓦解から導かれたものだったとしても、しかしそうした歴史の日付と関わりなく、すべての生物は自分の肉体性の内に非人称の肉の次元をそなえており、すなわち「滅亡」の次元をそなえている。極微へ、極大へと広がる果てない広がりの中で、自らのうちに非人称の次元をそなえた生物は変わるということが可能だ。変化の力を生物は平等にそなえており、そして変化するものは関係し、関係によって変化するのだ。微細なものと極大のものとの双方へと広がる物質の宇宙、絶対平等、変化、関係、こうした武田の論脈は、私たちの常識のスケールですらりと理解できる範囲をこえているのだが、おそらく『富士』の中心的な登場人物、虚言症患者、一条実見は身をもってこの論脈を生きる人物としてこの小説に登場している。

一条は「宮様」であり、しかも周囲の人間からの承認を必要とせず、自らを宮様として発明した宮様である。自分自身を定立し、自らの主観性、自らの座標を生み出す能力を彼は身の内に備えているのだが、それにしてもなぜ「宮様」なのか。作者の武田は「宮様」の身体についてことのほか強い関心をもっていた形跡がある。深沢七郎『風流夢譚』を身震いするほど痛快な作と捉えた武田は、この作品を巡って殺傷事件が起きた時、ただちに深沢弁護の文を書いているのだ（「夢と現実」『群像』一九六一年三月号）。深沢の幻想の中ではスッテンコロコロカラカラという音を立てて首が転がるが、そうであっても天皇を「無生物視」しているのは深沢ではない。「象徴という非人間的存在を、いやがおうでもつくりだしておこうとする人々」ではないかと武田は言うのだ。「うつろいやすき肉体をもったある一個の人間が周囲の事情で象徴とされていること。このくらい不気味な現象はない」。天皇は生身の死にゆく身体を持つとともに不死の象徴の身体を持たされている。一身のうちに非・人間の曖昧なひろがりをそなえてしまっているこの奇妙な存在に、武田が注目しないはずはない。

そして『富士』ではこの不気味な幅を転倒させるようにして、自らを宮様として発明する宮様を登場させた。彼は生身の、美貌の若者の身体を持つと同時に不死でもあろうとするのだろうか。医師は一条を分裂病と診断し、一条自身は嘘つきのパラドックスよろしくみずから虚言症患者だと自称しているが、その彼は『日本精神病院改造案』を同じ宮様同士である皇太子に直接手渡すことに成功する。その内容は執筆者である一条と受け取った皇太子が知るのみで、作品上には明かされない。彼はどのような「改造案」を構想していたのだろう。一九六八年を背景とした精神医療改革案かもしれないし、心身の二分割を掘りくずす改革かもしれない。より微細、あるいは極大の枠組みでの改造を構想していたかもしれない。

一条は、改革を構想する者として未来に開かれたタイムスケールを持っており、同時に限定された個体史の中にいて、その二重の時間性を生きているかのようである。彼はこの長編小説を通してただの一度も憂鬱になることがないが、しかし「ぼくなりに、サキガミエテイルのだ」とつぶやいてもいる。彼は病院の内外にわたり、また妄想の内外にわたって、正常人の男女、異常人の男女を触発し、意想外の関係を組織して回る。しかし同性愛の組み合わせ、異性愛の組み合わせを含むその多様な関係の展開は、それでも最終的に一条の満足するところではない。すでに正常人として、すでに異常人として存在する個人たち、あるいはすでに男性あるいは女性として存在している個人たちの、その「組み合わせの無限性など、ぼくにとって何ものでもありはしない」のである。それは所詮、個人を単独の実体とするレベルに「生の多様性」を見出し、それを所与の前提とする思考であるにすぎない。「その無限性なるものは、実は、人類男女の組み合せの、あきれかえるほどの単純性を、いくらいやがって工夫をこらしても脱出できない、きまりきった単純性を、何とかしてごまかして、昂奮する、子供らしさにすぎないんだからね」。

歴史を駆動させる動因はいまだ個人主体に置かれており、より細やかな細胞、分子、より広大な宇宙のスケールを、有限な自分たちはまだ自らのものとするに至ってはいない。それでも、こうした絶望、先のみえた組み合わせの有限性という認識の背景には、極まるところ知らぬ無限の変容の可能性が広々と広がっている。この有限はすでに単純なものでなく、広大なタイムスケール、生の広がりをその内に折り込んで、別の生、無限に豊富なものへと広がる思考を私たちの想像力に与えるのである。一条は、その意味で、一切衆生、諸行無常、縁起といった宗教哲理の言葉で語られる武田の理念、絶対平等と変容、関係の論脈をみずから体現する人物形象となっているのだ。我々はいまだ歴史の中にいる、だがその我々の中には循環し変容し展開する肉の次元が含まれ、歴史の現在時において予測しがたい無限が折り込まれているということだ。絶望と虚無とがそれでも同時に希望であるという武田に独特な思考が透かしみられるようである。

一条は残した手記に書いている。「言語は、むなしい。とりわけ、ついに新しき宮言葉を創造することのできなかったぼく、宮様患者にとって、コトバによって真意をつたえようと努めることは、むなしい」。ついにできなかったという否定形であり、しかも一条流の言いっぱなしではあるが、少なくとも彼は別の生、別の世界の他性を組織するための他の言語を潜在的な展望として持っている。「新しき宮言葉を創造する」ことができず、既成のコトバによって真意をつたえようとする努力は確実にむなしい。彼が「黙狂」の少年、言葉を求め言葉を拒否するかのような少年に——運動を思考することはいかにして可能かと、ひたすら黙って考えている少年に、たえず目をむけていたのもそのためであったかもしれない。この小説の言葉を私たちが読めてしまい、読めてしまう限りで、一条の描こうとした来るべき精神病院は現実化され得ないものなのだ。秩序は続くのかもしれない、と、一条はひとまず嘆息する。「どうしてこんなことに、なっちまったんだろうか。それは、おそらくこの世には精神病患者があり、彼らを収容する精神病院があり、その病院には院長があり、君たちもいて、ずうーっとその秩序は続いて行くことから来ているのかも知れないな」。

壮大な長編の最後、一条は憲兵隊の手に落ちるまぎわに服毒し、確かにいったんは死ぬのだが、大木戸夫人の証言によれば彼は「復活」を遂げ、再び病院に現れた。作品上に復活の身体が描かれることはなく、この小説は不分明のオープンエンドとなっている。そして一条の構想する「精神病院」は現実化せざるものとして宙吊りの状態で維持される。それは、正常秩序の単純な転倒でも、既存の要素を組み換えるだけでたいてい予想がついてしまう「サキガミエタ」将来でもなく、あるいは私たちの言語で記述可能なものでもなく、豊富なものの場、無限に展開する「精神病院」であっただろう。この壮大な逆説の舞台が富士だったのは偶然ではない。シンボルであり物質であるその曖昧な山は、武田の想像力のこの上ない表現となったのだ。

註

(1) 武田泰淳「富士」『海』一九六九年一〇月—七一年六月号。
(2) 三脇康生「精神医療の再政治化のために」(フェリックス・ガタリ+ジャン・ウリ+フランソワ・トスケル『精神の管理社会をどう超えるか?——制度論的精神療法の現場から』杉村昌昭・三脇康生・村澤真保呂編訳、松籟社、二〇〇〇年)、阿部あかね「1970年代日本における精神医療改革運動と反精神医学」(『Core Ethics』六号、二〇一〇年)を参照させて頂いた。
(3) 武田泰淳「ひかりごけ」『新潮』一九五四年三月号。
(4) 小俣和一郎『精神病院の起源 近代篇』太田出版、二〇〇〇年。
(5) ジョルジョ・アガンベン『ホモ・サケル——主権権力と剥き出しの生』高桑和巳訳、以文社、二〇〇三年。
(6) ジョルジョ・アガンベン「収容所とは何か?」『人権の彼方に——政治哲学ノート』高桑和巳訳、以文社、二〇〇〇年。

（7）佐藤泉「生・政治と文学——武田泰淳『富士』」『敍説 Ⅲ』七号、二〇一一年。

（8）序章についてのすぐれた分析として、村上克尚『動物の声、他者の声——日本戦後文学の倫理』新曜社、二〇一七年。

（9）ミシェル・フーコー『性の歴史Ⅰ　知への意志』渡辺守章訳、新潮社、一九八六年。

16　死ぬにまかせる政治とウィルス禍

三月一六日（二〇二〇年）、横浜地裁は相模原市の障害者施設襲撃事件の被告に対し死刑判決を言い渡した。被告の思考の背景には、生産性を重視する新自由主義の風潮があったのではないか、という指摘は早くからなされていたのだが、裁判の争点は被告の責任能力にしぼられ、これほど凄惨で信じがたい事件がなぜ起こったのかに迫ることはついにできなかったように思う。真に問われるべきことを覆い隠し、議論を終わらせるための判決だったようにさえ感じられた。

二〇一六年七月二六日、植松青年は「津久井やまゆり園」に入所していた一九人の障害者を殺害し、二六人に重軽傷を負わせた。大きな衝撃を呼んだ事件なので詳細については省くが、事件の約五か月前に、彼は衆議院議長公邸に自分の目標は「重複障害者の方が家庭内の生活、および社会的活動が極めて困難な場合、保護者の同意を得て安楽死できる世界」だという手紙を渡していた。大量殺害を予告する手紙の文面には、自分が障害者殺害を実行するにあたっては国の意向を引き受ける形で実行したいという考えが現れていたが、それを支離滅裂な言いぐさとして片づけるわけにはいかない。数年前から主に政治家たちの間でしばしば国の財政と安楽死、尊厳死を暗に結びつける発言が続いていたのだから。一時期首相候補の一人に名前の上がっていた石原伸晃氏は、テレビのインタビューに答えて社会保障財源について語る中、唐突に「尊厳死協会」についてしゃべり出したことがあった。また、「政府の金で（高額医療を）やってもらっていると思うと寝ざめが悪い、さっさと死ねるようにしてもらわないと」という麻生自民党副首相の発言も思い出される。政治家たちは、ある種の人が命を諦めてくれれば、医療費、社会保障費が削減でき、無駄に食いつぶされてきた日本の財政が救われると、暗にそう述べていた。「やまゆり園」を襲撃した犯人もまた、こうした言葉がうっすらと浸みわたる空間に身を置いていたのではなかっただろうか。彼の発言からは国を代行して辛い決断をするという意識が見え隠れし、またそれによって自分が国家有用の人物であることを証明しようとしていたようにも感じられる。効率性、生産性を重視する新自由主義は、一方の極に国家有用の人材のイメージを、他方の極に、ただ生きているというだけの生、生きるに値しない生、というイメージを作り出していた。

一九六〇年代までの時期、健康な兵士、あるいは均質で大量の労働力を必要としていた国家は、積極的に国民経済に介入し、人々の生を維持するための福祉国家体制をとっていた。この時期の国家はいわば「生きさせる政治」に依拠してきたといえるが、その後、七〇年代、八〇年代を過渡期として、九〇年代には新自由主義的な政策への転換があきらかになっていく。障害者殺傷事件以前の段階で、「困窮死」の問題がもうずいぶん前から無視できなくなっていた。二〇〇七年に北九州で生活保護を断たれた男性が餓死し、生活保護のあり方について議論が起こるきっかけとなったが、その議論は生活保護を受けてしかるべき人をすくい取れていないという捕捉率の低さに注目する方向にむかうのではなく、逆に受給者に対するバッシングを招くことになった。二〇一二年のはじめ、札幌で生活が困窮し電気やガスが止められた状態で四〇代の姉妹の遺体がみつかった。二〇一九年、江東区の団地で七二歳と六六歳の兄弟が亡くなった。体重は二〇キロ台、三〇キロ台になっていた。電気とガスは二か月前から止められていた。二〇二〇年、大阪府八尾市のアパートでは五〇代の母親と二〇代の息子の遺体が発見された。食べ物はほとんどなく、所持金もわずかでガスや水道が止まっていた。

新自由主義的な「文化」が広がる中で、日本社会では国に寄り掛からず、周囲に迷惑をかけず、自分で生きていくべきだという論調が蔓延し、そして、所持金も底をつき、水道もとめられて、ひっそり餓死していった人のことが、ごく小さく報道されるようになった。というより、この上ない悲惨であるにもかかわらず、ほとんど報道されなくなっている。

ネオリベラリズムは狭義の経済政策に留まらず一つの思想運動とみなすことができる。ここ二〇年間の成果として顕著なものが、自己責任論の普及だった。この間、非正規雇用労働者のぶ厚い層が政策的に創出されたが、当初は「組織に囚われない働き方」というイメージがさかんに喧伝されていたことが思い出される。不安定である政策によるにもかかわらず、気楽な暮らしを選んだのは自分だろうという言葉があらかじめ用意されており、それが人を見捨てる口実として機能している。

「生きさせる政治」が幕を下ろし、「死ぬにまかせる政治」の段階に切り替わり、そこには、生きづらさと困窮という悲惨に対しても鈍感でいられるような文化が形成されている。

そして、二〇一六年に障害者施設襲撃事件が起こった。死ぬにまかせる段階を超え、積極的に殺害してよい、むしろ殺害すべきだという考えが一人の若者によって実行に移されたことになる。植松被告は意思疎通できない障害者を「心失者」と呼び、それを殺害可能であることの基準とした(かつての東京都知事が重度障害者施設を視察し、「ああいう人ってのは人格があるのかね」と発言したことがあったのを思いだす)。この社会は「死ぬにまかせる政治」からさらに一歩踏み込んで、「すでに死体とみなす政治」の段階に入ってしまったのだろうか。自己責任の名のもとに、人々の苦境に対し鈍感になるだけでなく、ある種の生を死体とみなす、それ以上に国家財政を脅かすムダとみなすのだ。障害者施設を襲撃した若者は、無駄な予算を別のところに使えば世界が平和になると主張していた。彼は現に生きている人間のただ中に、生産的な生と、死体同然の身体とを切り分ける境界線を引いていた。

ここでその境界線は私たちの時代の虚構にすぎない、ということを今一度確認しておかなければならない。私たちはだれしも脆弱な身体をもっており、人によりかかるのを潔しとしない個人主義者さえも、その精神性から非人称の身体、肉体を切りはなすことなどできはしないのだが、この自明の事実を改めて確認しなければならないというのは奇妙なことである。現在、世界はコロナウィルスの深刻な影響にさらされているが、この経験は私たちが自然の脅威の中で生きている脆い動物であることを改めて思い出させてくれた。ドイツのメルケル首相は、ウィルス対策を国民に呼びかける演説の中で、エピデミックは私たちがどれほど脆弱であるか、どれほど他者の思いやりある行動に依存しているか、同時に私たちが協力しあうことでいかにお互いを守り、強めることができるかを教える、と述べていた。

にもかかわらず、生をめぐる政治は「すでに死体とみなす政治」からさらに「自らを死体とみなす政治」へともう一つ段階を進めたのではないかとも思われてくる。やまゆり園の事件が起こったのは二〇一六年七月だったが、それからまもない一二月、『文藝春秋』に脚本家の橋田壽賀子氏による「夫との死別から二十七年、九十一歳脚本家の問題提起 私は安楽死で逝きたい」が掲載された。この文章が大きな反響を呼んで、翌年にはあらためて文春新書から『安楽死で死なせて下さい』が刊行されている。印象に残ったのは、橋田氏がこの本を子どものころの恐ろしい空襲の体験から書き起こしていることだ。堺が空襲を受け、橋田さんは逃げる途中で母とはぐれてしまった。その時、母はもう死んでいると思い、「ああ、お母さん、死んでよかったな」と思ったという。生きていたってどうしようもなく、希望もなにも持てない。毎日空襲で逃げてばかりの日々が続き、このままではいつか死ぬし、自分も必ず死ぬ。だから、「お母さん、早く死んで、早く楽になってよかったね」という気持だったのだ、もう逃げ回らなくて済むのだから。……これは単に晩年にさしかかった著者が自らの生涯をふり返ったときの一コマにつきるものではない。早く死んだほうがいいと考えてしまうまでに辛い生がある、という挿話である。

その一方で、この本からは、誰にも頼らず脚本家として成功した橋田氏が、その代表作のヒロインにも似てどんな逆境のもとにあっても自らの力で自分の人生を切り開いてきたことに自信と誇りをもってきたことがよくわかる。つまり橋田氏の「安楽死」は二極をもった連続体なのだ。一方は生きていたって辛いだけの生という極、もう一方は、弱い部分をみせるのを潔しとしない生という極。彼女の「安楽死」はその間の緊張の中で構成されている。彼女の生は自らを自身の力で支えたみごとな自立の生だと思う。その姿を彼女は最後まで貫きたいと考えていたのだろう。そして、そう出来なくなった時には、人さまに迷惑をかける前に死にたい、という思いが口をついて出た。人さまに迷惑を掛けたくない、とは安楽死を望む人がしばしば使う言葉である。安楽死をめぐるノンフィクションを書いた宮下洋一は、これを東洋の死生観、日本的集団主義の現われだと説明している（宮下洋一『安楽死を遂げた日本人』小学館、二〇一九年）。いわく、欧米人は自らの意思で死に方を決めるのを人権の一つと考えるのに対し、日本人はというと死の瞬間まで他者の眼を気にする。こうした比較は紋切型の「日本文化論」を思わるところもあってやや鼻白むが、あえて言うなら橋田はむしろここで「西洋的」と言われたような自立的主体の極北を表現していたかのように感じられる。だが、自らの意思か、他者の眼かは東西文化論がそうであるような単純さで簡単に分離できるものではあるまい。

私は、森崎和江の『からゆきさん』に登場する「ヨシ」という女性のことを思い出す。ヨシは幼いころに売られて「からゆきさん」となったが、その逆境の中から自らを救い出し、誇り高い日本女性として自活の道を切り開いて人々の尊敬を集める成功者となった。そして最後に、すべての後始末をつけて一筋の隙もみせない「みごと」な死に方をした。一人の力で生きた女性が、年老いてその自立性を保てなくなったときに死を選んだのである。元からゆきさんの自死の内に潜む深淵を、私は到底想像し尽くせないが、また、過度に想像しすぎないようにしようとも思う。誇りを守って生きた女性の姿に私は敬意を感じないではいられないし、また歳をとって自立を維持できなくなった自分の姿を人にみせるのは耐えがたいという思いに少なからぬ人が共感するのもよくわかるからだ。うっかりすると私自身も辛い死に方は避けたいとか人さまに迷惑をかけたくないとか考えかねず、「立派な死に方」に共感しかねないところがないではない。それでもやはり、何か飲み下せないものが残存する。ここは何としてでも踏みとどまらなければならない地点ではないかと思う。

障害者施設襲撃事件の犯人と橋田壽賀子とは基本的に何の関係もない。一方は他人を不要なものとみなして殺す側の論理であり、他方は自分でもう死なせてほしいという論理であり、異なる動機から発せられたという意味で無関係である。考えておくべきことは、全く逆方向からの論理が現在の生政治/死政治の段階で同時に出現し、安楽死という概念において結びついた、という時代性の問題だ。いわゆる慈悲殺を取り上げた鷗外の短編「高瀬舟」の中で、殺してほしいという弟の思念と殺すに至った兄の思念が切り分けがたく混淆していたように、安楽死言説には自他の境界があいまいにとけあう地点が決定的にそなわっている。だからこの灰色の地帯を白か黒かに切り分けるのでなく、そこに踏みとどまってこの時代を解読しなければならない。

橋田壽賀子の発言は時代の声をある意味で代表していたのだろう。これと前後して、古市憲寿の『平成くん、さようなら』(文藝春秋、二〇一八年)などを含め、安楽死を時代の主題として提示する言葉が急速に広がっていった。その古市氏が終末期医療をめぐる発言で物議を醸したのも記憶に新しい。相模原の事件以後は政治家ならぬ若き論客が、多くの事実誤認を交えながら財政と安楽死、延命中止を結びつけ、日本社会の処方箋を提示するにいたっている。

二〇一九年六月には、ＮＨＫがスイスの団体の助力によってみずから安楽死を遂げた日本人女性をとりあげたドキュメンタリー番組を放送した（『ＮＨＫスペシャル　彼女は安楽死を選んだ』二〇一九年六月二日）。難病を宣告され、徐々に身体機能を失ってゆく。回復の見込みはない。その彼女にとっての最後の選択は、自分の意思が明確に伝達できる間に安楽死することだった。そして、最終的に彼女がみずから致死量の薬品の入った点滴のストッパーを開けて静かに死んでいくその場面がノンストップでテレビ画面に映し出された。私はというと、何の用意もなくこの番組をみていたのだが、到底、冷静ではいられなかった。画面をみながら、私の頭の中には彼女が最後の最後に、まだぎりぎりで開けていない点滴の栓を手にしたまま、やっぱり生きる、というのではないかという想像が渦巻いていた。のみならず、番組の制作者たちが、それでは話がちがうとさわぎ出すというブラックコメディ風の結末まで思い浮かんでいた。要するに激しく混乱しながら画面をみつめていたのだが、テレビの中の彼女はそのまま死んでいった。こんな番組があり得るのかと少なからず動揺していたのだが、ＳＮＳでの反応をみると、心を揺さぶられた、といった感想が並んでいた。しばらく後の新聞で、自ら死を選んだこの女性の姿に「崇高」を感じたという識者のエッセイが掲載されていた。

この放送に対し、障害者、難病者の当事者団体は障害者の生を否定するものだという危機感を持ち、懸念の声明を発表した（障害者団体からのそうした意見表明に対し、強い語調での非難も寄せられたという）。やまゆり園の事件の場合、犯人が障害者の生を生きるに値しないと、いわば他人の目でそうみなしたが、それから三年後、今度は他人ではなく本人が、一人の女性のビオスの生がその人自身のゾーエーの生を死なせることになった。

二〇〇〇年代のはじめから、中学「公民」、高校「現代社会」の教科書に、新しい人権としてインフォームドコンセントや自己決定権が記述され、その一つとして「安楽死」「尊厳死」の権利が挙げられるようになったという。自己決定の原理やインフォームドコンセントは、患者の権利として欠かすことはできないが、一方で生命倫理においてその「自己決定」がどんな文脈に依存しているのかはつねに問題となるところである。「生命倫理学」そのものが、自己決定と市場原理に基づくきわめてアメリカ的・新自由主義的な価値観に基づいてきた特異な学ではなかったかという反省が、当のアメリカ生命倫理学会でもなされている。

どんな文脈でその自己決定がなされるのか。気にかかるのは、尊厳死協会の会員に「女性の会員が多い」と言われていることだ。一九九一年、当時日本尊厳死協会常任理事だった廣瀬勝世氏が『朝日新聞』のインタビューに答えて以下のように語っている。

全体の65％強が女性で、60歳前後の方が多いですね。世界中、女が多い。そこにこの問題の大きなテーマがある。男性は母親や奥さんに守られているから、自分は世話をしてもらえると思っている。（略）結局、自分の親、夫の親、そして夫、と最期までをみとるのは、一般的にやはり女性です。尊厳死協会も従来は、植物状態の場合、医者や家族の側からの見方が主でした。私は逆に、自分がそうなったらどうしてほしいか、私は家族の人生を狂わすような迷惑はかけたくない。それが愛情のけじめではないか、と。女性の共感を呼んだようですね。

日本のみでなく「世界中、女が多い」。尊厳死の問題は、かつては植物状態の場合に医者や家族の側がどうするかという問題だったが、やがて逆に自分がそうなった時にどうしてほしいかという「自己決定」の問題に移行していった。そして、自分は家族に迷惑はかけたくないという考えが女性の共感を呼んだ。ほう助自殺や安楽死に関する言説は「永遠の若さ」や「健康」や「豊かさ」という社会的なイデオロギーと対になって女性の生を切り裂いているという指摘がなされてきたのだが、ここには一般的にケアを担うことが多い女性が、「愛情」ゆえにケアを断念するという回路が示されている。障害者施設を襲撃した犯人の国家のための安楽死提言、他人に依存することを潔しとしない自立の生による安楽死願望、そして家族を思うがゆえの死。安楽死は一方で財政コスト論的な殺害の思想に通じており、他方では愛ゆえの死となり、その間にひろがる幅を持った概念となった。目まいを感じるようなこの広々とした灰色の幅のどこかに単純な切断線を入れるわけにはいかないと思う。それがその時なされた「自己決定」だったとしても、その文脈には確実にこの灰色の幅が広がっているのだから。

もうひとつ、やはり女性の声が安楽死を語った短い言葉を紹介しよう。ごく小さな新聞記事の中の言葉で、言語的には自ら要求する形になっている。そこには自分の意志と深い断念とが分かちがたく同居している。

非正規シングル女性を対象に横浜市男女共同参画推進協会などが実施したウェブアンケートでは、約83％が「老後の生活」に不安を感じていた。「退職金もなく将来生きていくのであれば生活保護しかない。安楽死施設を開設して欲しい」と30代の女性は回答した。(「〈老後レス時代エイジングニッポン：3〉想定されない女性たち」『朝日新聞』二〇一九年一一月一三日)

生活保護しかない。だが、この社会にあってそれは迷惑であり恥であり、バッシングの対象にさえなる。安楽死施設を開設して欲しいと、自ら要求する文体で語られた言葉が、どれほど冷酷な文脈の中でなされているかは明らかだ。私たちはいったい何を「自発的」に要求させられるようになるのか、何を願望させられているのか、私たちの生の行き着くところにはこれほどまでに追いつめられた「自発性」が残っているだけなのだろうか。が、追いつめられた自発性という言葉が語義矛盾であるのは明白であり、この小さな記事には「想定されない女性たち」の深い絶望と、強烈な皮肉がにじむ。死ぬにまかせる段階から、すでに死体とみなす段階、さらには進んで自分を死体とみなす段階に行き着いて、人間、ことに女性が、深く絶望している。深い絶望とともにある皮肉には、私たちの社会の明らかな不正義と残酷さを照らし出すにたる毒性が込められていないわけではなく、「安楽死施設を開設して欲しい」という要求の逆説性は、この社会が狂っているという事実を端的に突きつけているのだ。そしてこの毒は、つねに国家財政を憂うるよう暗に強いられている私たちが、自分自身についての夢から目覚めるための解毒剤ともなるはずであり、そうでないなら、とても正視できない言葉である。

言い直そう。財政難の心配はしておく方がいい。二〇一八年の末、国際人権法を専門とする申惠丰氏をはじめとする「研究者・実務家有志一同」が、「防衛費の膨大な増加に抗議し、教育と社会保障への優先的な公的支出を求める声明」を発表した。巨額の兵器購入を続ける一方で、生活保護や年金を引き下げる政策のゆがみを指摘する声明には、率直にものをいう時に言葉が持ち得る力が備わっている。

第二次安部政権発足以降、防衛費は毎年連続で増加し、二〇一六年度以降は五兆円を突破している。安保法制が成立、施行され、防衛省が要求する最新鋭の武器購入が満額で認められるようになった。集団的自衛権行使のためのイージス艦、朝鮮半島有事での隊員輸送等のためのオスプレイなどが次々に購入され、しばしば言い値でポンコツを買っていると揶揄されている。一方、二〇一八年一〇月から三年間の生活保護費引き下げは一六〇億円に上るが、オスプレイ二機分でこの引き下げは不必要となるという。こうした比較の想像力は必須であるが、必須だからこそ比べるべきでないものを比較していることの恥辱を忘れるまい。

二〇一八年四月の日米首脳会談での発言によれば、米政権の要請に応じ日本は高額な武器を買い続けといい、導入経費だけで二基二〇〇〇億円をこえる陸上配備型迎撃ミサイルシステム・イージスアショアがその象徴となっている。一九年から始まった中期防衛力整備計画は、五年で二七兆円の武器を買うことになっており、空母やF35戦闘機など「専守防衛」で説明のつかない兵器をローンで買い続けるのだという。これはだれのための予算、だれのための政治なのか。

二〇二〇年度予算案が参院本会議で採決され、与党などの賛成多数で可決したのは植松被告の死刑が確定する三日まえのことだった。一般会計総額一〇二兆六五八〇億円で、過去最大規模となる。全世代にわたる社会保障を切り下げる一方、軍事費は過去最大の五兆三〇〇〇億円に上る。軟弱地盤と活断層の存在があきらかになって技術的に不可能である辺野古の米軍新基地建設に浪費される予算も膨大だが、新型コロナウィルスが社会に打撃を与えているさなかにもなお現時点で防衛局は工事を強行する姿勢を崩さない。浪費を顧みる様子もみせない。

新型コロナウィルスの感染拡大が深刻化している。自粛の要請によって苦境に陥る人々への所得補償など、政府の支援策は少なくとも現時点での発表をみる限り期待できる内容ではない。横須賀基地所属の原子力空母ロナルド・レーガンの乗組員の間にも感染が確認されているが、米国防省は、米軍の運用に影響を与える恐れがある、との理由により基地や部隊個別の感染状況を非公表とし、それを日本政府は容認している。この期に及んで、在日米軍の「運用」のために人々が危険にさらされるのか。

トランプ政権はかねてからＮＡＴＯ加盟国にも軍事費増額を要求しているが、しかし現在、加盟国の多くが感染症とその犠牲者が拡大していく現実に直面しており、なにをおいても医療、社会保障への支出を優先せざるを得なくなっているはずである。つまり、世界的に、政府の財政力に目を向けなければならなくなっているはずである。安全保障の名のもとにこれまで見過ごされてきた浪費も可視化されるべきだろう。ウィルス禍の前と後で、社会の在り方は変わるだろうか。一九九〇年に保険所は八五〇か所あった。二〇一九年には四七二か所まで統合、削減されている。そこにエピデミックがやってきた。ずっと以前から潜在的に生命を脅かされていたことを、私たちは今ようやく学び始めている。今起こっている混乱を、人々の困窮、絶望と軍事費支出との間の、これまで公論化されず断ち切られたままになっていた関係を肌身で感じる機会としなければならない。ウィルス禍の前と後とで、社会の在り方がかわっていなければならない。脆い身体を支えることを基礎とした思考を取り返さなければならない。

17　厳罰主義と生政治／死政治

今年（二〇二一年）初めに「特措法（新型インフルエンザ等対策特別措置法）」と「感染症法（感染症の予防及び感染症の患者に対する医療に関する法律）」の改正に向けた議論がなされた。閣議決定時の改正案は、飲食店等への営業時間短縮の命令を拒否した事業者は行政罰として五〇万円以下の過料、宿泊療養の勧告に応じなかったり入院先から逃げたりした患者は刑事罰として一年以下の懲役または二〇〇万円以下の罰金が科され得る、という厳しい内容だったが、このころは入院拒否どころかむしろ入院先の不足により自宅で亡くなる人が続出した時期であり、こうした厳罰方針には全くといってよいほどリアリティが欠けていた。ただちに日本医学会連合、日本公衆衛生学会、日本疫学会、日本弁護士連合会が法改正に反対する声明を公表し、法律整備の際には感染症に対する差別と偏見の歴史を踏まえなければならず、そして保護されるべき感染者個人に対し逆に責任を負わせるのは倫理的に受け入れがたいと訴えた。結果的には、自民党と立憲民主党の協議により刑事罰を削除する方向で法改正が成立し（自民・公明・維新・立憲が賛成、国民・社民・共産が反対）、すでに施行されている。ただ、法改正後の回顧的視点によるなら、この改正案に備わっていた奇妙な威圧感、それ自体が目的化したかのような厳罰の感触を小さく見積もってしまうことになるだろう。事業者であれ、感染者であれ、感染症の影響下で苦しめられ、様々な事情を抱えていることは容易に想像がつく。必要なのは罰則でなく補償だった。にもかかわらずそうした事情の一切を顧慮することなく一律に科せられる「罰則」の姿は、国家がその剥き出しの力を誇示せんとする構えを感じさせるものだった。強制的な執行力を人々に知らしめ、個人の自由や人権の不可侵といったリベラルな価値を省みることのない権力がそこに誇示されたのだ。粥川準二は時評の中で「剣を振りかざすリヴァイアサン」という表現でこの権力に言及している（『図書新聞』二〇二一年二月一三日）。改正法下の私たちは、今や互いに対する配慮と敬意によって互いに隔たり、隔たることによって共にあるのではない。「剣」に怯えて法に従うのだ。

いくつか覚えておくべきことがある。まず、この改正案が提出された時点では、改正を必要とする根拠としての立法事実が提示されていなかった。審議の過程で、政府側は知事側から罰則を設けるよう要請があったと述べ、知事会側は刑事罰とは言ってないと述べ、政府と自治体が互いに責任をなすりつけ合う場面の中で、なぜ罰則＝強制力のある法改正が必要なのかがますます不明になっていった。そして法案提出後に調査がなされ、事後的に立法事実が報告された。私たちは、これをどう考えればよいのだろう。事後的にではあっても立法事実がみつかったのだから、さかのぼってこの法改正はやはり必要だったのだと納得すればよいのだろうか？　しかし、それではこの法の働きをめぐる重要な時間性の問題を隠してしまうことになる。法案は根拠なく作成され、根拠が出て来たのはその後だ。この時間錯誤のただ中に立ち現れるのは、法の創出的な働きである。法に基づいて刑罰を加えるべき違反者は法以前に存在せず、違反者の表象はむしろ法を通して見出されたことになる。それは野放図にウイルスをまき散らす悪の象徴だろうか、あるいは多くの飲食店が時短要請に応じる中、抜け駆けで営業する狡猾な事業者だろうか、要するに「内なる敵」の姿が、そのイメージを産出した法の内に定着されたのである。そして、こうした悪を許すなら正直者が馬鹿をみることになるという「正義」もまた同時に創出されることになるだろう。この法改正は「まん延防止」以上に、ある感情、情動の構成により多く関わっているようにさえ感じられる。隣人に嫌疑を、次いで憎しみを向けることで社会的連帯の可能性を無化すること、さらにこの破壊をほかの問題点においてもやはり拡張すること。同じ時期に審議されていたのは入管法改正案、少年法改正案であり、ともに厳罰主義的な改正案といえるものだった。

罰則を含む法は、感染者を危険な取締りの対象とみなし、時短要請に応じ（ることのでき）ない事業者を許しがたい非同調者として表象する。そうすることでいわば悪の理念型を生産していたのだが、感染症下、そして緊急事態下の「人間本性」はその理念型を反映することになるだろう。悪の姿が生み出され、それが「本性」である以上は取締りと厳罰、烙印に対する恐怖によって感染を防ぐ方策こそが「現実的」だとされる時、まず何よりも高齢者はじめ脆弱な存在の命を第一に守らなければならないという基本的な道徳は「人間本性」から目を背ける空疎な理想論として位置付けられることになりはしないか。だが、法の手前にいた時の私たちは本当に猜疑心こそが現実的であり社会連帯は非現実だと考えていたのだろうか？　私たちは法以前の自分たちの姿を思い出し、連帯や愛だったかもしれない行動が、処罰への怯えや無法者への憎しみに変換される瞬間があったことを記憶したい。

七〇年代後半のフーコーは『監獄の誕生』や『性の歴史』で禁止、抑圧、制裁といったいわば強権的で否定的な作用から出発して権力をとらえるのではなく、知や真理の言説を産出し、主体を生み出す権力の生産的なメカニズムを分析する必要性を主張していた。日本においても八〇年代には「規律」をテーマとする権力論の受容とともに「マクロ権力からミクロ権力へ」「権力は禁止するのでなく生産する」という方向での権力観の転換が進んだ。きまぐれな王様が民衆の首をはねるとか、法的禁止によって個人の自由を拘束するとか、要するに「剣」＝処刑の権力を振りかざす力として権力を思考するのを止めてみよう、規律を軸とする近代的な権力はむしろ個を従順で有用な主体として新たに生み出すのだ、というように。この転回によって諸領域にわたる規律の目的性が暴き出され、またそれを切断することの困難さをめぐる思考の営為が深められてきた。その間、「剣」の表象は、むしろ近代の生きさせる権力、生産的な権力をみえにくくさせてしまう古くて粗雑なモデルとして位置づけられてきたのだが、こうした経緯を経て今「剣」が回帰してきたということは、権力の現れに何らかの変化が起こっていることの兆候なのだろうか。

総力戦体制あるいは福祉国家体制において、権力は大量の従順な兵力あるいは労働力を必要とするがゆえに国民総体の力の増強に努めてきた。国民もまた「規律化」「包摂」を受け入れることの見返りとして「豊かな暮らし」を享受したかもしれない。しかし、九〇年代に顕著になった新自由主義的な統治の再編による福祉国家体制の解体を通して医療や社会保障、公教育の削減が急速に進み、国民全体の底上げという視点は着々と放棄されていった。感染者を保護するのでなく処罰しかねなかった今回の法改正をひとつの兆候とする権力の変容も、これにともなう変化の一項目といえるのかもしれない。権力は生きさせる権力から死ぬにまかせる権力へと転換したかのようである。

犯罪をめぐる言説配置の変容もこれにともなう変化の一項目とみなすことができる。犯罪の原因を犯罪者の置かれた環境に求め、矯正、更生、社会復帰へと接続する実践は、均質で大量の労働力、従順で有用な主体を生み出す権力の実践とともに「規律」の枠組みの内で理解することが可能である。こうした社会的規定因の解読は、人間の内面の襞に立ち入るとともにそれを客体として作り出すことになるだろうし、内面の管理はなるほど鬱陶しいかもしれない。しかし今回の法改正は、入院しない、時短に応じない人間を自由意志と責任の枠組みでのみとらえ、入院できない、応じられないそれぞれの内的事情を解読しようとはしない。「こらしめ」「応報」の回帰のようにすらみえるこうした変容は、権力形態そのもののシフトを示すものにさえみえる。今回だけではない、近年目立ってきたのは実際「古い権力」の再来ともみまがう権力行使の形態である。死刑判決と執行数の増加傾向に加えて、今回成立した改正少年法は、あらたに一八歳、一九歳を「特定少年」と規定し「虞犯」の対象から外し、また起訴後の実名報道を解禁し、結局は保護と更生の機会を失わせるものへと変わっている。少年による刑法犯の検挙人員は二〇〇四年以降一貫して減少傾向が続いており、この場合もやはり立法事実が認められない。こうした厳格化の傾向は規律（矯正、更生、社会復帰）のテーマには回収できない。

ただ、これを生きさせる政治の終わり、死ぬにまかせる政治への転換とみるのは性急である。改正特措法の審議中、菅首相が繰り返していたのは「給付と罰則はセット」という言葉だった。強権的に罰するのではない、国民の窮状を理解しているのだと言っているようでもあり、また、給付を社会主義と勘違いしないようにと言っているようでもある。結局のところこれは「生かす権力」をあらためて「生殺与奪の権限」と一体のものと位置付けなおす発言であり、生政治（バイオポリティクス）が死政治（ネクロポリティクス）とワンセットであることを改めて告げる言葉として受け取ることができる。同調者への保護が、非同調者、違反者への罰則と一体となったいわば取引の体制をとることがどんな効果をもたらすかを想像するのは難しくない。おそらくその時、服従が過剰に強化されることだろう。

緊急事態宣言が発出されるとともに登場したいわゆる「自粛警察」は、感染の不安に駆られながら警察・公権力に自らを同一化させ、市民による自発的な監視と告発を行い、目にみえない規範を再生産することに意欲的な社会のありようを私たちにみせつけた。なぜ人は法に過剰同一化し、自発的に服従するのだろうか、そして服従の享楽を組み込んだ権力とは何なのだろうか。過剰に服従するものはその過剰さを自ら証明するかのように排除の暴力を強めてしまう。制度は憎悪の教師なのだと、酒井隆史が以前書いていたが、剣をかざす禁止の権力は非国民たる違反者のグループに対する憤りを醸成しつつ、別のグループにはより強い服従を促していた。復讐の感情にもとづく死刑が、憎しみを結晶させる制度の筆頭であるように、権力は憎しみの傾向を的確に捉え、活用する。

現在の厳罰主義、懲罰主義はこのあたりに位置付けられるだろうか。

すると剥き出しの剣は決して単純な「古い権力」の再来ではない。現代の権力は、国民総体を生かしその生命を保護するという姿勢を放棄したかにみえるが、そこに現れた恐怖による服従の強化は、もはや国民規模の規律＝包摂に関心を持たなくなった新自由主義の体制によって駆動された生き残りのゲームの中でこそ深化している。懲罰主義の流れは、服従のメカニズムを現代的に刷新するのであり、生政治は終わったのではなく、死政治と不可分に絡み合うものとなるだろう。そこでは生きるに値する生と余剰人口とみなされる生との間のはっきりした線引きがなされ、そして後者の無力化と生きる資格の剥奪が戦略化されようとしているのである。

二〇二一年の五月に行われた「自由と生存のメーデー2021」のテーマは「感謝より金を！罰金より補償を！罰よりケアを！自粛よりデモに！」というものだった。「罰金より補償を！罰よりケアを！」は、冒頭でのべた法改正の倒錯を突いた言葉であるとともに、それ以上の厚みを重ねた言葉である。集会での発言者はひとりひとりが何としてでも伝えなければならないことがあるという思いでこの場に立っていた（動画〔20210508 UPLAN【集会】自由と生存のメーデー２０２１「感謝より金を！罰金より補償を！罰よりケアを！自粛よりデモに！」https://www.youtube.com/watch?v=PjaRXMiIBRY〕）。翻訳家の名波ナミさんの言葉を少し書き起こしておきたい。「今起きていることは、病院のベッドをへらし、福祉をへらし、医療をへらしていった長年の政策の末に、あらゆるケアの責任を家庭に、家庭の女性に押し付けてきた結果。平和の祭典とかいうもののために助かるはずの大勢の人が今死んでいってる。安心安全とかいうもののために外国人が入管に収容されている。

ごみのないきれいな街づくりのためにホームレス女性が殴り殺されている。今私たちの眼のまえで起きているのはそういうことなんじゃないか。実際、オリンピックにむけて安心安全だか、治安だかを高めていくために外国人を入管に収容していくべきだとはっきり法務省の文章に書いてあるんです」。

彼女が指摘するように「東京五輪・パラリンピックの年までに安全安心な社会の実現のため、不法滞在者ら社会に不安を与える外国人を大幅に縮減することは、喫緊の課題」だとする入国管理局長名での通達が二〇一六年四月に出ていた(「〈牛久入管で何が…長期収容される外国人〉(5)「五輪のための」厳格化」『東京新聞』二〇二〇年五月九日)。一八年には仮放免取り消しによる再収容、そして速やかな送還へと運用が厳格化され、それが「送還ノルマ」につながったとみられる。

この集会の中で一つの軸として浮かび上がってきたのはオリンピックと入管法の関連である。名波さんは、名古屋入管で何がおきたかを訴えていた——亡くなったウィシュマさんは、同居男性からDVを受けていた、それを警察に相談した、そのせいで警察は彼女を入管に送った、そして彼女は治療も受けられずに死んでいった。DV防止法には被害者を守ると書いてある。なのになぜ。この社会は何を守っているのか、この社会の安全安心とは何なのか。安全とは無期限収容ではない。安全とは家に帰っても殴られないこと。にせものの安全安心ではなくほんものの安全安心を求める、という彼女の声は胸にせまるものだった。また、織田朝日さんも、入管法が改正されてしまえば難民が帰されてしまう、母国に家族がいない人も帰されてしまう、日本に生まれた子どもたちも帰されてしまう、帰りたくないといえば刑事罰を与えられて犯罪者扱いされてしまう、支援者を管理人として見張る制度ができたなら支援者さえ罰金を科されてしまう、団結が必要なのだ、生き延びるために、と述べていた。入管法改正案もまた、保護されるべき人々を逆に犯罪者化するものだった。三回以上難民申請をした外国人を強制送還できるようにするスリーストライクス法が導入されたなら、それは祖国で迫害を受けて来た人々にとって人生の終わりを意味する。あるいは就労を禁止し、社会保険はなく、移動を制限する仮放免、在留活動の禁止を目的とする収容は生きることの禁止であり、まぎれもない「剣」であり死政治である。

被害者や保護すべき者の犯罪者化は改正特措法、改正少年法、入管法改正案にとどまらない。特に沖縄に深刻な影響をもたらしかねない「土地利用規制法案」は、自衛隊、米軍基地、原発などの周囲約一キロと国境離島を「注視区域」に指定し、土地・建物の所有者らを調査し、報告や資料の提出を求めることができる。その結果、施設の「機能を阻害する行為」やその「おそれ」があれば利用中止を勧告・命令するもので、これに応じない場合には懲役をふくむ刑罰が設けられている。しかし、沖縄の基地周辺の住民は米軍の占領によって住んでいた土地を奪われ、基地周辺での暮らしを余儀なくされ、そして軍用機の事故や爆音、環境汚染、軍関係者の犯罪に苦しめられてきたのではないか。そしてこの法案の場合も立法事実の存在が疑わしいことが審議の中で明らかにされた。

「剣」の政治、死の政治が、集中的に進行しているという実感をぬぐえない。何より新型コロナウィルスの感染が広がり、医療機関の逼迫があきらかになっているにもかかわらず、現時点で政府はオリンピック・パラリンピック開催の意志を取り下げる様子をみせない。IOCのコーツ調整委員長は、緊急事態宣言のもとでも五輪を開催するかと問われ「もちろんイエス」と答え、バッハ会長は開催のために「誰もがいくらかの犠牲を払わなければいけない」と述べ、菅首相は開催可否を決める権限は日本にはない、安全安心、全力を尽くすと述べる。オリンピックに勇気をもらいつつ、医療現場は命の選別を強いられ、私たちは自宅待機のまま治療を受けられずに人々が死んでいく様をみることになるのだろうか。私たちはあらかじめ死んでよい員数に数えられているのだろうか。『越境広場』八号の「状況への発言」で鵜飼哲氏が沖縄の二〇〇四年を想起するよう促している。二〇〇四年の八月一三日、この日、沖縄国際大学キャンパスに米軍普天間基地の軍用ヘリが墜落した。しかし翌日の本土の新聞はというと、当時開催中だったアテネ・オリンピックの報道一色だった(「オリンピックを考える——スポーツと天皇制」)。

五輪の晴れやかな衣装をまとった死の政治が、濃い死臭を漂わせて私たちの周囲に近づいてくる。沖縄ではすでに二〇〇四年、あるいはそれよりずっと以前から、死政治の影に覆われていた。米日両政府のアジア戦略のもとで「沖縄に居住する百万人の人間が生きながらにして死亡者台帳に登録されている」と川満信一は書いたが、異なる時代、異なる文脈でこの言葉を想起せざるを得ないとは、これはいかなる世界だろう。

もう一つ。「生きながらにして」とちょうど逆だが、遺骨である。沖縄戦の死者の身体が、死にながらにして軍事基地建設のために調達されようとしている。バイオポリティクスとネクロポリティクスの交差において死を考える時象徴的な姿で立ちあらわれるのが本島南部の土なのだ。「人が死んだら血は土に吸い込まれ、肉も腐乱し溶けて土壌に吸い込まれて、そこの土自体がすでに人間を吸い込んでしまっている」(『けーし風』一一〇号、二四頁)。抽象的な死の観念と死体の具象性とを相互に切り離し、死の美学の洗練さえ極めてしまう「日本文化」の対極に、かつての激戦地の土があり、その土において死と死体とは一体である。死を死の観念で受け止めるのでなく、死んだ肉体という具象のいとしさ、かなしさを心に住まわせながら死を理解すること。規律化すべき客体としての生でなく、あらかじめこれくらいまでは許容範囲とされる死者の数でもなく、生と死を考えること。適切に言語化するのはまだ難しいが、収集した遺骨を「洗骨」するように丹念に洗い清める具志堅さんの振る舞いから生と死を考えるのでないなら、私たちはおそろしい間違いを犯すことになるのではないかと感じる。

結　心身の歴史としての文学史、およびその裏側

本書に収録したのは主としてここ数年に書いた文章で、そのいくつかは、新型コロナウィルスパンデミックが私たちの生活を大きく変えた時期のものである。

二〇二〇年の大学に入学した学生たちは、入学したにもかかわらず通学できず、一年ないし二年の間、自室にこもってオンライン授業を受けるという困難かつ不思議な経験を強いられた。教員である私もこの授業形態には大いに困らされ、反面で意想外の面白さを感じもしたがそれはよい。私は、今起こっていること、経験していることを意識的に経験しておこうねと学生たちに言った。後になってからそれが何だったかを考えるためにと。私自身もこの経験が何であるのかはよくわかっていなかったのだが、ともかく私たち一人ひとりの「生」が脅かされている時に、「個人」や「社会」に何が起こるのかをみておいた方がよいように思ったのだ。

ウィルス禍にどう対処するか、この困難の中でいかにして私たちの社会活動を維持するのか、こうした課題が日々問われていた。個々人の行動を変えることが、社会全体を守ることにつながる、とも言われていた。私たち個々の「生」の管理を通して、社会の全体が左右される、ということを日々意識せざるを得ない時期だった。

健康への脅威が問題になるや、これまでなら許されることなどなかったはずの自由の制限がセキュリティへの欲望の名において受け入れられ、移動の自由、文化的政治的活動の自由、死者の葬儀が執り行われる権利が失われた。いったいそれでよかったのか？――本書のいくつかの章でもふれたように、ジョルジョ・アガンベンはそれは誤った選択だと頑固にも主張し続けた。一連の発言の翻訳にあたった高桑和巳氏によると、イタリアがエピデミックに覆われるタイミングでなされたアガンベンの発言は、感染拡大に対する現実的対処の是非が言論の場を覆いつくす中で無用な議論として黙殺され、擁護にまわるものといえばごく少数にとどまった、とのことである（『私たちはどこにいるのか？――政治としてのエピデミック』青土社、二〇二一年）。私もまた、高齢の母親が感染することなど考えるだに恐ろしかったため、ただちにこの議論を黙殺し、行動制限を受け入れた。加えて、わが政府は「自粛要請」という言い方で自由の制限を課してくるかと思えば、その一方で旅行や食事に出かけることを推奨し、つまり業界への配慮として自由なる経済活動を後押しすることに熱心だったこともある。私たちの前にさしだされたのは命か経済かという問いであり、生命と健康を絶対視するあまり文化的政治的な自由が無制限に制限されるのを見過ごすわけにはいかないというアガンベンの議論がそのまま当てはまる環境には必ずしも置かれてはいなかった。

ただ、アガンベンの警告には黙殺しがたい点がある。一つは、人々の不安と恐怖を活用することで、通常は許されるはずのない、その意味で例外的だったはずの権力行使を常態化させるという「バイオセキュリティ」のパラダイムである。この統治パターンに関しては、わが社会にあってもただちに思い当たるところがあり、本書では感染症対策としての緊急事態宣言／憲法への緊急事態条項の創設という論点に触れたが、恐怖と不安の活用というなら、むしろ感染症への恐怖がおさまりつつあったその後の流れに顕著である。二〇二二年二月からのロシアによるウクライナ侵攻を「教訓」として米国のかねてからの要求である防衛費倍増が当然視されるようになり、さらには戦後の安全保障政策を抜本的に転換させる国家安全保障戦略等の三文書が公表された。これらの文書は国会閉会後の臨時閣議での決定によるもので、政治において立法があからさまに除外されるという行政国家の姿を如実に映し出すものともなっていた。文書の内容、決定の手続きがともに問われるべきだったが、これを検証分析する報道があきらかに不足していたこともあり、問題の重さに相ふさわしい議論や反対運動等の意思表明をなすいとまもなく事態は進行した。感染防止のために長らく社会活動、政治的活動が除去されてきたことの影響が、この根本的な転機においてボディブローのように効いてきたのであれば、その対価はあまりに大きい。

そして、アガンベンは「剥き出しの生」という、精神に食い込んでくる言葉を使った。「この国を麻痺させたパニックの波がはっきり示している第一のことは、私たちの社会はもはや剥き出しの生以外の何も信じていないということである」。この部分だけ切り出して読むなら、剥き出しの、ただ生きているだけの生などに価値はない、単なる延命は無用だといっているように受け取られかねない言葉であろう。〈反延命〉へと傾いていくこの社会にあって、私も一瞬心がざわついた（小松美彦・市野川容孝・堀江宗正編『〈反延命〉主義の時代――安楽死・透析中止・トリアージ』現代書館、二〇二一年）。だがアガンベンの言わんとするのはそういうことではない。この思想家の文脈における「剥き出しの生」とは、それが法的政治的な秩序の欄外に位置しており、だからその身体に対しては法とは無関係にどのような介入も可能となってしまうという、法権利に対する特異な位置の形象である。実際、感染症対応のもとで通常の法権利は一時的に宙吊りにされ、さまざまな禁止措置が課され得ていた。

アガンベンは剥き出しの生が出現するその前提として、もとは一体だった生が分割された歴史的な転換点を指摘している。

「こうしたことが起こりえたのは（略）私たちが自分の生の経験の単一性を分割してしまったからである。身体的な生の経験と精神的な生の経験はつねに、互いに分離できないしかたで一つにまとまっていたが、私たちはそれを、一方の純粋に生物学的な実体と、他方の情感的・文化的な生とに分割してしまった。（略）イヴァン・イリッチはこの分割に対する近代医学の責任を示した。この抽象が近代科学によって、身体を純然たる植物的状態に維持できる蘇生諸装置を通じて実現されたものだということが、私にはよくわかっている」。

私たちはただ無為に生きているし、その土台の上で文化的にも政治的にも生きている。分離できない私たちの生の経験から、ある時剥き出しの生、それのみを切り出すような思考が現れた。それが一体何を引き起こすのかを、私たちは感染症以前から知っていたのではないだろうか。

二〇一六年に相模原の障害者施設の入所者一九人が殺害され、二六人が重軽傷を負うという事件が起こった。障害者は何も生み出さないという考えのもとに、大量殺害を実行した犯人は、生を生産的な生とただ生きているだけの生とに分割し、そして後者を殺害してよいものとみなしたのである。アガンベンは剥き出しの生のためにほかのすべてを犠牲にして躊躇しない思考を問題視していたのだが、この事件は逆に剥き出しの生を標的として、それを殺害してよいものとみなすものだった。両者がどれだけ逆にみえたとしても、それはともに分割できないはずの生の経験を分割し、一方に生産的な生、他方にただ生きているだけの生を実体化している。

この事件は犬笛の機能を果したようだ。事件後にはSNSの匿名の場を中心に、犯人のやったことは許されないが、考え方としてはある意味で正論だ、という共感の声がみられた。日本は財政破綻寸前であり、もう障害者を生かしておくだけの余裕はないということであるらしい。いらないものを生かしておけないという社会は、障害者から高齢者へ、社会とって迷惑な存在へと、次なるいらないものを見つけ出すことだろう。そして私たちはやがて自分をいらないものとして再認させられる。本文でも触れたが、相模原の事件に引き続いて上昇してきた「安楽死」言説においては、私が私の安楽死を望んでいるのか、社会がある種の人間の安楽死を望んでいるか、望んでいるその主体はどこまでも不分明になっていった。いらないものを作り出すことに帰着するような生の分割を、私たちはなぜ、どのようにして受け入れるのだろう。感染症の前、すでにここ数年、そんなことを考えさせられてきた。

日本の近代・現代の文学史には、「心（心理）」「身体」「正常」「異常」「生」「死」といった問題に対する意識の変化が刻まれている。明治期であれ今であれ、私たちの生物学的身体の仕組みそのものにさしたる変化はないが、それをどのような言語によってとらえるかは歴史の中で大きく変化してきた。文学史をある関心からたどるなら、そこには誰もが持っている自分の身体、自分の心に関する構えがどのように深く変化してきたかを読み取ることができるのだ。心身の変容とは、心身をめぐるまなざしの変容であり、心身を語るための一そろいの語彙の入れ替え、言語活動の変容なのである。自分の生に関する経験の変容を考慮しなければ、私たちは人がどのようにして生の分割を受け入れるのかを理解し損なうことだろう。

明治の開国とともに、日本に流れ込んできた西洋由来の知の枠組みのうち、最も影響力があったのが、近代的な科学主義、実証主義の思想スタイルであり、それが心身のとらえ方を大きく変えていった。いくつかの文学作品は、歴史の中で心身をめぐる問題意識がどのように変わったかをその文体のうちに刻みこんでいる。ここではごく簡単にいくつかの転換点にだけ触れたい。

近代小説とはすなわち心理小説である。坪内逍遥『小説神髄』（一八八五年―八六年）はこのテーゼを提示した。といって、当時は心理という言葉はまだ一般化していない。心理、心理学はこの時期大量に輸入された西洋の学術用語のひとつであるサイコロジーの翻訳であり、近代以前の日本語の中には存在しない語彙である。だから、心理を書くのが小説の使命だといったところでこの時代の一般的な読者には通じない。そこで逍遥は「人情」という古臭い言葉をまずは使用した。『小説神髄』の中でよく引かれる一節である。

「小説の主脳ハ人情なり　世態風俗これに次ぐ　人情とハいかなる者をいふや　曰く人情とハ人間の情欲にて所謂百八煩悩是なり」

小説でもっとも重要なのは「人情」である。人情とは「人間の情欲」のことであり、いわゆる百八煩悩といわれるのがそれだと逍遥は説明する。人間は妄念、邪念の一切を振り切ることなどできないが、それをも含めて人情を写しだすのが小説だというのだが、それでは「人情」とは、いったいどこにあるのか？

「斯れバ人間といふ動物にハ外に現るゝ外部の行為と内に蔵れたる内部の思想と二条の現象あるべき筈なり　しかして内外双つながら其現象ハ駁雑にて面の如くに異なるものから世に歴史あり伝記ありて外に見えたる行為の如きハ概ねこれを写すといへども内部に包める思想の如きハくだくだしきに渉るをもて写し得たるハ曽て稀なり」

「それ稗官者流ハ心理学者のごとし　宜しく心理学の道理に基づき其人物を仮作るべきなり」

外に見えたる行為／内部に包める思想という繰り返される対比によって、ひとつの全体だった人間が、内／外に分割され、その効果として「内部」が見出された。これまで書かれてきた歴史や伝記は、外からみてわかるような「外部の行為」は描いてきたが、みえない「内部の思想」を写し得た作はほとんど存在しない。小説家は「心理学者」となるべきであり、「心理学の道理」に基づいて、人の内部を描き出すべきである。こうして今や「人情」という古臭い言葉に代えて「心理」

「心理学」という用語が打ちだされた。不可視であるはずの内部に可視性を与えるのが心理学という枠組みなのである。

ここで逍遥は「人間といふ動物」という言葉を遣っている。もちろん人間は単なる動物ではなく、言語活動を行う動物であり、社会、組織を作りだし、宗教や道徳を生み出してきた。だが一面で人間はまぎれもなく生きものであり、動物である。人間の生には、動物的生と、文化的生とが重なり合っているのだが、逍遥には人間を動物のレベルにおいてとらえる必要があった。リアリズムを説明するためにまず「動物」的生の対極にある「道徳」的生が相対化されなければならなかったためである。逍遥が主要敵として挙げる曲亭馬琴の八犬伝の主人公たちに内外の分割はない。表向きは仁の人、義の人だが、しかし心の中には妄念が渦巻いているといった生々しい人間ではなく、彼らは仁なら仁のかたまりであり、本当の人間ではなく観念なのだと逍遥はいう。形式道徳の表皮を剥がしてしまえば人間はそもそも動物であり、動物的生こそが虚飾を剥ぎとった人間のリアルなのだ。

「人間といふ動物」という見方は、剥き出しの生物学的身体の発見と言いかえられよう。それは旧来の形式道徳が破棄される場であり、それゆえ新たな生の書法が介入する場となる。まず「人間という動物」という認識は、人間を動物一般と同様の生きものとして、生物学の対象としてみることを意味する。生物学、あるいは生理学解剖学的な観点からすると人間はサルにごく近く、人間の解剖はサルの解剖に役立つ。すると、すぐさまその動物的生において、私たちが魂、精神、心、などと呼んできたものは何であるのかという心身問題が発生するはずだが、この時期の「心理学」はまさに生理学的身体と心を橋渡しする言説だった。

当時の心理学は、身体への刺激・身体の反応という生理学の理解様式、すなわち自然科学の理解様式を借用するものだった。皮膚一枚を隔てて人の内側と外側が分割され、外からの刺激、たとえば蜂にチクリとさされるといった刺激を受けた時、それに対して痛いという反応が内側に起こる。外部刺激と、内部の反応には対応関係があり、大きい外部刺激にはそれなりの内部反応がある。そこにはなんらかの関数的関係が認められるかもしれない。だとすれば、刺激の強度、それに対する反応の強度を数字、数式で表現することも可能かもしれない。すると心も自然科学の対象とみなすことができる。帝国大学では一八八八年に元良勇次郎による「精神物理学」講座が開講され、翌年心理学実験室が創設された。精神と物理とは乖離概念ではなく、精神さえ物理現象としてとらえ得るという仮説がこの学を支えたのである。この時期になされた実験は素朴なものだったかもしれない。だが、重要なのは実験の精度ではなく、心に対する構えが大きく旋回したということだ。

それまで魂や霊魂は信仰の問題であって、それゆえ科学の対象ではなかった。科学的とされる思考、つまり実証主義の構えこそが、魂でも霊魂でもない科学的対象としての「心理」を新たに作り出したのだ。「それ稗官者流は心理学者のごとし　宜しく心理学の道理に基づき其人物を仮作るべきなり」。逍遥のこの言葉は、人情から心理への転換、近代以前から近代への転換をあざやかに印づけている。そして文学の関心事を、外にみえる行為から不可視の内面へと向けかえ、それを可視化する書法を獲得したところに近代文学が誕生する。人間にとって重要なのはこの内面であり、それは他人にみえないからこそ「私」に固有のものとなる。ここに「私」「個人」という人間像が生まれるのだが、そこには科学主義の発想がすでに書き込まれていた。

こうして小説の近代が始まったのだとすると、近代文学史は文学に関わるとともに、何より心身の書法に関わってきたと言えるだろう。次に明治の文豪二人について、これもごく簡単にみておこう。文豪の一方である森鷗外の本業は軍医であり（文学活動はその合間をぬってなされたいわば副業にすぎない）、その専門は公衆衛生学、軍陣衛生学である。富士川游の『日本医学史』は「始メテ我ガ邦学士ノ手ニ成レル衛生学書」として森林太郎・小池正直の共著『衛生新篇』（一八九七年）を位置づけている。それまで日本の医学界は、体系的な公衆衛生学の書を持たなかった。鷗外は、この『衛生新篇』をはじめとして、公衆衛生の観念そのもの、公衆衛生学の学としての位置付け、公衆衛生がカバーする範囲と細目まで、さまざまな次元で「公衆」と「衛生」を基礎付ける作業を行った。二〇二〇年からの感染症対応の中でもしばしば専門家による提言と政治家の判断との境界が問われたが、「公衆衛生学」には、最初からいったいそれは自然科学なのか、社会科学か、あるいは行政かという路線の問題がついてまわった。

ドイツで新知識を吸収した森鷗外は、福沢諭吉が実践したような民衆啓蒙活動の重要性を認識し、日本の民衆にひろく公衆衛生の知を行き渡らせようと考えた。一八八八年秋に帰国した鷗外は、ただちにこれを実行に移すべく行動を開始し、みずからの言論活動の拠点として『衛生新誌』を創刊している。一八八九年三月、つまり大日本帝国憲法発布の翌月のことだった。

「待ち受けたる憲法とは、畢竟何物ぞや、（略）吾們は只た日本人民が、此より政治に交渉するを見るなり、既に政治に交渉すれば、今まで官衙に、官員に依頼し来りたる事共も、自ら之を負担し、自ら之を処理するの要用あり」(「衛生新誌の真面目」)。

憲法を獲得した近代国家のもとで、人民はすでに政治的な主体であり、そうである以上これまで官員に依頼してきた事柄も自らこれに対処しなければならない。健康管理もその一つである。「日本の人民は既に充分に発育したり、宜しく脱然として慈母の懐を離れ、今迄も親の保護を得て、心閑かに養ふたる力量を表はして、世に示すべきなり、見よや、日本の人民我秋津洲辺には春光融々たり」。

今や国民は赤ん坊の未発達状態を脱し、慈母たる政府から巣立って独立した主体となる時である。人民は国家の保護に頼るのでなく、自らを管理しなければならないのだ。とはいえ鷗外が展開しているのは新自由主義的な自己責任論では全くない。「公衆の健康は、政府の一大目的」であり、そうである以上「人民には政府に向て、「我等を健康にせよ」と求むる権理あり、政府には人民に向て、「爾等を健康にせん」と誓うの責任あり」ということを鷗外は認めているのだ。国民が健康でなければ「精鋭の軍隊も動かさんと欲すること難し」、であるためだ。近代初期のこの時代は個々人の健康な生が国力に直結するものとみなされた時代であり、だから国家は人々の健康に無関心ではない。鷗外は、この時代の啓蒙的衛生家として、生きさせる政治、生権力の時代の言説を生産していたのだ。人間の身体を規律する権力、それを可能にする身体の解剖政治、そして次のように統計学的な視野において人口＝国民全体に働きかける生政治を鷗外は担おうとしていた。

個々人は国家のために健康であらねばならない。鷗外は「吾人の健康は即ち金銭なり」と述べ、統計学の手法を用いて一地方の死亡数、疾病数、その治療にかかる延べ日数、そのために生ずる損失と医療費を算出し、「世人の健康とともに失ふ金銭」を示す。逆に死亡数を減少させた時の利益および利子計算を示す。この時期以降、人の健康や病は個人の苦楽の問題ではない。健康であることは国民の義務であり、財政収支の言葉で表象される問題となった。

その鷗外は、「衛生学」を「人の外囲に在りて影響を人に及ぼすべき物を知る学」（「公衆衛生略説」一八九〇年）、「身外の物が人身の健康に及ぼす影響を知る学問」（「靴？・屐？」一八八九年）と定義した。鷗外がこの時民衆、国民への浸透を試みていた公衆衛生学とは、人身と身外、自己と非自己の境界を意識する言説として登場したのである。自己という存在が皮膚一枚を境にして外界から画然と分離しており、そして外界には眼にみえない危険な黴菌が無数に漂っている。こうした保健衛生的恐怖の想像力をも、それは涵養するものだった。ちょうど免疫機構が他なる細胞に対し自己の内に迎え入れるにふさわしいかどうかを識別し、非自己に対して拒絶反応を起こすようにこの言説は機能する。こうした知識によって、たとえば乳幼児の死が減少するならこれは単純に有用である。ただその知は衛生、健康の領域に関わる問題であると同時に、近代思想の基盤に関わるような枠組み、つまり「自己」「非自己」の識別、「自己」とそれを取り巻く脅威という観念を育てる上でもっとも雄弁な言説だったのではないだろうか。自己同一性の観念の構築や、近代社会における個人意識の析出といわれる事態は、少なくともこの場合「精神」の問題ではない。自己は自己の内外を分かつ身体の輪郭、脅威を前にした境界線を思い描く衛生学の言説を通して形成されるのだ。

詳述は別の場に譲るとして、鷗外の衛生学啓蒙の実践例を一つだけ挙げておこう。『衛生新誌』創刊号には、牛乳の保存について指導し、細菌学の原理の初歩的な解説におよんだ文が掲載されており、鷗外の「通俗講和」の文体実践の一端を窺うことができる。

「就中笑ふべきは、乳を貯ふるに、寒い処丈善いと云ふことを知らないで、態々温い処に置くのです」「嗚呼、歎ずべきは、世俗の謬見です、（略）牛乳に果して何の罪がありませう」（「服乳の注意」）。

『舞姫』の鷗外は、同時代の「言文一致」運動に対して慎重な距離をとり、流麗な擬古文を用いてこの名作を書いたと説明され、それが文豪たる経歴に一つの重みを加えてきた。しかし公衆衛生学の福沢諭吉たろうとした鷗外は、ほぼ同時期にこうして一般の民衆の背丈に合わせた言葉で語ろうとしていたのである。『衛生新誌』創刊は一八八九年、「舞姫」はその翌年一月に発表されており、流麗な擬古文と通俗講話の文体は同時期の仕事だった。

明治の文豪のもう一方、夏目漱石に関しては『それから』（一九〇九年）が重要である。主人公・長井代助は、何より神経過敏な人物として文学史に登場するのだ。解剖学、生理学の知以前に、「神経」は存在していない。だから鋭敏な人間も鈍感な人間も存在していない。「神経」という解剖学的実体が知にもたらされた時、感受性の鋭い繊細な人間が生まれ、近代的な主人公が生まれたのである。彼は、作品の冒頭から自分の心臓に手をあてて血の脈打つ音を確認している。みずからの胸に聴診器を当てるように身体内部の音を聞き、脳髄、神経のふるえをまなざす主体。解剖学的可視性を受け入れて自らを理解する主体。彼の決定的な新しさはこの点にある。この人物は神経がざわついた時には淡い花の香でそれを沈めなければならないし、神社の赤い鳥居をみると神経が興奮し、青い色に包まれると落ち着くという。あたかも信号機のような刺激‐反応図式によって構築されるこの主人公の鋭敏なる感受性は、やはり明治初期の「精神物理学」的な知を前提としている。

主人公は自らの繊細さを新しい時代の知的選良の証として認識している。たとえば、書生として自分の家に置いている気のいい青年を、彼は次のようにみている。「代助はこんな場合になると何時でも此青年を気の毒に思ふ。代助からみると、此青年の頭は、牛の脳味噌で一杯詰まつてゐるとしか考へられないのである。話をすると、平民の通る大通りを半町位しか付いて来ない。(略)彼の神経系に至つては猶更粗末である。恰も荒縄で組み立てられたるかの感が起る」。

この青年が牛の脳味噌と荒縄の神経から成るのに対し、代助の繊細な神経は「天爵的に貴族となった」その証しなのだ。彼にとってはこの若者のみならず、維新前の時代の生き残りである父親も「神経未熟の野人」にみえている。侍の時代の人間である父は「度胸」や「胆力」という言葉を用いて息子に説教するのだが、息子にとってそれは生理学以前の幻の臓器であるにすぎない。この主人公は、時代の新旧を画す知による決定的な新しさの魅力をもって若い読者に訴えた。神経や脳髄という語彙、繊細さのもたらす疲労といった想像力は、新しい人間を生み出し、それまでにない価値を生み出した。明治の新興ブルジョアジーの家に生まれたこの主人公は、働かなくとも親のふところで食べていけるため、音楽会や展覧会と美的な世界で日々を過ごすことができる。彼の繊細な神経はもっぱら趣味の美的領域に適用され、それは一つの生の様式にさえなっている。たとえば彼は、自分の今現在の行動は、それ自体が目的でなければならないと考える。自分の現在が何か別の目的のための手段に堕したなら、この今に喜びはない。そして彼は、神経の論理による独特の恋愛観の構築者でもあった。美しい女をみれば美しいという感じがするが、その作用は一時の現在にかぎり感受されるものであり、次にはまた別の美しさに気を移すのが感受性の真実である。「代助は渝らざる愛を、今の世に口にするものを偽善家の第一位に置いた」。感受性人間たる彼はそう考える。愛情もまた美を感受する神経反応の瞬間性に還元され、生はそのときどきの現在の、きらめく瞬間へと断片化されるのだ。移ろうもの、つかの間のものに新しい美的価値を認めようとする感性的人間にとって、時間は断片化した瞬時の連鎖となっている。

しかし生の断片化とは、美的な意味を持つばかりではない。この作品が発表されたのは一九〇九年だが、労働の断片化、細分化の手法で知られるテーラー主義の労務管理法が日本にも紹介されるのはそれからまもなくのことである（『科学的経営法原理』横河民輔訳、一九一二年、『学理的事業管理法』星野行則訳、一九一三年）。日本での工場管理法の導入は、比較的早く、そして積極的なものだった。構想する頭脳は経営側へ、実動作業をする手は労働者側へとふりわけられ、さらに効率をあげるために作業そのもの、動作そのものも高度に細分化、単純化された。構想と実行が分割され、細分化された作業過程と生産物の完成態とが分割され、手段と目的とを一続きの緩い流れとして考えることができなくなり、そして労働の断片化、非人間化という問題が形を取り始めることになる。『それから』とテーラー主義は何の関係もないのだが、そこには生の断片化という不吉でないとはいえない共通点が認められる。

『それから』を書いた漱石が明治初期の「精神物理学」的な知に魅了されていたことは疑いない。だからこそ、この時代のもっとも魅力的な主人公を誕生させることができたのだ。そうではあるが、この作品の価値は一そろいの語彙を含む新たな知の枠組みによって一時代の典型を創り出した点だけにあるのではない。

代助は父から政略結婚めいた結婚話を押し付けられているが、彼はそれを適当にかわしてきた。現在の瞬間のきらめきに生きる感受性人間にとっては「渝らざる愛」など偽善なのだから。それが神経の論理によって確立された生の様式である。だが『それから』は、そんな主人公がある一点でつまずく物語である。代助は、かつて自分がそう意識することなく断念していたのかもしれない愛にずっと遅れて気付くのだ。自分の論理からすれば、三千代への感情も現在一時のものに過ぎないはずだというのに。彼は自らの論理に何らかのファクターを数えこむのを忘れたのではないかと考えるが、それが何かはついにわからない。やがて彼は、かつての親友から三千代を奪いかえし、そのために繊細な美的生活から追放され、職を探しに街路に出て行かなければならなくなる。街は、彼の神経を狂わせる赤い色に満ちている。

漱石は精神物理学的な知の枠組みを文学的に活用することで一人の「典型」を生み出したのだが、その時にこそ、その知と語彙によってでは説明できない領域が浮かび上がってくるのだ。漱石はある論理に魅了されつつ、その論理の死角に立つという二重の身振りをもってこの作品を描き、文学史に重要な一項目を加えながらそれを失調させているのだ。興味深いことに、『それから』のちょっとした場面にドイツの生理学者ウェーバーの名前が出てくるのである。ウェーバーとは、刺激の強さと感覚の大きさとの相関関係に関する実験を創始した人物として心理学史にその名を記された人物であり、この名は「精神物理学」の始まりを徴づけているのである。漱石は神経過敏な主人公を生み出しつつ、同時に学術的な注でも加えるようにして、その歴史性を記していた。

歴史のある時、心身に対する構えが変わり、心理的人間、あるいは繊細な近代人が生まれ出た。ここで触れることはできないが、文豪以後のその後も、「濁った頭」（志賀直哉、一九一一年）、「神経病時代」（広津和郎、一九一七年）など、生を分割する境界は繰り返し引き直され、複雑化される心身の文学史は続いていく。健康と病、狂気や理性、正常と異常、国民と非国民、そしてセクシュアリティとジェンダーという大がかりな分割がそこに重なる。そのたびごと新たな分割線が書き込まれる場として、近代は剥き出しの生を作り出したのである。

これも本書では触れることができなかったが、伊藤計劃は遺作となった『ハーモニー』（二〇〇八年）で、健康が権利ではなく義務となった世界、もはや自分の身体が自分のものでなく社会の資産と化した時の生政治の息苦しさを描いた。人々は健康監視装置を身体内部に埋め込み、自分の内側からその身体を絶え間なく監視しているし、それを感謝すべき良きこととして受け入れている。その時、主人公の女の子たちが、すみずみまで社会の視線の中に置かれた自分の身体を奪いかえすためにできることは、次のようにミシェル・フーコーを引用しつつ社会的資産である自分を殺すこと、自殺することだけだった。「権力が掌握しているのは、今や生きることそのもの。そして生きることが引き起こすその展開全部。死っていうのはその権力の限界で、そんな権力から逃れることができる瞬間。死は存在のもっとも秘密の点。もっともプライベートな点」。

『ハーモニー』の主人公たちが死をもって拒否しようとした健康管理社会は、健康でしかいられないディストピアであり、だが安心で安全で平穏に生きさせてくれるユートピアである。この作品は二〇〇八年に発表され、筆者伊藤計劃は惜しくもその翌年に亡くなるのだが、ちょうどこの時期、リーマンショックを契機に格差と貧困が目をそらすことのできない問題となり、資本主義の限界が語られるようになっていった。新自由主義の体制下で生きさせる政治が死ぬにまかせる政治へと裏返っていくことになり、その果てに障害者殺傷事件も起きてしまった。だが、健康で平穏な世界の逆説を描いた伊藤計劃は、その透徹した目をもってすでに二〇〇七年、『虐殺器官』を書いており、そこには宅配ピザを食べながら映画をみるといった先進国の安穏な生が可能であるためには、世界の別のどこかに「虐殺」を配置しておかなければならないという、いわばネクロポリティクスを主唱する人物が登場している。生きさせる政治を書いたこの作家は、それが死政治によって裏側から支えられなければ可能にならないという構造を決して見落としてはいなかったのである。

本書は「抵抗の文学」という言葉を副題につかった、ここで考えたかったのはむしろ文学史への抵抗、文学史に刻み込まれたさまざまな分割への抵抗についてである。そこには先にみた『それから』の二重の身振りのような、文学史の内からそれを解体させる抵抗も数えられてよいのだが、ただ本書は、第Ⅱ部で扱った「聞き書き」の文学にみられるような独特の抵抗により多く関心を寄せている。抵抗という言葉も、この場合には適切なのかどうかわからない。聞き書きの文学や、個人という単位を必ずしも前提としない女性たち、被支配者たちの文学は、明瞭な抵抗の姿勢をもって自分たちの主体を確立しようという発想とはどこか異なる感触を秘めているように思われるためだ。むしろそれは支配的な文学史を突き放し、文学史とは無関係であることをその特質としているようにさえ感じる。なるほど、棄てられてきたもののながい歴史がある。だがその裏で育ってきたものの、同じほどにながい歴史もあるのではないか。森崎和江を引こう。

「けれども棄てられた者の感覚は、そう単純でもなく、その裏側には、別の世界が育ちます。いうなれば棄民という実質に対する棄国の感性です。国家をのがれてコスモポリティックになることよりも根深く、国家を捨てるような執念が育つ。私はそれが何かよくわかりませんでした。学校でも世間でもその感性に言葉をもたせることなく、その感性の存在にすら気づかぬようでした」(「なお問いつづけたいこと」『異族の原基』)。

本書でも触れたように、森崎和江の言語批判、日本語批判は根源的である。彼女はつねに、「私たち日本人の持つ日本語が、支配権力を所有する者たちの感性の方へより強く吸引された過程」に思いをめぐらせてきた(「媒介者たちと途絶と」『異族の原基』)。支配文化の歴史は心身をその都度分割し、のみならず死そのものを死者の穢れと清い霊魂に分割し、生者の観念はそれにしたがって操られてきた。長いその歴史を拒否し、ただの霊魂、ただの死を歪めることのない肉体の諸表現を肯定する感性を取り戻したい。そして、支配的な言葉を「ニセ文化」と呼び、それをこちらから突き放すように、次のように書くのである。

「ナキガラを霊から放置した者の言語的感性と、ナキガラを自ら処理した歴史を持つ者の言葉の感性とを同じものにみようとするニセ文化を拒否する。死は生誕をはらみ生誕は死をはらむ生きものの肉の現象であり、言葉にその現実をゆがめてとらえる権利を与えてはいない」(「媒介者たちと途絶と」)。

森崎が、人々の声を聞きあるいたのは、そこに支配文化に吸収されてしまうことのない言葉の響きを認めたからだった。支配文化の中には、自分の生を語る言葉が決定的に欠けている。だが、その欠如の意識を唯一の武器とする自己回復や創造があり、そこに自分たちの生を明け渡してしまうのではない生き方が可能になるのだという確信を、この聞き書き作者は握りしめていた。

やがて私たちは、特定の言葉を出力しないように調整された生成ＡＩの言葉と自分の言葉との区別を見失っていくことになるのかもしれない。言葉が欠けている、という感覚をその時の私たちは維持できるだろうか。支配的な言語と無関係であることによる抵抗、それを突き放すことによる抵抗は、いよいよ困難になるのだろう。だからこそ、その時何度でも立ちかえりたいと思うのは、森崎のいう棄てられた者の感性の、さえざえとした誇りなのである。

あとがき

「死政治」は、いちじるしく耳ざわりの悪い言葉だが、これをタイトルに使うことにしたのは、相模原の障害者施設で起こった殺傷事件の戦慄を、歴史の流れの中で理解しておきたいという思いがあったからである。事件の後に続いた「安楽死」言説や、「若手論客」による終末期医療についての提言も含めて、この「今」がにわかに生と死をめぐる歴史の転機として浮かび上がってきたように感じられた。これまで私は主に戦後の批評、特に一九五〇年代の批評を読み直す作業を続けてきたが、その中で五〇年代から六〇年代への転機は、経済的な豊かさという特定の価値へと私たちの生が誘導されていく、その転機として振り返ることができる。そのワンサイクルがどのようにして終わるのか。

ここ数年の授業の中では学生たちと事件がどう報道されたかを考え、また『月』(辺見庸)、『夏物語』(川上未映子)、『平成くん、さようなら』(古市憲寿)、『本心』(平野啓一郎)、『生を祝う』(李琴峰)、『ギフトライフ』(古川真人)、『プラン75』(監督：早川千絵)など事件後の作品とともに、近代文学の作品や石原慎太郎、伊藤計劃のSFを取り上げて、近代以後の文学史を生政治・死政治の文学史としてとらえ直そうという試みを進めた。そこに新型コロナウィルスによる生死の問いが突きつけられたこともあって、議論を深めることもできたとは思うが、しかし私たちにとって必要なのは特定の生へと導かれていった歴史ではない。そのようには統治されなかった人々の歴史がある。

本書では、だから文学史、生政治・死政治の問題系とともに、必ずしも文学史の主流に登録されてこなかった聞き書きの文学や女性の作品をあわせて取り上げた。森崎和江はもう一つの「死政治」を語っていたし、石牟礼道子は言語と貨幣、二つの一般的等価物の歴史を突き放すように生きる人々の声を聞き取っていた。根底から、生政治・死政治の文学史を拒否する力がそこには宿っている。

ウィルス禍の前と後で社会が変わっていなければならないと本文には書いたが、現状としては悪い方へと変わっていく感触が濃厚である。五年間で軍事費を倍増させ、そのために医療や年金、震災復興の資金を流用するのだという。私たちは死政治への裏返りを目の当りにしているのだろう。それでも、本書で触れた聞き書き作者たちはマイナスの力をプラスに転じるすべを人々の声の中に探ってきた。私も「今」という転機の中から歴史を切りかえす力を汲み上げたいと思っているのだが、どうだろう。

本書にはここ数年の文を収めた。あらためて発表の機会をくださり、また今回採録の許可をくださったみなさんに感謝を申し上げたい。そして誰より本書の編集にあたってくださった村上瑠梨子さん。タイトルも構成も村上さんのお力によっており、一通りのお礼で済むものではない気がしている。何より本ができあがるまでずっと楽しく議論をさせてもらった。この場を借りて、こころからの感謝を申し上げます。

初出一覧

序　生きさせる政治、死ぬにまかせる政治、すでに死体とみなす政治（原題「生きさせる政治、死ぬがままにまかせる政治、すでに死体とみなす政治」『社会文学』五二号、二〇二〇年）

第Ⅰ部

1　寂聴の苦闘、浄福の到来（『ユリイカ』五四巻三号、二〇二二年）
2　強父・阿川弘之、および娘小説の批評性について（『ユリイカ』五一巻一号、二〇一九年）
3　文学史と地政学（『日本近代文学』九八号、二〇一八年）
4　八〇年代ポスト・モダニズム再読（『現代思想』四九巻七号、二〇二一年）
5　私たちはこんな未来を夢見ただろうか（『現代思想』五〇巻四号、二〇二二年）

第Ⅱ部

6　越境する日本語（『日本学報』〔韓国日本学会〕一三輯、二〇二二年）
7　森崎和江の言語論（『現代詩手帖』六一巻九号、二〇一八年）
8　森崎和江の「二重構造」論（原題「森崎和江のにほん語――「個」と「集団」を再発明する」『詩と思想』四〇八号、二〇二一年）
9　死んだ肉体による文化批評（『日本文学』六七巻一一号、二〇一八年）

＊　本書の収載に際して、適宜加筆・修正を施している。

10　果てなき負債の果て（『現代思想』四六巻七号、二〇一八年）
11　とばりの向こうの声を集める（『ユリイカ』五四巻九号、二〇二二年）
12　記録・フィクション・文学性（『思想』一一四七号、二〇一九年）

第Ⅲ部

13　「犠牲地域」のオリンピック（『敍説Ⅲ』一九号、二〇二一年）
14　権力関係を「使用」する（原題「吉田修一『湖の女たち』――権力関係をエロス化し、「使用」すること」『社会文学』五四号、二〇二一年）
15　曖昧な肉（『現代思想』四一巻一四号、二〇一三年）
16　死ぬにまかせる政治とウィルス禍（原題「死ぬがままにまかせる政治とウィルス禍」『越境広場』七号、二〇二〇年）
17　厳罰主義と生政治／死政治（『越境広場』九号、二〇二一年）

結　心身の歴史としての文学史、およびその裏側（書き下ろし）

あとがき（書き下ろし）

佐藤 泉（さとう・いずみ）

1963年生まれ。専門は近現代日本文学。青山学院大学文学部教授。著書に『漱石 片付かない〈近代〉』（NHKライブラリー）、『戦後批評のメタヒストリー――近代を記憶する場』（岩波書店）、『国語教科書の戦後史』（勁草書房）、『一九五〇年代、批評の政治学』（中公叢書）がある。

死政治の精神史
「聞き書き」と抵抗の文学

2023年7月20日　第1刷印刷
2023年7月31日　第1刷発行

著者　佐藤 泉

発行者　清水一人
発行所　青土社
東京都千代田区神田神保町1-29　市瀬ビル　〒101-0051
電話　03-3291-9831（編集）　03-3294-7829（営業）
振替　00190-7-192955

組版　フレックスアート
印刷・製本所　シナノ印刷

装幀　水戸部 功

Printed in Japan
ISBN 978-4-7917-7572-9